永遠の都

1

夏の海辺

加賀乙彦

新潮社

永遠の都　1　夏の海辺　目次

第一部　岐路

装画　司　修
装幀　新潮社装幀室

永遠の都

永遠の都　1　夏の海辺

『永遠の都1』主要登場人物（時代は昭和10年、年齢は数え年）

小暮悠次…生命保険会社員、33歳
　初江…悠次の妻、時田利平の長女、27歳
　悠太…小暮家の長男、7歳
　駿次…次男、5歳
　研三…三男、3歳
時田利平…元海軍軍医、外科医、時田病院院長、60歳
　菊江…利平の妻、51歳
　史郎…時田家の長男、25歳
　夏江…次女、20歳
秋葉いと…利平の妾、30歳
中林松男…時田病院の医師

脇　礼助…政治家、昭和7年、50歳で死去
　美津…礼助の妻、小暮悠次の異母姉、47歳
　敬助…脇家の長男、陸軍中尉、26歳
　晋助…次男、一高生、18歳
風間振一郎…実業家
　藤江…振一郎の妻、時田菊江の妹、48歳
　百合子…風間家の長女、23歳
　松子・梅子…双子の次女と三女、20歳
　桜子…四女、17歳

他に、外科医の唐山竜斎、大工の岡田、運転手の浜田、間島婦長、鶴丸看護婦、久米薬剤師

第一部　岐路

第一章　夏の海辺

1

風が光り新緑が泡立《あわだ》った。風を含んだ五月幟《さつきのぼり》が三匹、身をくねらせ競い合って急流をさかのぼっていく。花は乱れ砂煙が舞った。砂場にいた駿次《しゅんじ》が土埃《つちぼこり》にまかれて目を押えシャベルを投げだす。そのままひた走りに母のもとに来た。

「おかあさん」と泣きべそをかいている。

「目にゴミが入ったのかい」

「ううん、ぼくおなかすいたの」

「おやおや、すぐお昼にしようね。でもおにいちゃん遅いねえ」

追っつけ零時半なのに悠太《ゆうた》が戻らない。十一時半に幼稚園は引けたはず、子供の足で七、八分の距離を、どこで道草くっているやら。心配しながらも、発熱して寝込んでいる研三《けんぞう》にかまけてつい時を忘れていた。

駿次を食卓につかせ、研三の濡手拭《ぬれてぬぐい》を取り替えてやり、女中のなみやを呼んだところ、返事がない。悠太を迎えにいくあいだ子供たちの守《も》りを命じようと思ったのに、気のきかぬ子だ。台所で居眠りでもしてるのかと覗《のぞ》いてみたがいない。庭先の鶏が騒がしいので卵でも取りに行ったのかと縁側から窺《うかが》ったがそこにもいない。広い家なので、どこかに隠れようと思えば簡単にできるのだ。

ぼんぼん時計が零時半を打ったとき、表の通りでトラックが地鳴りをおこし、汲取屋《くみとりや》の馬の蹄鉄《ていてつ》があざ笑った。何だか急に不安になって女中を呼びながら、からっぽの座敷をいくつも渡り歩いた。二階を探してみようと階段に片足かけた瞬間、それに反応したように玄関の格子戸《こうしど》が開き、飛んでいってみると悠太ではなくて、なみやだった。下脹《しもぶく》れの頰《ほお》を真っ赤にしてせいせい息衝《いきづ》いている。

「どこへ行ってたんだね」といきなり怒鳴りつけた。「断りもなしに出掛けちゃ困るじゃないか」

「すみません、奥さん」

「奥さまとお言い」

「へえ、奥さま……」なみやは今にも泣き出すように目鼻を寄せた。福笑いのお多福のようなおかしな顔でつい怒りがにぶってしまう。この四月、千葉の在郷から来たばかりのこの子はまだ言葉遣いがなっていない。敬語の用法も滅茶苦茶《めちゃくちゃ》で、どうかすると奥さまにむかって「行っていいかね」なんて尋ねる。そうかと思うと「お旦那《だんな》さまがお帰りになっていらっしゃいましたでございます……」など持って回った言い方をする。しかし邪気はないし、高等小学校を出てから家業の魚屋を手伝っていただけあって、まだ十六なのに魚料理の庖丁《ほうちょう》さばきはあざやかだし、重いものを平気で持つ体力もあって調法している。

「悠太がまだ帰らないんだけど」

「それでございますです」なみやは小さな目を切り裂くように開いた。「坊っちゃんがおそいんで、心配で、見てきましたんでございます」

「何を」

「幼稚園だね」なみやは下駄《げた》を踏み鳴らした。

「それで悠太はいたのかえ」

「いえ、いません。誰もいないだよ。みんな帰っちまっただね」

「先生はいらしたんじゃないの」

「いえ、いらしたんじゃないでした」

「ともかく、あんた、子供たちを見ていておくれ。そう、駿次にお昼を食べさせてね。わたしはもう一度探してくるから」

「へい」なみやは框《かまち》まであがったが、あわててまた下駄に飛びおりた。女中は勝手口から出入りするものだと奥さまにくどく言われていたのである。

門前から石段を下った先が歩道である。大通りは、澄明《ちようめい》な真昼の陽光を浴びて鯨の背のように黒々と光っていた。往来の車は跡絶《とだ》え馬糞《ばふん》が点々と落ちている。七年前、初江《はつえ》がこの西大久保一丁目の小暮《こぐれ》家に嫁いできたとき、あたりにはまだ田園の名残りがあって、植木屋の樹木や庭石、仕舞屋《しもたや》の隣に畑地があり、それにとくに雨の日は道がぬかって高足駄《たかあしだ》の歯に土くれがこびりつき難儀して、生れ育った三田《みた》綱町《つなまち》にくらべると大変な田舎に来たと嘆いたものだった。それが、植木屋を立ち退《の》かせ畑を潰《つぶ》して工事が始まり、いつのまにか並木や歩道をそなえた〝改正道路〟が家のまん前を通り、家の敷地も大分削られ、低い路面まで石段で通うことになった。改正道路は池袋、新宿、渋谷を結ぶとあって、東京市の〝青バス〟の路線となり円タクも繁々《しげしげ》と来て、足の便がぐんとよくなった。道路沿いに家々が新築された。多く板塀《いたべい》や竹垣《たけがき》に囲まれ、小さな庭と洋風応接間をしつらえた〝文化住宅〟で、明治時代、この地が豊多摩郡大久保村と言われた時代より建っている小暮のわが家は、古めかしさで目立つようになった。いま、てらてらと光るアスファルトの路面を見通しながら、初江は結婚当初の田舎じみた景色が陽炎《かげろう》のように揺らめきのぼる気がした。黒光りしている大通りから七年間の生活が染《し》み出してくる、そんな妙な気がした。

　わが家は坂の中ほどにあり、幼稚園へ行くには坂を登りきってさらに下って行かねばならぬ。丁度坂の頂きに精神病院が建っていた。鉄格子のはまった狭い窓の中は暗く、水族館の魚のようにうごめく患者たちが薄気味悪くて、いつもは足早に通りすぎるのだが、今はそこの見晴しを利用して大通りを眺《なが》め渡した。車が三台通りすぎたあと、路《みち》は広場のように無人であった。坂の途中で小学生が竹棒の先にベーゴマをつけて道路で擦《こす》っていた。そうやってベーゴマをピカピカに磨《みが》くものらしい。が、悠太は見付からなかった。

　坂をおりた所にミルクホールの白暖簾《しろのれん》がはためいていた。暖簾の先が硝子戸《ガラスど》を打ち、土工らしい数人が菓子パンを牛乳で流しこんでいた。男の一人が初江に気付いて、鋭い視線でこちらをひっぱたくようにすると、顔をしかめてそっぽを向いた。不断着のままで、歯のちびた庭下駄をつっかけてしまい、それに風で束髪が乱れ、ひどい有様なのに気がついた。夕方近所に買い物に出るときでさえ念入りに化粧して髪を梳《くしけず》らないと気がすまぬ彼女は、まして幼稚園を訪れるとなったらきちんと着替えて出るのが習いであったから、自分の身形《みなり》をあさましく思った。が、今はそんなことはどうでもいいと思い返し、小走りに大通りを横切って小路に入った。さいわい人通りはまれで、幼稚園のある丘のふもとにすぐ行き着いた。

幼稚園は小学校と中学校を備えた高千穂学園に付属していた。学校は土曜日の引け時で小中学生の黒っぽい群が坂に流れてきた。校門前でしばらく待ってみたが幼稚園児は見当らず、小中学生の群を掻《か》き分けるようにして坂を登った。

幼稚園は急斜面にへばりつくように建っていた。ドアには鍵《かぎ》がかかり呼鈴には応答がない。庭へまわると砂場のシャベルやバケツは整然と棚《たな》に片付けられていた。なみやの言ったとおりだった。では悠太はどこへ行ったのか。庭先から下に海のように果しなく続く甍《いらか》を前に途方に暮れた。今の今まで悠太は途中のどこかで道草を喰《く》っていると思っていたのだ。悠太は、腕白な弟の駿次とちがって、おとなしい子だが、変に熱中癖があり、何か興味のある対象を見付けると、店先や町角に立ちどまって、いつまでも観察していたりする。つい十日ばかり前も帰りが遅いので迎えにいくと、鍛冶屋《かじや》が灼熱《しゃくねつ》した鉄をハンマーで打つのをじっと見物していた。叱《しか》ろうとすると、鍛冶屋の親爺《おやじ》が、この坊やえらく熱心なもんだからいろいろ説明してやったよと笑った。が、いま、道草でないとするとどこへ行ったのか。最近人攫《ひとさら》いが多いと新聞に出ていて、夫の悠次から気をつけるよう注意されたのを思い出し、どきんとした。

坂を転がるように走った。着物の裾《すそ》がはだけて脚にまつわりつくのにかまわず一気に駆けおりた。

校門前には小さな店屋が街の皺《しわ》のように身を寄せ合っていた。文房具屋、駄菓子屋、鍛冶屋、豆腐屋、角の三角形の船の舳先《へさき》そっくりの家は洋服屋だ。坂をのぼり切れば抜弁天《ぬけべんてん》の高台へ出る。軒並みに店の中をのぞき、露地をうかがい、抜弁天の前から坂を行きかえして探し歩いた。

前田邸の前に来た。加賀の前田侯爵《こうしゃく》の〝中屋敷〟で広大な結構だ。道から広い砂利道が奥の向唐門《むかいからもん》まで続き、生籬《いけがき》のむこうにさらに砂利道がのびて車寄せのある玄関に到達する。手入れの行き届いた庭園は、背低《せび》くの植込みを配した池のむこうでさらに奥深い森林へと移行している。よく子供がこの邸内に忍び入って遊ぶと聞いていたので、生籬の近くまで行って中をのぞいてみた。門番もいない邸内には、たしかに子供だったら簡単に忍びこめそうだ。が、多分悠太はそんなことをしないという気がした。小暮家の先祖は代々金沢藩士で、夫小暮悠次の父、悠之進は維新の時まで武士であって、維新後は前田侯爵家の家扶を勤めた。悠之進は大正の末に死亡したが、そのあと家を継いだ悠次は、元旦《がんたん》に駒場の前田侯爵家への年始参りを欠かさず、去年からは長男の悠太を連れて年始におもむいていた。前田侯爵家は、わが家では前田様といわれて尊敬されているので、その前田様のお屋敷に悠太が忍びこむなど、あの臆病《おくびょう》な性格からして考えられない。初江は侯爵邸から道へとって返し、消防署の前で立ち止った。

悠太はこの消防自動車が大好きで、よくそれを見詰めていることがあった。一度、幼稚園の帰り火事で出動するのに行き会い、消防夫たちの集合から鐘とサイレンを鳴らして消防自動車が去るまでを見物していて、帰宅がおそくなったことがある。が、今、赤い車は鎮《しず》まり返り、火の見櫓《やぐら》の上では制服の署員が規則正しく巡り歩いていた。

なぜか胸が熱くなり、悠太はもう家に帰っているという予感がした。力一杯に走った。下駄の鼻緒が切れた。すげかえる余裕はなく、えい面倒ともう片方も脱ぎ、足袋はだしで走った。もう見栄《みえ》も外聞もない。人々が驚いて見ているると思ったが気にならない。汗まみれで玄関に転げこんだ。

「悠太」と呼ぶと、なみやが出てきた。

「坊っちゃんはまだですだ」

「帰って来ないのかえ」

「へえ」

ああ、どうしよう。もうすぐ一時だった。いくらなんでも一時間半も道草を喰うなんて考えられない。いや、道草ではないのだ。では、人攫いに遭ったのか。まさかと思うが、そうでないとは言いきれない。なみやの心配げな顔が〝奥さまどうしましょう〟と言いたげに見上げていた。

「駿次の御飯はすんだのね。もしも研三が目を覚ましたら、御飯を食べさせてやって」

女中を奥に追いやると、自分に落ち着けと言いながら柱の受話器を取った。落ち着いているつもりが手が震えてあやうく落しそうになった。交換手に「三田の八百十一番」と里の番号を言ってしまってから、悠次の会社に先に電話すべきだったかと思い、この時刻には夫は会社を出たあとだろうと考え直した。

出たのは看護婦の誰かだった。最近来た人らしく初江の名前だけでは通じなかった。院長の娘です、母を呼んで下さいと付け加えてやっと通じた。母の菊江《きくえ》の声を聞くと、急に幼い自分にもどったようになって訴えた。

「大変なのよ。悠太が帰らないの。幼稚園が引けてもう一時間半も経《た》つのに、まだ帰らないの」

自分のした探索を事細かに語り、やや誇張して考えられる限りの小路脇道《わきみち》を虱潰《しらみつぶ》しに探した、だから悠太はいつもの道草ではなく人攫いに遭った、つまり誘拐《ゆうかい》されたに違いないと言った。

「……というわけ。どうしたの、おかあさま聞いてらっしゃるの」

「聞いてるわよ」

「黙ってらっしゃるんだもの」

「あなたが一人で喋《しゃべ》りまくってるんだもの」

「警察に連絡したほうがいいかしら」

「お待ち。もうすこし待つのよ。あわてちゃだめよ」

「もう待てないわ……その間に殺されてしまう。ああ、どうしよう」

「大丈夫ですよ。誘拐犯人だったら、子供を大事にして連絡してきます。あいつらはお金が欲しいだけなんだから」

「ああ誘拐だったらどうしよう。ねえ、おかあさま、家《うち》にはお金なんかないのよ。本当よ」

初江は、女中に聞えぬようささやいた。実のところ彼女は小暮家の財産がどのくらいか見当もつかないのだった。生活費は毎月、夫から手渡しで貰《もら》っていて、夫の月給袋は見たことがなかった。時々、夫は株券や債券を整理し分類しているけれども、それがどのくらいの額なのか教えなかったし、たとえ教えてくれたとしても、何やら複雑な機能を持つ紙の真価など彼女には理解できなかったろう。結婚したての頃《ころ》、まだ家計のやりくりが不得手で夫の手渡しだけでは足りぬことが多かったが、夫に再請求するのは主婦の無能力を証《あか》すようで言い出せず、里の母に泣きついて不足分を補ってもらった。困ったのは、袋物とか帯とか羽織とか模様物とか紬《つむぎ》とかを買いたいと思ったときで、夫にそういう要求を持ち出すのが億劫《おっくう》で、しかしそのくらいは夫に出させるものだとたしなめられて、おそるおそる言い出してみると、気むずかしい顔はしたものの、また一度の請求ではかなわず三度ぐらい言い出さねばならぬものの、だからこそ億劫なのだが、結局は必要な額は出してくれた。また、古い家のため、瓦《かわら》がずれて雨洩《あまも》りしたり壁が崩れたり羽目板が剝《は》がれたりするが、夫はめったに大工を呼ばず自分で修理するのだった。これは、大工を一人おかかえにして始終新しい普請《ふしん》をさせていた里の父を見てきた初江には驚くべきことであった。

梯子《はしご》をかけて屋根にのぼったり、壁土をといて左官の真似事《まねごと》をしたり、材木屋から板をかついできて自分で鋸《のこぎり》を引いたりしている夫を、彼女は半ばたのもしく、半ばは何だかさもしいと思いつつ見た。はじめは大工仕事が好きでやっていると察していたのだが、そうでもなく嫌々《いやいや》ながら、どうも大工の手間賃を節約するためやっているらしいとも気付いてきた。それが証拠に、家の立付けが悪くて雨戸が開かなくなり、すこし削ってほしいと初江が持ちかけたとき、悠次はいたく不機嫌《ふきげん》で、まるで家の欠陥を発見したのは彼女の責任だと言わんばかりの目付きで睨《にら》んだ。要するに家の修繕については、彼女が自分の意見として言いだすのではなく、夫が必要を発見し、自分で大工仕事を決心するまで待つのが得策だと彼女は学んだのである。しかし、夫が節約するのは金がないからだとはどうも考えられず、それが夫の性質なのだと思うことも嫌で、そういうふうにするのが小暮家の家風なのだと漠然《ばくぜん》と感じることにしていた。

「大丈夫、誘拐なんかじゃないよ」母は声を励ました。

「でも、もしかしたら……わたし、息が詰って体が震えてるの。心配で心配で……」

「初江」と菊江はさとすように言った。「子供というものはね、突然とんでもないことをすることがある。悠ちゃんは、あれで、なかなか思い切ったことをやるたちでしょ」

「そうかしら。臆病な子よ」

「そう、臆病な子にかぎって思い切ったことをやるのよ」

「思い切ったってどんなこと」

「ちょっと散歩するとか、知らない街へ行ってみるとか、夢見る子じゃない……大丈夫よ。

ちょっと迷子になってるだけよ。待っててごらん、帰ってくるから」

「待ってて大丈夫かしら。心当りを探したほうがいいみたい」

「おまえ、心当りがあるのかい」

「ないわ……」初江は考えた。悠太がひとりで行ける唯一《ゆいいつ》の場所は、近所に住む伯母の脇美《わきみ》津《つ》の家だが今まで母のわたしにことわりもなしに勝手に行ったことはないのだ。

「旦那さまがお帰りになりました」となみやが告げに来た。初江はあわてて電話を切って玄関へ出た。黒鞄《くろかばん》を脇に靴《くつ》をぬいでいる悠次に「お帰りなさいませ」と手をつくと、初江は一気に言った。

「大変なんです。悠太がまだ帰ってこないの」

「え」悠次は、立ちあがりながら、度の強い眼鏡の、ふっくらと白い顔で見下した。「どういうわけなんだい」

「幼稚園はとっくに、十一時半には終ってるのに、まだ帰らないんです」

「おかしいね。探してみたのか」

「はい、幼稚園へ行って、そのあたりずっと探してみました。あなた、どうしましょう。人攫いにでも連れてかれたんだったら……警察に電話したほうがいいかしら」と早口に、初江は廊下を行く悠次を追った。

彼は洋服箪笥《だんす》にむかって上着をぬぎネクタイをはずすと、「ほら、この前ゴルフのときのセーター」と言った。

「ゴルフへいらっしゃるの」

「いや、鵠沼《くげぬま》だ」

鵠沼といえば麻雀《マージャン》だ。先代の小暮悠之進の書生をしていた佐々竜一《ささりゆういち》という人が住んでいて、そこへ悠次は土日泊り込みで麻雀をしに行くのだった。

セーターを着込むと悠次はズボンのポケットから懐中時計を引き出して見た。そして、せかせかと座敷を巡り始めた。

「ねえ、あなた、どうしましょう。悠太の……」と初江が言いさしたとき、「今、考えてる」と悠次が怒鳴った。額に青筋が立って色白の顔が紅潮している。自分のしようとしたことを邪魔されたとき、彼はよくこういう突発的な怒りを噴出させる。が、その怒りがすぐ消えるのを知っている初江は平気でなおも言った。

「心配なの。こうしてるあいだにも悠太がどうかされやしないかと……」

「どうしてひとりで行かせたんだ。送り迎えしてやればいいのに。危いじゃないか」

「だって……」初江はあっけにとられて、夫の渋面を見た。むろん幼稚園の送り迎えを彼女はしていたのである。が、ある日、脇美津が悠次に「幼稚園ぐらいひとりで行かせたらどうだね。悠太ちゃんはもう七つなんだからね。甘やかしすぎだよ」と言い、悠次が初江にひとりで行かせろと命令したのだった。

「だってお義姉《ねえ》さまが、そうしろとおっしゃったんじゃありませんか」

「はあそうだったたな」と悠次は苦笑した。表情から角がとれて、度の強い眼鏡の底で目が細くなった。彼は腕組みして考えこみ、やっと言った。

「もう一度手分けして探そう。脇にも応援を頼んで」

「絶対にいやですよ。おねえさまに知られたら、全部わたしの責任にされるんですもの」

「ひとりで通園させろと言ったのはねえさんだ。責任はむこうにある」

「そんな理屈が通るお方ですか。こうおっしゃるに決ってます——わたしが寄り道をしないように言いきかせなかったとか、知らない人に口をきかないよう仕付けなかったとか」

「人数が足りないよ。ねえさんとこのはるやの手を借りないとな。うちはおまえひとりしかいないし……」

「おや、あなたはどうなさるおつもり」

「おれは約束があるんだ。鵠沼に五時に集合する約束なんだ。みんなを待たせては悪い」

「そんな……困ります。あなたがいらっしゃらないと、わたしどうしていいか。もしもの場合……」

「悠太は帰ってくるさ。どっかで友達と遊んでるんだろう。きょうは会社の課長も来るんだ。佐々が招待したんでわざわざ来るんだ。おれが欠けるわけにいかないよ」悠次はまた懐中時計を見た。今にも出掛けそうな素振りだ。

「わかりました。三田に応援をたのみます。あそこは手が多いから大勢来てくれるでしょう」

「なにも三田にたのまなくたって」と悠次はひるんだ。初江の父、時田利平《ときたりへい》を彼は煙たがっていた。二年前研三が時田病院で生れたとき、たまたま日曜日で菅平《すがだいら》にスキーに行っていた悠次は出産にまにあわず、翌々日になってやっと姿をあらわして、利平から「自分の妻が出産で苦しんでいるとき、夫が西洋かぶれの雪遊びなどしていたとは何事だ」とこっぴどく叱《しっ》責《せき》された。近頃流行のスキーがどんなものかむろん利平は知らなかったのだし、大学生時代東京帝大の山岳部にいてスキーに親しみ、その時もOBとして特別に懇請されて学生の指導に行っていた悠次ではあったが、岳父の剣幕には弁解もできず頭を下げるだけだった。本当のところは、悠太、駿次と二人男の子ができたので、こんどは女の子がほしいというのが悠次の強い希望で、生れた子が男だという電報をスキー場で受け取った彼にはすぐ山をおりる気もおこらなかったのだ。ともかく、この一件以後、彼は妻の里を敬遠し、正月に儀礼的な訪問をするのみとなったし、何か家庭内の不祥事を岳父に知られるのを怖《おそ》れるようになった。

「よし、わかった。おれも探す」と悠次は折れた。するとこんどは心細げな顔付となり、「しかし、どうやって探したらいいかな」とつぶやいた。

「やっぱり警察に届けましょうか」

「そんなに大袈裟《おおげさ》にしなくてもいいだろう」

「でも迷子として交番で保護されてるかも知れないし」

「それならこっちへ連絡してくるさ。悠太にはうちの住所も教えてあるしさ」

「じゃ、もう一度わたしたちで探してみましょう。わたし、とにかく幼稚園の近くを探します。あなたは、家の近所を見て下さらない。なみやには子供たちを……そうそう、研三が熱を出してるんです。九度四分もあるんです」

初江は幼い子の枕元《まくらもと》にかがみこんだ。まだ眠っている。今にも詰りそうな鼻孔がひくひく動き、鞠《まり》のような額は湿って熱い。蒲団《ふとん》を掛け直してやり、ふと見回すと駿次の姿がなかった。いや、いた、柿《かき》の木の下で三輪車をこいでいた。鶏小屋《とりごや》に近付かぬよう、いつかみたいに手を突つかれるからねと注意して表に走り出た。悠太、どこへ行ってしまったの。ほんとに、どこにいるのだろう。

坂を登りかけ、考え直して下ることにした。坂を下りきったところに市電の線路が大通りを横切っている。線路に沿って行くと、線路が分岐して数を増し〝大久保車庫〟のがらんとした建物に入っていく。このあたり人家がまばらで原っぱが多くて、物淋《ものさび》しい。市電が急坂をぐーんと気張って登って行く脇に細い道があるのを負けじと登るうち、すぽっと抜け出た広い場所は神社の境内だった。西向天神《にしむき》である。風にあおられた梢《こずえ》が唸《うな》りながら無数の真珠のような光を地面に撒《ま》き散らしている。錆《さ》びた鎖をきしませているブランコのそばに子供が泣いている。水色の水兵服にエプロンはまぎれもなくわが子だった。「悠太」と呼びながら走り寄ると、子供はびっくりして逃げ出そうとし、つぎの瞬間「おかあさん」とむしゃぶりついてきた。「おまえ、どこへ行ってたんだい。おかあさん、心配したよ」

小さな肩を震わせて泣きじゃくる子供は鼻血を出して泥《どろ》まみれだった。エプロンにつけたハンカチには泥の塊がこびりつき、膝小僧《ひざこぞう》が白っぽい粉を吹いている。「おや、おまえ、どこかでころんだね。さあ、泣かないで」御手洗《みたらし》の水で顔や手や脚を洗い、鼻紙で鼻の孔《あな》に栓《せん》をし水兵服の泥を払ってやる。

「バスケットはどうしたの」土曜日で弁当はないが、宿題で作った黍稈《きびがら》細工の鯉幟《こいのぼり》を入れて持たしてやった。

「おっことしちゃったの」

「どこで」

「わからない。赤鬼みたいな人がいたんで、こわくて逃げたら、おっことしちゃったの」

「赤鬼……男の人だね。悠太をつかまえようとしたの」

「そう」

子供は曖昧《あいまい》に頷《うなず》いた。浅黒い肌《はだ》と二重のぱっちりとした眼《め》は母親の自分にそっくりだ。堅い髪の毛も似ている。泣いた赤い目が不安に動き、茂みの一角に向けられた。その方角には寺と墓地が多い。そのどこかに迷いこみ、寺男に脅されたのかも知れない。

「ねえ、悠太いままで何をしてたの」

「遊んでたの」子供は母から目をそむけて言った。何かを隠している素振りだ。

「どこで遊んでたの」

「幼稚園で」

「嘘《うそ》おいい。さっきおかあさんは幼稚園に行ってみたんだから。おまえいなかったよ」

「だって本当なんだもの」

「じゃ、どうして泥んこになったのよ。幼稚園にはこんな赤い泥ないわよ」

「幼稚園からすぐそばの原っぱに行ったの」

「それごらん、嘘だったんじゃないの」

「……」

「原っぱで何をしたの」

「探検したの……宝探しの探検」

「どうして。幼稚園からは真っすぐ帰りなさいと言ったでしょう」と強い口調で睨みつけた。

とたんに子供はびくっと肩をすぼめ、おびえた表情になった。

「どうして、原っぱなんかへ行ったのよ。原っぱには人攫《ひとさら》いがいるんだからね。どうして真っすぐおうちへ帰らないの」

悠太は後じさりした。初江の胸底から熱いものが噴出してきて破裂した。

「ふらふらしないでちゃんと立って。原っぱからどこへ行ったの」

「……」

「黙ってちゃわからないよ。じゃ、ひとりで行ったのかい。なぜ黙ってるの。ちゃんと言いなさい」

子供はしゃくりあげた。きつく問えば問うほど泣くばかりだ。初江はついに癇癪《かんしゃく》を起し、子供の頰《ほお》を打った。血まみれの鼻紙が抜けて、鼻血が垂れたのを拭《ぬぐ》ってやり、新しい栓をした。

「泣くんじゃない。ちゃんと答えなさい」

悠太は泣きやめ、こんどはしっかりと立って、母親を睨み返した。初江はわが子に逆襲された思いで、子供の真一文字に結んだ口、もう何も答えないという意思表示に目をしばたたいた。それは最近になって始まった強情な表情で、母親に何か隠し立てをして、それを押し通そうとするときにするのだった。ついふた月ほど前にも、買ってやった覚えのないビー玉を玩具箱《おもちゃばこ》に見付けたので追及したが、誰にもらったのかついに言わなかった。母親に隠れて何かをするのは、素直な子のすることではないと、したたかに叱《しか》りつけたが及ばなかった。ところで初江は悠太のこういうところが幼い時の自分にそっくりだと思う。黙りこくった子供の手をひいて、坂をわが家の方角へ下っていくうち、自分の子供時代のある情景が彼女の脳裡《のうり》に鮮かに浮びあがった。

小学校に入ったばかりの頃《ころ》、いつも真っすぐ帰るよう言われていたのに、同級の女の子の家に遊びに寄り、つい遊びほうけて、帰宅が遅くなったことがあった。寄り道しただけでなく、その女の子の家は絶対に足を踏み入れてはならぬ、父の言い方では〝不潔でバイキンがうようよいる〟一角、三之橋《さんのはし》の川岸の貧民窟《ひんみんくつ》にあったのだ。教室では隣に坐《すわ》っている女の子は鼻をたらし、垢《あか》じみた洗い晒《ざら》しを着ていた。その日に限ってなぜ女の子の誘いにのったのかわからない。未知のものへの好奇心、探求の気持があったのかも知れない。それは、軒が破れ柱が傾いた棟割《むねわり》長屋で、前のドブからひどい腐敗臭がたちのぼっていた。入ってすぐが台所で、その隣の狭い部屋に五、六人の兄や妹たちがいた。ぎょっとした初江に対し子供たちは親切で、すぐ仲好くなり露地におりて〝あずきたった〟をして遊んだ。「あーずきたった、煮《に》たった、煮えたかどうだか食べてみよ、ムシャムシャ」と鬼の頭をいじくり、「まだ煮えない」とからかい、「もう煮えた」で鬼を押入れにいれて襖《ふすま》をたたき、鬼が「おばけの音」というとみんながワッと家の外に逃げた。学校でする鬼ごっこや隠れんぼより面白く、夢中になっているうち初江は馴《な》れないので、ドブに転んで、すっかり汚れてしまい、女の子は一所懸命に井戸端で洗ってくれた。もう夕方で、大急ぎで帰ったところ、びしょ濡《ぬ》れの姿を見て、父がひどく怒り、どこで何をしたか詰問《きつもん》された。髪で吊《つ》りさげられ頬を打たれたが、初江は頑張《がんば》って、ついに女の子の家に行ったことを告白しなかった。父のことだから、女の子の家に怒鳴りこみ、頭ごなしに親や女の子を叱りつけるのは目に見えているだけ、女の子のために黙っていた。そう、今の悠太はあのときのわたしに、そっくりだった。

「悠太」と初江は優しく言った。「わかったね、幼稚園からは真っすぐ帰るのよ」

子供はこっくりした。家が近付くと子供の足が遅くなってにぎってる初江の指をひいた。

「どうしたの」

「ぼく、おなかがすいた」

「お昼にしようね。悠太の好きなコロッケよ」

子供はまた元気を出して歩みだした。

格子戸《こうしど》の音になみやが飛んできた。駿次が「お兄ちゃん」と呼びながら走ってきた。続いて悠次が顔を出した。

「どこにいたね」

「西向天神の境内です」

「ずいぶん遠くだな。どうしてそんなところに行ったんだ」

「探検ごっこをしてるうち道に迷ったらしいんです」

「莫迦《ばか》だな。悠太、心配したぞ」

「お父さんに、ごめんなさいって言いなさい」

子供は口の中で言い、ばつが悪そうに頭をさげた。

「よしよし、一件落着だ」と悠次はさばさばとした口調で言った。「おれは出掛けるぞ。鵠沼には遅れると電話したが、今からなら何とか間に合う」

悠太に食事をさせるようなみやに言いつけ、初江は夫に従って玄関へ行った。靴《くつ》をはきながら悠次は急に思い出したように言った。

「そうそう。ねえさんがおまえに会いたいそうだ」

とたんに初江は眉《まゆ》をひそめた。

「おねえさまが……どういう御用でしょう」

「折り入って話したいんだそうだ」

「何だか無気味ですわね。御小言でもいただくんでしょうか」

小姑《こじゅうと》として脇美津は何かにつけて初江のやり方に口を出してきた。結婚当初、水道がなかったので夫にねだると、すぐ美津は、「小暮家の井戸はお父様が掘らせたもので、おいしい水で有名です。水道の水なんかまずくて飲めたものじゃない」と初江に言った。結局、初江のたっての希望で水道は導入されたものの、これに類する口出しは枚挙に遑《いとま》がないほどあった。つい最近は幼稚園の送り迎えを甘やかしだと批判し、そのあげくが今日の失踪《しっそう》騒ぎだ。

「わたし申し上げておきますけどね」初江は心がふわっと浮き上る心地で言った。「こんどからは幼稚園の送り迎えをわたし自分でします。おねえさまが何とおっしゃっても」

「それがいい」悠次は初江の剣幕に折れて頷いた。

「あなたからも、おねえさまにそうすると言って下さらなくちゃ、いやですわよ」

「もちろんだ」

「おねえさま、わたしに御用なら、こちらにいらしていただけるんですか」

「いや、おまえに来てほしいんだそうだ」

「いやですよ。わたし、呼びつけられて行くのなんか、まっぴら」

「弱ったな……」悠次は懐中時計を見た。二時四十分で、今出掛けないと五時の約束には間に合わない。しかし、初江は、あえて時間を引き延すという意地悪い気持になっていた。

「実はな」と悠次は、眼鏡をとって曇りを口で吹きながら言った。「夏江《なつえ》さんのことらしい」

「おやまあ」初江は目を丸くした。妹の夏江と義姉の美津とはごくたまにしか会わず、親しい間柄《あいだがら》でもない。美津の口から夏江の名が出たことはなく、夏江は美津を〝古風な脇のおばさま〟と陰口をたたいていた。

「はっきり言おう。ねえさんは夏江を敬助《けいすけ》の嫁にほしいらしいんだ」

「なんですって……」初江は驚いて声を詰らせた。すぐ思ったのは、美津の長男敬助と夏江とではまるで釣《つ》り合わず、この話はうまく行かぬということだった。

　敬助は陸軍中尉《ちゅうい》で、明治四十三年生れ、初江より一つ年下の二十六歳、夏江は大正五年生れの二十で、年齢はまああだが、問題は夏江の軍人嫌いだ。女学校を出てからも下町の社会事業団である帝大セツルメントの託児所で働き、ちょっと主義者ぶったところもあって、軍人を毛嫌いし、もと海軍軍医であった父時田利平に「女のくせに生意気な」と手ひどく叱られたこともある。それに最大の難関は利平の陸軍嫌いだ。自分の娘が陸軍の将校と結婚するなど、日頃の父の言動から推して到底許せぬことに違いない。

「おねえさまには悪いけど、このお話無理ですわよ」

「そうかな。ぼくはいい話だと思うけどな」

「夏江は軍人が大嫌いです。それに敬助さんだって、夏江みたいな……生意気な感じの娘を好きにはなれませんわ」

「ところがだね。夏江を欲しいと言い出したのは敬助らしい。何でも去年の夏海で会ったとか……」

　そんなことが確かにあった。葉山に家を借りて一夏を過すのが時田家と、そして初江が嫁いできてからの小暮家の習慣だったが、去年の八月のある日、逗子《ずし》の別荘の脇家の人々が葉山に遊びにきたのだ。童顔の敬助は日焼けした少年という感じで、帝国陸軍の将校（去年の夏はまだ少尉）とは見えず、それに人見知りをするたちらしく言葉すくなで目立たなかった。そんな彼が夏江を目に止めたのだろうか。

「どうだろう」悠次は気弱に言った。「ひとつねえさんの話を聞いてやってくれないか」

「あなたがそうおっしゃるなら参ります」

「そうしてくれるかい。頼むよ」

「わかりました」

悠次は、麻雀《マージャン》の時常用している大振りの鞄《かばん》を持った。中には月曜日に鵠沼から会社へ直接出勤するための背広一式が収められているはずだ。

悠次の肩は午後の陽《ひ》を朗らかに弾《はじ》きながら去った。これから先の麻雀の愉《たの》しみに踊るような歩きぶりだ。もっとも初江には、麻雀がどうしてあんなにも面白い遊びなのかは理解できない。大体夫は土日は家にいないことが多かった。麻雀かゴルフか登山、冬場はスキーと出掛ける。子供と遊んだり、子連れで外出するのが面倒らしく、つぎつぎ子供が生れてからはそうなった。初江は当初夫の不在を淋しがったが、この頃《ごろ》は、それを利用して子連れで里帰りをすることで気をまぎらせている。しばらくして、初江は研三の発熱を夫が気にもとめていなかったのに気付いた。

初江は三田に電話を掛けた。

「悠太が見付かりました」

「よかった、よかった。怪我《けが》はないかえ」

「転んで膝小僧を擦《す》り剝《む》いただけ。何でもね原っぱへ探検に行って迷ったらしいの」

「子供はそういうことをやるよ。男の子はそのくらい勇敢でなくちゃ。今日は来るかい」

「行きます。研三が熱を出してて診てもらいたいの。熱さましはのませたんだけど、九度四分。扁桃腺《へんとうせん》かも知れない」

「そんなに熱があるんじゃ電車は無理だね。車をむかえにやろうか。今日は往診はないし、おとうさまは急患の手術中で車があいてる。何でも二、三時間かかる大手術だって」

「そうして下さると助かります。今から出掛けて用事を一つすませるから、四時頃に車お願いします」

「そうしてあげよう」

「夏っちゃんいる」

「夏江は外出中、銀座のデパートだといってたから、夕方には帰るだろう。何か夏江に用かい」

「別に……」初江は電話を切った。

悠太はなみやの給仕で食事をしていた。女中に目くばせして去らせ、初江は卓袱台《ちゃぶだい》にむかった。にわかに空腹を覚える。冷飯に冷汁をかけて搔《か》っ込む。夫の前では行儀悪くて出来ない食べ方だ。研三が蒲団から脱《ぬ》け出してそばに来た。膝に乗せてやる。体中が燃えるように熱い。そっと抱いて蒲団に運び、苦しげな顔を拭ってやった。駿次は砂場でひとり遊びしつつ「お兄ちゃん、早く来て」と悠太を呼んだ。美津の所へ着ていく着物を何にしようか、初江はあわただしく考えた。

2

大通りから枝分れの坂道は、左右を石垣《いしがき》に高塀《たかべい》の邸宅にはさまれて薄暗かった。交番のあるやや幅広の道まで登って初江はほっとした。空が広くなり、石塀や建仁寺垣《けんにんじがき》のうえに浅緑が揺らめいている。赤間石《あかまいし》の門柱のあいだから広い砂利道が唐破風《からはふ》の玄関へと引きこまれているのが脇美津の家だ。金沢から取り寄せたという釉《うわぐすり》をかけた瓦《かわら》がすこし黄ばんだ日光をさざなみのように載せている。ともかくこの家には、美津の亡夫脇礼助が政友会の政治家として活躍していた頃の威勢が残っていた。三年前、脇礼助《れいすけ》が「アジアに還《かえ》れ」と題した獅子《しし》吼《く》のあと急逝《きゅうせい》するまで、この家には初江なぞ軽々には近寄れぬほど、偉い人たちの黒塗りの自動車の出入りが繁《しげ》かった。夫の死後、美津は大勢の女中や書生を解雇し、邸宅の大部分を素封家の貿易商に貸し、自分は茶室を備えた離れに子供たちと移り住んだ。

母屋《おもや》の外れの枝折戸《しおりど》を入った先の間道の奥に離れがあった。このあたり、大通り端とちがって葉を擦る風音のみ聞え、森の中に迷いこんだようだ。風に乱れた髪を硝子戸《ガラスど》を見て整え、呼鈴を押した。「はい」と男の声がして、出てきたのは一高の制服を着た次男の晋助《しんすけ》だった。女中のはるやが出てくるものと思っていた初江はちょっとあわてて、風にふくらんでいた裾《すそ》回《まわ》しを押えた。

「あ、叔母さんか。いらっしゃい」

「こんにちは」と頭をさげた初江は面映《おもはゆ》く〝叔母さん〟という言葉を思った。九つしか違わない、弟のような晋助から言われると、自分にはそぐわぬ気がしてならない。

「おねえさま、いらっしゃる」

「いますよ」と奥へ引っ込もうとするのを呼び止め、初江は急に馴《な》れ馴《な》れしい口になった。

「『赤と黒』まだ借りてていい」

「いいですよ」

「あれ面白いわ。上巻は読んじゃったの。今、下巻の半分ほど」

「すごい速さだな」

「だってどきどきはらはらなんですもの。レナール夫人の部屋にジュリアンが忍びこむところなんか、恥かしいくらい夢中になっちゃうの」

「女の人ってそういう欲求があるのかな」

「まあ晋助さんたら。そういう意味で言ったのじゃあないことよ」

「スタンダールがそんなに面白いなら、『パルムの僧院』も岩波文庫で出ましたよ。まだ上巻だけだけど」

「買ったの」

「ええ」

「いいわねえ、晋助さん、小説がじゃんじゃん読めて、わたしなんか子育ての合い間だけだし、わが御主人様は、小説なんかさっぱりだし」

「だってお宅には『世界文学全集』だの『現代日本文学全集』が揃《そろ》ってるじゃないの」

「あんなの応接間の飾りよ」

初江には晋助の襟《えり》に光る金の柏《かしわ》がまぶしかった。彼は去年の春、一高の文科丙類に合格し、フランス語を勉強していた。高等学校もフランス語も女学校を出てすぐ結婚した彼女には手のとどかぬ所にある。

「ともかくおあがんなさい」と晋助は秀《ひい》でた額から髪を掻《か》きあげて言った。

「ああら、こんなところで立ち話して」と初江は苦笑いしてあがった。

庭に面した廊下を先走りして、晋助は美津に初江の来訪を告げた。

「どうぞ」と通された居間で、美津は老眼鏡をかけて書類が山積みの文机《ふづくえ》に向っていた。

「お邪魔でしょうかしら」と手をつくと、「ああ、いいんですよ」とかえって一冊の書類を初江の前に押してよこした。達筆の筆で書いた古文書で、所々に虫喰《むしく》いの跡がある。表紙に〝先祖由緒書《ゆいしょがき》一類附帳〟と読める。

「小暮家の家系を記した書類なんですよ。悠次さんに借りてきたの」

「漢字が多くて難しゅうございます」

「ここにある、小暮善慶という方が初代よ。生国《しょうごく》は播州《ばんしゅう》で幼少時より茶道稽古《けいこ》に励み、江戸表にて茶道役にて前田の殿様に召しかかえられ御切米《おきりまい》七十俵をたまわり、宝永八年に亡《な》くなっています。ずっと来て、この小暮悠之進——わたくしの父ね——が七代、悠次さんが八代、悠太ちゃんが九代ってわけね」

「昔の人の字ってのは読めないな」と晋助が初江の肩ごしに覗《のぞ》きながら言った。「お袋はね、このないだから古文書気違いになっちゃって、こんところ日がな一日見てるんです」

「一日中だなんて見てませんよ。ついさっき見だしただけよ。これは悠次さんに返すものだから、読んでおかなくてはね」

「ねえ、お袋さんのおかあさんと、悠次叔父さんのおかあさんは違うんだっけね」

「それはそうよ。わたくしの母は先妻で岡田家の出身、悠次さんの母は後妻で中村家の出身。両方とも金沢藩士の家系ですよ。ただし……」

「ただし」と晋助は続けた。「岡田家は家老で二千石の家柄だけど中村家は百五十石の小身だった。これお袋さんの口ぐせ」

「お黙り、口ぐせなんかじゃありませんよ。それは事実です。それだけのこと」

美津が自分の母の岡田家のほうが格が高く、その点で異母弟である悠次を軽んじる風があることは、日頃の口振りでも察しられた。岡田家の母の姉妹には帝大総長とか化学者に嫁いだ人が多いとも、何かの拍子に自慢げに語るのだった。また、夫の脇礼助の祖父は江州彦根《ごうしゅうひこね》藩士の次男で維新のおり戦功をたてたとも吹聴《ふいちょう》する。美津のこの血統への誇りが、気がついてみると今度の縁談の最大の難点かも知れない。時田利平は山口県の日本海側の小村、須佐《すさ》の貧乏な漁師の八男で家系には何ひとつ誇れるものなどない。故郷では食えずに上京し、牛乳配達をしながら苦学して済生学舎に入り、日露戦争後、今の三田綱町《みたつなまち》に外科病院を開き産を成した。父の口癖によれば、〝おれは立志伝中の人物だ〟となり、それは何の取り得もない平民から身を起したことを意味する。母の菊江のほうは父親が永山光蔵《みつぞう》という鉱山技師で、山持ちの資産家ではあったが、士族の出だとは聞いていない。つまり夏江は、平民の娘にすぎず、士族出身の敬助と出自《しゅつじ》が釣《つ》り合わぬ。もしも夏江が嫁に来た場合、そのことで初江の場合にも増して嫌《いや》な思いをさせられはしないか……。

「晋助、ちょっと二階へ行っておいで、わたくしは初江さんにお話があるんだからね」

「息子に聞かれては困ること、女同士の内緒話ですか」

「そう」

「無気味だな。でも無気味な話は聞かないほうがいい。じゃ叔母さん、あとで二階に来て下さい。カントの『プロレゴーメナ』とポアンカレの『科学と方法』を貸してあげますからね」

去って行く晋助の尻《しり》にさがった汚れた手拭《てぬぐい》に眉《まゆ》をひそめ、しかし半ば得意げに美津は言った。

「一高生になってから本当に生意気になったよ。寮で不潔な生活をしてるらしいけど、西洋人の名前はやたらと振り回すようになったね」

「晋助さんは本当に秀才ですよ。わたし、色々教わっています」と初江は心から言った。しかし美津に媚《こ》びるような響きがあったようで、嫌な気がした。

美津は山積みになっていた古文書を小暮家の紋を象嵌《ぞうがん》した大きな文箱に丁寧に収めていった。この文箱を悠次は蔵に仕舞っていた。それをつい一箇月前のこと美津が借りに来て持っていったのだ。重いので、文箱運びになみやが動員された。文箱だけではない、美津は小暮家に残る先祖伝来の物に関心があり、蔵の一隅《いちぐう》に集められた掛軸や甲冑《かっちゅう》や槍刀《やりかたな》を一つ一つ取り出しては眺《なが》めたり、絵合せ用の貝殻《かいがら》や小型の将棋盤を借りて行ったりする。しかし、それらを欲しいとは言わず、借りて行ったものは、しばらくして几帳面《きちょうめん》に返しに来るのだった。初江にとっては、自分の家の持物を勝手にいじられるようで不快なのだが、悠次が「ねえさんは若い時からああいう古い物が好きだったから、なつかしいんだろうね」と言うので我慢することにしていた。もっとも初江にとって最大の不快は、美津が時々こっそり悠次から金を受け取ることだった。この金を美津が借りたのか、もらったのか、そこのところの区別は初江にはできない。悠次が美津に封筒を手渡すのを何かの拍子に垣間見《かいまみ》たとき、家の財産が出ていく不快に、妻に相談もせずに夫が金子《きんす》を実姉にこっそり渡す行為への不快が重なった。

美津は文箱の蓋《ふた》を閉め、大きな風呂敷《ふろしき》で包むと、初江の方へ押しやった。

「ありがとうございました。これお返しします。大事なところはメモしましたから」それから初江の心を透視したように付加えた。「重いから、はるやに持たせます。今使いに出してるけど、もうすぐ戻るでしょうから」

初江は会釈《えしゃく》してから相手が用件を言い出すのを待った。早く用件をすませて帰りたいのだが、美津はそれを忘れたように注文品らしい着物の仕立てに掛った。そうしている所はもうかなりの年寄に見える。悠次より十四歳上の四十七で、細面《ほそおもて》の額には深い刻みが立ち鬢《びん》に白いものが混っている。女学校で裁縫の時間講師をしたり手内職をしたりが美津の仕事だったが、何も人が訪ねてきたときまで、見せつけがましく手仕事をせずともと思う。

初江は所在なく、鴨居《かもい》にかかる大礼服姿の脇礼助の写真や床の間の鉄線と蚊帳吊草《かやつりぐさ》をあしらった生花を見た。それから、自分で切り出した。

「悠次さんから聞きましたが、何か御用でしょうか」

「はい、それです」美津はあっさり着物を置いて坐《すわ》り直した。「ちょっと照れくさいようなことなので、どういう風にお話ししたものか考えてたんですが、ざっくばらんに申します。敬助のほうは夏江さんどうかと思って、あなたの御意見を聞きたかったんです。これね、敬助の嫁に夏江さんが気に入ってるんです。それで、夏江さんの気持をあなたに聞いていただきたくて。それは、お願いする以上、わたくしが伺うのが筋ですけれども、悠次さんに話したら、なあに行かせますなんて言うもんだから御足労願って失礼しました」

「いいえ」

「夏江さんには誰かもう決った人います」

「さあ存じません。あの子は無口で自分のことは何も言いませんもので」

「でも、お里のお母上のほうで、何かそれらしいお話がでたことはないのかしら」

「さあ……聞いたことありません」

「そうですか。とにかくよろしゅうお願いします」美津は座蒲団《ざぶとん》をずらし、きちんと両手をついてお辞儀をした。

初江は、自分もあわててお辞儀をして言った。

「こまりますわ、おねえさま、お顔をおあげになって。とにかく、わたし出来るだけのことはいたしますから」

やっと美津は体をおこした。晋助とそっくりの白い肌《はだ》に朱がさしている。この肌の色は悠次にも共通する小暮家の特徴だ。自分が浅黒い肌を持つだけそれが目につくのだった。

「元来ならね、父親が先様へと出向いて事をきめるのでしょうけど、女親がでしゃばるのもおかしいし、敬助はあの通りの無骨者で自分の気持を表すのが下手だし、これはぜひともあなたのお力を借りたいと思いましてね。なに、夏江さんとお里の御両親のお気持を聞いていただけば結構なんです。もちろん駄目《だめ》なら駄目で、御縁がなかったものとあきらめます」

美津は袱紗包《ふくさづつみ》を持ってきた。開くと軍服姿の敬助の写真と奉書に筆書きの履歴書が出てきた。

「これを持っていっていただきたいの。ところで初江さん御自身は、このお話どうお思いになる」

「はい、あの……」初江は口籠《くちごも》った。迂闊《うかつ》に意見を言って夏江に不利になっても困る。悠次に言ったようにこの縁談はととのわぬと考えていて、その考えはここに来てますます強まったけれども、肝腎《かんじん》の夏江の気持を確かめるまでは黙っていたほうがいい。

「何か障碍《しょうがい》がありますか。そんなに考えこむような」

「いえいえ」初江は頭を振った。「あんまり突然のお話なので、びっくりしまして、何も考えられませんのです。とにかく夏江の気持次第だと思います」

障子越しに声がした。はるやだ。

「お茶を持ってまいりました」

茶と柏餅《かしわもち》が出た。古くから脇家にいるはるやは、丸顔に笑いを一杯に浮べて、「きょうは強い風でございますね」と言った。

硝子戸のきしみ、枝の擦れ合う音が、急に初江に聞えてきた。花壇の花が色とりどりに揺れている。茶を飲むと「それでは」と初江は美津のもとを去った。義姉の前で緊張していたせいだろう、すっかり肩が凝っていた。項《うなじ》をもみ首を振っているとはるやが出てきて、「お坊っちゃまが二階でお待ちです」と告げた。

晋助の部屋は階段を登った取っ付きにあった。ドアを開け放しにして本を読んでいる。逆光に黒く浮き出す横顔の効果をねらったらしく、壁に飾りつけた彼が自作のシルエット――バルザック、スタンダール、フローベール、ラディゲ、ジイド――を気取っているようにも見え、初江はフフンと鼻で笑った。

「何がおかしいんです」晋助は本を伏せた。横文字の仮綴本《かりとじ》だった。

「別に……わたし、この頃、変なのよ。出し抜けに笑いたくなっちゃうの」

「何かいい話があったんだな、下で。一体、どんな内緒話をしたんです」

「当てて御覧なさいな」

「見当もつかないな。女同士の無気味な話、そして叔母さんがほくそ笑むような話、この二つの条件を満足させる話となれば他人の悪口しかない。誰の悪口か。兄貴か、ぼくか、悠次叔父さんか。女は世間が狭いからこの三人以外の話をするとは考えられない」

「失礼ね。わたし、世間はそんなに狭くありませんよ」

「それじゃ時田家まで世間を拡大しましょう。史郎《しろう》さん、夏江さん……でも叔母さんが自分のきょうだいの悪口を言うとは考えられないけれど……」

晋助の声にくすぐられて身をかわすように初江は机の端に来て、「何を読んでるの」と本に顔を寄せた。フランス語らしかった。「これ小説、それとも哲学、何とかの『科学と方法』」

「ごまかしてもだめ」と晋助は椅子《いす》をくるりと回して初江と向き合った。さっきの制服を着替えた着物がぞろっぺえで、裾が割れ毛脛《けずね》が見える。うろたえて視線をそらし、かえって晋助のからかうような目付きにとらえられてしまった。「兄貴の縁談をたのまれたんでしょう。夏江さんの気持を聞いてほしいって」

「聞いてたのね」

「やっぱりぼくの推測通りだったたな。言っときますが、そんな探偵《たんてい》みたいな卑劣な行為をぼくがするもんですか。兄貴が夏江さんに夢中なのは、先刻承知してますよ」

「敬助さんがあなたに話したの」

「あの堅物の兄貴がそんな話をするもんですか。ベルグソンの直観によってわかったわけ」

「まあ大変な直観ね」

「もっと大変なんだから。叔母さんはこの話に反対だとも直観でわかる」

「そんなことないわよ」

「ほら赤くなった。図星でしょう」

「あなた何を言いたいの」

「別に何にも。ぼくは叔母さんの心理に興味があるだけです。それだけです」

晋助はこちらを食い入るように見詰め、彼女が目をそらすまでやめなかった。初江は相手がこの一、二年急に大人びてきたのを薄い鬚《ひげ》の生えた顎《あご》や突き出た喉仏《のどぼとけ》に改めて認めた。ついこの間まで小学生だった子供がめきめき成長して、その分だけ自分はお婆《ばあ》さんになったと思う。

「一つお聞きしておきたいわ。これ全くの仮定の話だけど、敬助さんと夏江の縁組に、あなたはどういう意見がおありなの」

「意見なんか何もありませんよ。睦言《むつごと》はよそびとのあずかり知らぬこと」

「それはそうだけど、あなた、この話にひどく興味をお示しになるから、何か考えてるんでしょう」

「わからないの、ぼくの考えてること」

「わからないからお聞きしてるのよ」

「兄貴が本当に好きなのは初江さんなんですよ、叔母さん」〝初江さん〟を歌うような高声で、〝叔母さん〟を脅迫するような低音で言った。

「ばかばかしい。何を言いだすの」

「ほらまた赤くなった。叔母さんだってそのこと気がついてたんだ」

「あなた気が変だわよ。だってわたしは人妻ですよ。それに年上ですよ。あの敬助さんがそんなこと、絶対ありえません」

「じゃジュリアンはどうなんです」

「あれは小説。嘘《うそ》っぱちの世界。晋助さん、あなた失礼よ。おにいさんを誰だと思ってるの」

「初江さんが、そういう風にむきになると綺麗《きれい》だな」晋助は腕組みをした。まるで役者の演技を見る演出者の態度だ。初江は憤然として帰りかけた。晋助は立ち上った。

「待って。あやまります。今のは全くのぼくの小説すなわち、嘘っぱちでした。兄貴が初江さんを好きだと言ったら、叔母さんがどう反応するか知りたかっただけ」

「ひどい人。わたしは実験台じゃないの」

「あやまります。ぼく、この頃《ごろ》、小説を書いてるんです。で、いろんな夢想にふける。今のもその伝です。だけど今のは『赤と黒』に似てるな。どうも癪《しゃく》だ。ぼくが書く小説は、みんなこれまでに読んだ誰かの小説に似てしまう。ここはトルストイ、ここはスタンダール、ここは横光利一ってな具合です」

「まだ無理よ。小説書くにはあなた若すぎるわ」

「しかしラディゲは十六歳で『肉体の悪魔』を書き始めた」

「晋助さんって相当な野心家ね、その年で小説家になりたいなんて」

「このこと、お袋には内緒ですよ。お袋はぼくを政治家にさせたがってる。長男が軍人、次男が政治家、これが故脇礼助氏の遺志なんだそうだ。でもぼくは政治家なんか、まっぴら」

「そうね」と本箱を眺め回した。「こんなに小説ばかし読んでたんじゃ、政治家にはなれそうもないわね。『赤と黒』のつぎは何を借りようかしら」

文庫本の中からモーパッサンの『生の誘惑』を選びだした。大分埃《ほこり》が溜《たま》っているのを払う。『パルムの僧院』はと尋ねると寮に置いてあるから、今度持ってくるという答、と、階段に足音がした。初江が急いで『生の誘惑』を袱紗包の下にかくすと、晋助が「大丈夫、はるやだ」と言った。

紅茶と中村屋のシュークリームが運ばれた。礼を言おうと振り向くと、はるやはもう消えていた。晋助はシュークリームの皮を剝《は》ぎクリームをうまそうにすすり、匙《さじ》に載った角砂糖に紅茶が染《し》みこむのを面白そうに眺めた。こういうところ、まるで子供だ。初江は自分が客なのに、子供に食べさせている気がしておかしかった。

「晋助さん。ちょっとお聞きしておきたいんだけど、脇家の御先祖って武士だったんでしょう」

「おや、お袋の影響で家系調べですか。ぼくはその方面に興味がないんでよくは知らないけど、ぼくのひいじいさんは彦根藩士の飯田某の次男坊で、旗本だった脇家の養子となったらしい。はじめは幕府方で上野の彰義隊にいたんだって」

「じゃ賊軍ね」

「いや、それが官軍に帰順して、会津《あいづ》攻略には功を立てたんだと」

「ともかく、脇家は武士の系統ね」

「それがそう簡単ではない。ひいじいさんはどこかの地方官だったらしいが子供がなく、神奈川県在郷の、ええと足柄《あしがら》家から養子をもらった。足柄家は百姓だったらしい。それが親父《おやじ》の父親さ」

「あらあら」初江は混乱した。

「つまり、脇家は武士の家系、しかし脇礼助は百姓の息子。一応わが家は戸籍面では士族てことになってるけど、そんなのインチキなのさ」

「何だか複雑ね」

「ちっとも複雑じゃありませんよ。要するに家系なんぞ調べても、家ってのは養子、養子でつないでいくから血統はどこの馬の骨か知れたもんじゃないってこと。お袋の家系狂いも、まあいい加減なものなのさ。おや、お袋の御入来ですよ」晋助は初江に目まぜし、机上の袱紗の上に、岩波文庫の『科学と方法』を置いた。

忍者のような忍び足ですっと美津があがってき、「おや、まだいらしたの」と驚きの素振りを見せた。

「お邪魔してます」と頭をさげて、急に間が悪くなった。若い息子の部屋に女が一人で入っていれば母親としては心配なはずと気がついたからだ。急いで言い訳がましく付け加えた。

「晋助さんに一高のお話あれこれお聞きしてるうち、つい時を過しました」

「いいんですよ。どうぞ、ごゆっくり」と慇懃《いんぎん》に言い、美津は息子を叱《しか》りつけた。「何です、この埃だらけの散らかしよう。たまに家へ帰ったら掃除ぐらいしなさい。この子はだらしが無くって。こういうとこが敬助と正反対なんですよ。そうそう、初江さん、敬助の部屋をお見せしましょうか。今日は当直士官で帰って来ませんから」

遠慮しようとしたのに構わず、美津は隣室の襖《ふすま》を開いた。八畳と四畳半の続き部屋で、脇礼助書の〝至誠一如《いちにょ》〟の扁額《へんがく》が掲げられ、床の間に刀掛があり、書架には地味な色の本が前を揃《そろ》えてきちんと並び、すべてがいかにも軍人の私室らしく質素に整っていた。美津は襖を閉じて頷《うなず》いた。要するにこの部屋の整頓《せいとん》ぶりを初江に見せたかったらしい。

文箱を抱えたはるやを従えて坂を下った。道に張り出した楠《くすのき》の大木が嫩葉《わくらば》を散らし、無数の葉音が重なり合って物凄《ものすご》い。はるやと二人でも恐《こわ》いこの道を、さっきは何だか夢中で来てしまった。

「敬助さん、この頃、どうしてらっしゃる」と風音にさからって声を励ます。

「お元気でございますよ」はるやは半歩後まで追いついた。「でも、何ですか演習がお忙しくて、大変でございます」

「お友だちなんかいらっしゃることあるの」

「はい。大勢の若い将校さまが集って宴をお開きになったりします」

「さぞにぎやかでしょうね」

「いいえ」はるやは石垣《いしがき》の上から監視している誰かを気にするように丸い顔を回してから言

った。「みなさまお静かな方が多くて、酒杯を傾けながら何やら親しげに話していらっしゃいます。絶対秘密で、晋助さまが寮よりお帰りになってるときは、下に追い払われておしまいになります」

「何の話をなさってるのかしら」

「存じません」はるやはそっけなく言った。が、すぐ秘密を打ち明ける親密さを見せて言い直した。

「国体の研究会とか」

「国体……固いお話ね」

「でも、笑い声もお立てになって楽しそうでいらっしゃいますよ。お帰りの前には、みなさま揃って詩吟をなさいます。藤田東湖の〝天地正大の気イー〟ので、それは長うございまして、みなさま声が嗄《か》れるまで続けられます」

「詩吟ねえ」初江は、酔った青年将校たちが大声で唸《うな》っている様子を想像し、西洋のクラシック音楽が好きな夏江とはまるで別世界だと思った。

大通りに出た。家の前に黒塗りの幌《ほろ》自動車が停《と》まっていた。まぎれもなく時田利平のフォードだ。玄関先で文箱を受取り、はるやを帰すとすぐ研三の枕元《まくらもと》に行った。額の手拭《てぬぐい》は乾ききっていて、熱で火照《ほて》った頬《ほお》が赤い。すると庭で笑い声がした。大きな唐楓《とうかえで》の木末《こぬれ》にいる運転手の浜田を見上げて、悠太と駿次となみやがはしゃいでいる。駿次は自分も何とか攀《よ》じ上ろうと下枝にぶらさがり足を幹にかけては失敗して落ち、泥《どろ》だらけだ。風が会話を運んできた。

「何が見えるだァ」「新宿だ。伊勢丹と三越とがよく見えるぞ」「風だ。おっこちるでねえだよ」浜田は大揺れの梢《こずえ》から細枝へと飛んでぶらさがり、下の一同に悲鳴をあげさせてから、たくみな身のこなしで下りてきた。初江は縁先から呼んだが向い風で届かない。走り出て、なみやに噛《か》みついた。

「研三のそばから離れちゃ駄目《だめ》じゃないの。まだ熱がひどいんだからね」

「すみませんでございます」となみやはしおれかえった。

「わっしが悪いんで」と浜田が黒い運転手帽を脱いで深々とお辞儀をした。「あのてっぺんにのぼって見せるから、みんな来いと言ったんで。なみさんには罪はねえんで」

「いいえ、あるわよ。病人から離れて看病なんかできやしない」初江はなみやを睨《にら》みつけ、井戸の冷たい水で手拭を潤《うるお》すよう命じた。

「お久し振りです」浜田はもう一度お辞儀をした。「お迎えにまいりました」

「おとうさま、手術中ですって」

「はい。品川で電車に轢《ひ》かれた男が運びこまれて。両脚切断だとか。大工だそうで、両脚無しじゃもう大工はできんでしょう」

浜田は全身黒ずくめだ。帽子も服も靴も、時田利平の好みでそうなっている。まだ初江が三田にいた時分、利平は突然フォードの中古車を買い、それまで下足番の小僧だった浜田に運転を習わせて運転手に〝昇格〟させた。昭和の初め、東京ではまだ自家用車がすくないときで、医者の往診といえば人力車と決っていたのが、黒いお仕着せの運転手付の舶来車に乗った町医者が走り回るので、近隣の大評判になった。もっとも三田界隈《かいわい》は坂の町でせっかくの舶来車も急坂でエンジンが停って立往生が多く、そのたびに付近の人々が後押しに狩出されるものだから噂《うわさ》をひろめたせいもあった。

子供三人の出発準備をすますと、初江はなみやに留守中の指示をあれこれ細かにした。来てひと月にもならぬ小娘に大きな家をまかせる不安もあったが、それより里に帰れる喜びのほうが大きくて煩瑣《はんさ》な指示も苦にはならなかった。昼間は全部の雨戸を開けること、硝子戸の鍵《かぎ》は全部締めておくこと、絶対に外出しないこと、火の始末をよく確かめること……。さらに蔵の錠をしっかりおろし、高価な着物の入った桐簞笥《きりだんす》には鍵をかけ、と気を配るので時を食い、自動車に乗り込んだのは五時近くになっていた。

3

若葉が彩る《いろど》麻布《あざぶ》の高台よりさがって古川沿いの電車通りにでた。ここから慶応義塾裏の時田病院に行くには二路があって、二之橋《にのはし》を渡り豪壮な屋敷に分有された丘を越えるか、三之橋から川の湿気に黴《か》びた長屋や町工場の場末町を突っ切るかである。初江はむろん前者の路が好きで、そのことを浜田はちゃんと知っていた。左は寺、右は渋沢邸、続いてポーランド公使館と、立塀《たちべい》を裾囲《すそがこ》いとした大樹のゆらめく道を営々とのぼり、宮殿めいた簡易保険局の前から、三井邸の石垣《いしがき》とイタリア大使館の煉瓦塀《れんがべい》の狭間《はざま》を滑走していく快感は、自動車でなくては味わえない。登り坂ではエンジンの出力が不足気味で、何度か止りそうになり、昔の後押しを思い出し初江はひやひやしたが、下り坂では車は元気一杯なものだから、前の席に並んだ悠太も駿次も大喜びでウォーターシュートに乗った気で歓声をあげた。

時田病院は慶応義塾の丘から坂を下ってきた道が徳川邸に突き当る角の所にあって、初江が幼い頃から見慣れた商店や仕舞屋《しもたや》がちまちま軒を接する先に、一際《ひときわ》目立った高さと広さで見えてきた。

このあたり、何もかも懐《なつか》しい。三方を道に隔離され島地に建つ〝津の国屋〟という酒屋は徳川時代より続く老舗《しにせ》で飲ん兵衛の利平が上得意であった。交番のくすんだ硝子窓、歯医者の罅《ひび》割れの木看板、香ばしい匂《にお》いをふりまいているビスケット工場、薬屋、経師屋《きょうじや》、染物屋、自転車屋……みんな昔のまんまだ。

「おかあさん、お祭りだよ」と悠太が言った。

「今日は四の日だったわね」と初江は改めて路上を見た。日が翳《かげ》った歩道傍《ほどうわき》に露天商の木組が並んでいる。リヤカーで素材を運びこむ人も、もう店の体裁を成して七味唐辛《しちみとうがらし》やラムネ水を売っている人もいる。四日、十四日、二十四日の四の日は、三田の〝子育て地蔵尊〟の縁日で、夕刻から露天市が立つ習いであった。

病院の長い塀が見えてきた。塀の真ん中の門を入ると突き当りに医院らしい和風の玄関がある。玄関の格子戸《こうしど》が開き、白髪の鶴丸《つるまる》看護婦が現れた。車のドアの把手《とって》を浜田よりも素早く握って開く。

眠っている研三をそっと抱きあげると鶴丸は初江に会釈《えしゃく》した。「丁度よろしゅうございました。ついさっき大《おお》先生は手術を終えられて奥にいらっしゃいます。すぐ往診だとか」

「じゃ間に合った」と初江はほっとして浜田に頷いた。出発が一時間も遅れたので、その間に父に車の用があったら困ると心配していたのだ。

待合室、外来診察室、薬局の並ぶ廊下は土曜の午後遅くのため閑散としていた。薬局から女薬剤師の久米《くめ》が笑顔を向けた。二、三顔見知りの看護婦たちが挨拶《あいさつ》した。消毒薬の臭《にお》いと白衣と金具の光沢が、わが家に帰ったという気をおこさせた。悠太と駿次は勝手知った場所とてばたばた駆けていく。鶴丸看護婦と並んで初江は軽やかに足を運んだ。外来診療の部分から、ドア一つ隔てて、炊事場と食堂と風呂《ふろ》場《ば》となり、食堂脇《わき》の階段をあがった二階が院長家族の居住区であった。

時田利平は居間で、菊江の介添えで背広に着替えていた。

「おう、来たな」と利平はまず悠太に手を差出した。もう七つで相応に重いのを、いとも軽々と抱きあげて頬《ほお》擂《ず》りした。幼稚園児は、赤ん坊あつかいされたのが恥かしいのか、首筋で釣《つ》り下げられた猫《ねこ》のようにじっとしていた。続いて駿次の番だ。幼い子は無遠慮に口髭《くちひげ》を引っぱり、祖父は「こいつめ」と角刈りの四角い頭を振り、息を吹き出して孫の項《うなじ》をくすぐった。

初江は鶴丸に研三を差出させ「けさから熱を出してるんです。九度三分です」と言った。

「そいつはいかん」

利平はすぐさま医者に返り、ソファに寝かせた幼児の胸に聴診器をあてた。目を覚まして泣き出した子の咽喉《のど》を懐中電灯で瞥見《べっけん》して、「扁桃腺《へんとうせん》だな。まあ大したことはない。いま薬を作らせる。熱がすこし下ったら吸入をやれ」と言い、鶴丸看護婦に処方箋《しょほうせん》を渡して走らせた。

「今晩は泊れ。研坊は動かさんほうがいい」

「はい。あのう……」初江はその瞬間思ったことを口に出した。「おとうさま、お顔の色が悪いわ。どうかなすって」

「何ともないぞ」利平は、悠次と較《くら》べると大分小兵《こひょう》だが、筋肉の締った体で胸を張り、還暦の人とは見えぬ若々しい顔で笑った。真っ黒な硬い髪や髭が、日焼けした肌《はだ》に精彩をそえている。医者というより、どこかに漁師の相があって先祖の血を思い出させる。しかし顔色はすぐれない。

「お前は外から来たから、眼底が暗順応しちょらんのだ。悠次は相変らずか。土曜ちゅうのにまた会社の用で忙しいらしいな。勤め人は辛気くさいのう」

婦長の間島が往診用の鞄《かばん》を持って現れた。浜田運転手がチラと顔をのぞかせた。絶えず誰彼が身辺に来てあわただしい。母が言い訳がましく言った。

「土曜の午後は往診がないはずなのに、急患が出てね。代診じゃいけない大事な人なもんだから」

父は婦長を従えてせかせかと去った。初江は母と向き合って腰掛けた。父はほとんどこの部屋にいないので、何か母と相談事があると、よくこうして向き合ったものだ。

鶴丸看護婦が来て研三を抱きあげ、悠ちゃまと駿ちゃまは屋根裏で遊んでいる、研ちゃまの看病は自分が一切するからお嬢さまは心配なさらなくていいと言って去った。初江が子供のときからいる、病院では最古参の看護婦で、何もかも心得ている。

「何か心配ごとがあるのかえ」と菊江が尋ねた。

「おとうさま、どこかお悪いんじゃない」

「けさから盲腸が痛みなさるのよ。慢性でね、ちょっと無理すると痛みだす」

「それで両脚切断の大手術なんかなすったの」

「聞いたのかい。そうなのよ。ほかの病院がみんな断ったのを、あの性分で引受けなさって、おれがやらなきゃこの男は死んじまうって……」

「その人、助かったの」

「大丈夫らしいよ」

「よかった」と初江は吐息をはいたが、それは未知の大工の救命を祝するというよりも、外科医としての父の手腕への讃美《さんび》の念のためであった。この父の部屋では携帯用の洋箪笥もテーブルも椅子《いす》も昔ながらだ。軍医時代に横須賀《よこすか》、艦上、旅順《りよじゆん》と任地が変るたびに持ち歩いたので傷だらけの品々だが、そして軍人らしく実用一点張りの作りだが、決して手放そうとはしない。銹《さ》びた錨形《いかりがた》の置時計も茶に色褪《いろあ》せた巡洋艦八雲《やくも》の写真も、大事に保存されている。大正の初め退官した折の海軍軍医少監の写真は鉄製の頑丈《がんじよう》な額に封入され、開院時の大黒柱に、しっかりと打付けられていて、大掃除のときも絶対に取りはずしを禁じている。幼いときからその写真を初江は何度見詰めたことだろう。三十六、七歳の壮年の軍医は、日本海大海戦のおり、巡洋艦八雲の軍医として戦功をたてて頂いた功五級金鵄勲章《きんしくんしょう》や従軍記章その他あるったけの勲章を一杯胸にぶらさげて、誇らしげに立っている。脇礼助と同じくこれも大礼服だ。昔の人って、なぜか大礼服が大好きなのだ。白手袋の右手に大礼帽、左手に軍刀……ともかく日本海大海戦で大勢の負傷者の治療に奔走したおかげで外科医の腕をあげ、退官して開業するときも、重傷者を診る外科医として立つ決心をした。この三田綱町をえらんだのも、ここが品川の車庫や操車場に近く、海の方に埋立地がひろがった結果踏切が増えて列車にはねられる人が多かったからだという。この立地条件は明らかに時田病院成功の要因で、初江は、小さいときから戸板に乗せられて担《かつ》ぎこまれる血だらけの負傷者を数えきれないほど目撃してきて、颯爽《さっそう》と陣頭指揮する父を頼もしく見上げたものだった。

「まだ話したいことがあるんじゃないのかえ」と母が言った。

「そう見える」

「見えるよ。さっきから考えごとをしてるじゃないか。何かい、悠坊が何かひどい目にあったのかい」

「さっきは有難う。御心配をおかけしました」初江は他人行儀に頭を下げた。母に電話を掛けたのをけろりと忘れていた。というより、もう洗い浚《ざら》い報告し終えた気になっていた。

「泥《どろ》んこになって帰ってきたわ。どこかで遊んでたらしいの。でも強情な子、なぜそんなこ

たりしたのを指すのだ。

「お前の子だからね」と菊江は思い入れをした。初江が強情でよく利平に叱られたりぶたれたりしたのを指すのだ。

「はいはい。どうせそうですよ」初江は脹《ふく》れ面《つら》をしてみせ、父に油を絞られたあと母のふくよかな胸に抱かれて慰められたことを思い出した。母にすがる気持で言う。

「おかあさま、わたし自信がなくなってきたのよ。あんなに素直だった子が、この頃《ごろ》親に隠しごとをして、いくら叱っても本当のことを教えない。まだ七つなのに」

「もう七つになったのですよ。親に秘密を持つのは一本立になる芽が出てきたってこと。その芽は摘まないがいい」

「そうかしら……」初江は、母の雪花石膏《せっかせっこう》のような肌を讃嘆《さんたん》の思いで見た。同じ色白と言っても美津や悠次のとは質が違う、均等な柔かい白さだ。この肌はきょうだいでは夏江だけに遺伝した。なぜか自分と弟の史郎は父の遺伝で浅黒い。

「何を持ってきたのさ」と、菊江はテーブルに置かれた袱紗包《ふくさづつみ》を顎《あご》で差した。初江はさっきから無意識にそれを指でまさぐり続けていた。

「そうだった、これこれ。これが大事な用なの」敬助の写真と履歴書を母の前に並べた。

「脇のおねえさまがおっしゃるの。敬助さんの嫁に夏っちゃんがどうかと」

「敬助さんだって」菊江は瞬間息をのんだ。二人は無表情に見詰め合った。表情をほころばしたのは菊江のほうだった。

「あんまり突然で何も考えられないよ。事情を聞かせておくれ」

初江は手短かに美津の話を伝えた。夏江を望んでいるのが敬助自身だとも言った。菊江は老眼鏡にかけ直し写真と履歴書を繁々《しげしげ》と見た。

「陸軍幼年学校、士官学校、陸軍中尉《ちゅうい》……」

思案にふけっている母を尊重して初江は黙っていた。鳩時計《はとどけい》が六時を告げた。時を告げるたびに鳩が首を出して口をあける精巧な時計で、退官記念に僚友から贈られたものだ。すこし籠《こも》った鳩の鳴き声も昔からで、一声一声に濃密な時間の堆積が唱《うた》われる趣きがあった。

「敬助さんは、どの程度、夏江のことを想《おも》っておられるのかしら」と菊江はようやく言った。

「それは判《わか》らないの。夏の海で時々は夏っちゃんにお会いになったこと、とくに去年はかなり親しげに夏っちゃんとお話しなさったことは事実よ。でも、敬助さんて、口数の少ない、何て言うのかしら、謹厳な方でしょ。女への気持なんて、これっぱかしもお示しにならないし……」

「夏江のほうも口数は多くないからねえ……」

「そうよ。夏っちゃんて人見知りがひどいでしょう。それに趣味が軍人さんに合うかどうか……」敬助の詩吟を思い出して初江は首を傾《かし》げた。「ともかく夏っちゃんの気持が第一だと思います。わたし確かめてみます」

「その前に、おとうさまのお耳に入れとかないとね。おとうさまが反対なすったら、この話は毀《こわ》れてしまうんだから。お前、夏江にはまだ黙っていておくれ」

「どうして」初江は不満で口を尖《とが》らせた。「それはおとうさまの御意見は大切よ。でも、結婚するのは夏っちゃんですからね。まず、本人の気持を確かめるのが先決ではありませんこと」初江には自信があった――夏江が本心を明かすのは姉である自分だけだという。

「いけないよ」菊江はおだやかながら断乎《だんこ》とした口調で言った。「もしも夏江がいいと言い、おとうさまが反対なすったらどうするんだね」

「さあ、わたしだったら……」

「お前だったらおとうさまに従うだろうね。だけど夏江は違うよ。あの子は、おとうさまだろうが誰だろうが自分の意見を通す。そうなったら、あの子はおとうさまに勘当されて不幸になるのよ。だから、おとうさまが先」

「そうかしら」初江は、さらに不満で、渋面を作って考えこんだ。自分だって随分父親に反抗はしてきた。が、事、結婚となると父親の言う通りに従った。そしてそのことを今は後悔していて、夏江にまで同じ思いをさせたくない。母にはその気持を有体《ありてい》には伝達できない。母は、初江から悠次への不満を種々聞かされはしていても、娘は世間並以上の幸福な結婚をした、そのことは夫利平のおかげだと信じているのだ。

初江が悠次と出会ったのは昭和三年の春のことであった。母より写真を見せられ、先祖は代々加賀の国の金沢藩士の士族、帝大出の経済学士、財閥系の安田生命保険会社社員、両親はおらず、腹違いの姉が政友会の脇代議士夫人であると聞かされた。小肥《こぶと》りの近眼の男で取り立てて魅《ひ》かれるほどでもなく、さりとて嫌《きら》いとも言いきれず、それに血縁やら経歴やらには判断のしようがないまま、母に連れられてお見合に出向いた。そこは、母の妹藤江《ふじえ》の嫁ぎ先の風間《かざま》振一郎《しんいちろう》の家で、石炭株式会社を経営する振一郎が政治家脇礼助と親しかった関係で、藤江も礼助夫人美津と相識の仲で、若い二人の縁を取り持ったのだった。風間家は落合《おちあい》の高台にある宏壮《こうそう》な邸宅で、よく手入された日本庭園を見渡す座敷に、媒酌《ばいしゃく》の藤江を中に、初江は菊江と並んで脇美津に連れてこられた小暮悠次と向き合った。女ばかりの聖心女学校を出てから、割烹《かっぽう》、花、ミシン、裁縫と花嫁修業をするのみで男と付き合いなど絶えて無かった初江は、将来夫となるやも知れぬ若い男と向き合っていると思うだけで、ただただ恥かしく、藤江と美津がする知人の誰彼についての噂を上の空で聞いた。藤江の誘導で趣味の話となり、悠次は歯切れのよい山の手風の話し方で、「大学で山岳部にいたので登山とスキーが趣味です。会社に入ってからは、ゴルフを覚え、麻雀《マージャン》もよくやります。最近は十六ミリ活動写真を自分で撮って楽しんでいます」と言い、藤江は「本当に現代的な御趣味でいらっしゃること」と褒《ほ》めた。初江の番になって、自分が子供の時から習っていた長唄《ながうた》も日本舞踊も何やら古めかしく、さりとて母がよく連れていってくれる歌舞伎《かぶき》、父のお供でいく寄席《よせ》や相撲も〝非現代的〟と笑われそうだし、正月にやる唯一《ゆいいつ》の遊び、花札も麻雀にくらべると単純すぎるようで、初江は聞えるか聞えないかの小声で「あのう、御本を読むのが好きでございます」と言い、上気して額に汗を滲《にじ》ませた。〝御本〟の内容はと問われて、小説と口から出そうになったが女の子が小説なんぞと顰蹙《ひんしゅく》を買いそうで「旅行記とか美術の本です」と答え、藤江に「そういう現代的なものでしたら悠次さんと気心がお合いになりそうですこと」と評された。翌日藤江から電話があり、先方はすっかり気に入っている、物を問われて恥じらう様子がういういしくてよろしいとのこと、こちらの返事を早急に欲しいと伝えられた。さあどうかと母より尋ねられても初江はたった一度会ったきりで返事のしようがなく、それに登山やらスキーやらゴルフやらも自分と縁遠いようで、考えさせて頂戴《ちょうだい》と返答をのばして二日目、ふたたび藤江よりの電話で督促された。そこへ突然父が現れ、帝大出の学士がたってと望む良縁のうえ、中に立った藤江や風間振一郎の顔はつぶせぬし、両親がいない青年なら姑《しゅうとめ》の場ふさがりもなし、お前も二十で今が婚期だと迫られて、強《し》いて嫌《いや》という理由のないまま、承知した。そのとき、利平があれほど強く、まるで責めるように迫らねば初江は承知はしなかったものをと悔む心はその後もしばしばおこるのだが、利平もそして菊江も、この婚姻の成立は両親の娘に与えた恩恵とのみ思いこみ、何かの折に恩きせがましい言辞を弄《ろう》するのだった。

「ところで」と初江は居眠りより覚めたように面《おもて》をあげた。「今、夏っちゃんの所には何か縁談が来ているの」

「それはいくつかあったよ。ところが、写真と履歴書をちらと見ただけでみんなお断りしてしまうんだからね。せめてお見合ぐらいしたうえでお断りすれば仲人《ちゅうにん》の方の顔も立つのに、そういうところにべもないのよ、あの子は」

「誰か好きな人がいるのかしらん」

「さあねえ」菊江は溜息《ためいき》をついた。小肥りの母は溜息をつくとぜいぜいと咽喉《のど》にひっかけ何だか息苦しげだ。明治十八年生れの母は、今年五十一で美津と四つしか違わないが、十以上も違うお婆《ばあ》さんに見える。それは持病の喘息《ぜんそく》と糖尿病が体の老化を早めたせいかも知れない。

「夏江は男みたいに天下国家だと御大層な口をきくくせに、自分のこととなると貝みたいに黙ってるから、こちらも見当がつかなくてね。栓《せん》が洩《も》れてるお前とは大違いよ」

「どうせ、わたしはそうでございますよ」と、初江はつんと鼻を突き出し、すぐ甘えるように口をすぼめた。「でも母親の勘ってのがあるでしょう。誰か好きな人があれば娘の様子って変って見えるでしょう」

「その勘があの子にはさっぱり通用しないの。この頃外出が多くて、断りもなしにいなくなる。遅く帰ってきたときに限って何をしてるか絶対言わないし……娘は日が暮れるまでに帰ってくるものと言い聞かしてもさっぱり効き目はないし……こんなことおとうさまがお知りになったら大騒ぎになるから、わたしは目をつむってる。女学校の同級生は大方が結婚なさって子連れで遊びに見える方もいるのに、本人は一向に平気なんだからね」

ノックがあって鶴丸看護婦が入ってきた。

「研ちゃま、お居間で中林先生が診ておられます。熱は大分さがって、すこしお元気になりました」

「よかった。ありがとう」初江は心から頭を下げた。自分も幼い頃病気してはこの人に看病してもらった。以前は婦長をしていたが今は婦長を間島にゆずり、若い看護婦の教育を受持ったり院長家族の世話係もしている。

「子供たちどうしてるかしら」

「お二人とも夏江さまの所で遊んでらっしゃいます」

「夏っちゃん帰ってきたの」

「はい、さきほど。実はそれをお知らせにまいりました」鶴丸はにっこりした。

「じゃ行ってみましょう」

鶴丸のあとから初江が行きかけると菊江が呼び止めた。

「そう、大事なことを忘れていたよ。代診の中林が、どうも夏江を好きらしいんだよ。夏江のほうは何とも思ってないらしいんだけどね」

中林と言えば三、四人いる医員のうち一等長く勤めている人で年の頃《ころ》は三十ぐらいか。数年前、時田利平が医学博士号をとろうと発奮して北里研究所で研究を始めたときに、ドイツ語論文の翻訳を頼んだのが切掛けで、時田病院の住み込み医となった。

「夏っちゃんが何とも思ってないのなら問題はないわね」

「それが大ありなのよ。おとうさまは中林を夏江と結婚させて、この病院を継がせたいなんて思ってらっしゃる。史郎があんなふうだからね」

弟の史郎は幼稚舎から慶応義塾にいたが、医者になるのを嫌がり法学部に進み、去年本科を卒業した。今年の一月現役兵入隊で、今は立川飛行第五聯隊《れんたい》にいる。男の子は史郎一人なので、医者の入婿《いりむこ》でもなければ、時田病院は一代かぎりで終るのだ。

「でも夏っちゃんが嫌いなら仕方ないわね」

「嫌いかどうかも確かじゃないの。だってこの話は夏江にまだ話してないんだから」

「なあんだ。どうして」

「おとうさまは中林にも困った所があると考えてらっしゃるの。酒好きで飲み出すととめどなくなるし、それにちょっとしわん坊みたいなところがある。長野の山奥の貧乏な百姓の倅《せがれ》だから、つましい生活をしてきたせいもあるらしいんだけど。それで様子を見てらっしゃるの。さて、お夕食の支度をしてきましょう」

菊江は立ち去った。毎日の食事は病院の賄方《まかないかた》が菊江の指示で大体は用意するが、利平の好みの酒の肴《さかな》だけは菊江が自分で作る。そして孫たちが来ると、あれこれ子供用の献立を工夫して作るのを楽しみにしていた。

利平の居間を出ると十二畳の客間があり、そこから廊下をはさんで菊江の居間になる。ところでこの廊下はおそろしく複雑な形をしていて、食堂へ下る階段、屋根裏部屋に登る梯子《はしご》のような急階段、離れの夏江の部屋へ行く曲りくねった階段をそなえ、ある一角のドアを開くと武者隠しのような空部屋が現れたり、斜めの梁《はり》の下の三角形の戸をはずすといびつな倉庫となっていたりする。それは建物が長い間に増改築を重ね、その折々の建主の気まぐれで棚《たな》を作ったり、小部屋を建増ししたり、通路をうがったりした結果なのである。

廊下の端の狭い階段の先、二階より半間ほど高い夏江の部屋でにぎやかな笑い声がしたので初江はあがっていった。

「夏っちゃん」

「おねえさん」

「子供たちは」

「押入れの中よ」

押入れといっても、三尺の高さで壁がへこみ、そこから三尺幅の階段が上へ上へと延びている奇妙な空間で、そこに置かれた蒲団《ふとん》や蚊帳《かや》や紙箱の間の迷路で悠太と駿次が鬼ごっこをしていた。子供にしか通れぬ狭い隙間《すきま》を上下に擦《す》り抜け横に逃げ、大変な騒ぎである。

「わたしたちも、こうやって遊んだものね」

「ほんと」

「史郎ちゃんが一番素早かったけど、夏っちゃんは小さい穴なんかに逃げこんでなかなかつかまらない」

「結局鬼になるのは、いつもおねえさんだったわ」

二人は朗かに笑い合った。母と叔母の唐突な笑い声に子供たちはふと静まったが、つぎの一瞬、まえよりも一層元気よく歓声をあげた。

長襦袢《ながじゅばん》姿になっていた夏江は、不断着の袖《そで》を通した。紺木綿の弁慶縞《べんけいじま》に、朱の縮緬染《ちりめんぞめ》の帯をきりりと締めて、さてこそ下町の娘という恰好《かっこう》ができあがる。母親似の白い襟足《えりあし》が抜き衣紋《えもん》に映え、これは母と違ってほっそりとした肩が可憐《かれん》である。

「きょうは銀座だって」

「いいえ、日本橋の三越よ。夏の着物見にいったの」

「何かいいのがあった」

「江戸小紋の安い出物があったんで仕立てることにしたの」

「お着物お作りになれるから……いいえ、お着になれるから結構ですわね」

「おねえさん、大家の奥様でしょう。どしどしお作りになったら」

「どういたしまして。しがない会社員の主婦です。子供の着料《きりよう》でお財布はすっからかんですわよ。そうそう、子供たちの夏着、新宿で見たんだけど、あそこはまるで田舎で、いいのがないの。あした、銀座付き合ってくれる」

「いいわよ。ついでに歌舞伎座行かない。八重子の〝新椿姫《しんつばきひめ》〟やってるの。あと〝西鶴《さいかく》五人女〟」

「歌舞伎座か。行きたいわ。研三の熱がさがったら……。考えてみれば結婚してから一度も行ってないの。うちの旦那《だんな》さま、そちらはとんと無趣味でしょう。それに、あっちから歌舞伎座は遠すぎるし……」

子供二人が蒲団の間から転がり落ちた。駿次が階段に逃げたのを悠太が追いかけ、廊下から各部屋を足音たかく走り回る。その足音の位置が初江と夏江にはよくわかり、顔を見合せて笑った。妹の目は細くてすこし釣《つ》り上り、総体に浮世絵風の顔だが、生来の一重瞼《ひとえまぶた》を小学校の頃毎日爪《つめ》でいじくり、とうとう二重にしてしまった。姉の初江が、二重で目が大きいと褒められるのを妬《や》いてのことだった。柔かな細い髪は焦茶色《こげちゃいろ》で日の光に透かされると金を混《まじ》えたように明るく光った。硬い漆黒髪《しっこくがみ》の姉とのこれも大きな相違だ。顔と髪が父にも母にも似ていないので、小さいとき「わたしは貰《もら》い子に違いない」とよく言っていた。

「ここ、変りないわね」と初江は、あらためて室内を見回した。七つ違いの姉妹であったが、二人は仲がよく、妹が幼いときは姉が身辺の面倒を見てやり、姉が女学校にいく頃には妹は姉の真似《まね》をして長唄のお師匠さんに通って唄と三味線を習い、温習会に二人並んで二挺《ちょう》一枚の演奏をしたこともある。しかし、初江が家を出てから、夏江の関心は洋楽に移り、発明が趣味である父利平が考案した〝電動蓄音機〟に交響曲のレコードをかけて聴き入ったり、来日した外国人音楽家の演奏会のプログラムが机上に置かれていたりした。つい最近もルービンシュタインの日比谷公会堂でのピアノ演奏会についてあれこれと聞かされたばかりだ。妹のこの趣味は、弟の史郎とも共通していて、二人一緒に音楽会に行くことも多かった。

「史郎ちゃんどうしてるかしら」と初江は言った。

「元気よ。先々週の日曜日に来たわ。もう上等兵で星三つの肩章つけてた。甲種幹部候補生ってのの、どんどんえらくなるのね。あしたぐらい外出してくるんじゃないかしら。でも、あの軍服っていやあね。みっともないし、それに変な臭《にお》いがするんですもの」

「夏っちゃんて、軍服が嫌いね」

「軍服が嫌いってわけじゃなくて、おにいさんには軍服が似合わないっていう意味よ。やはり体操服が一番ね」

「それはそうね」初江は同意した。史郎は慶応の学生時代器械体操部のキャプテンをしていて、史郎といえば体操服を思い出す。鉄棒や吊輪《つりわ》の見事な演技をこなす史郎の白い姿を二人は何度も見ていた。

「それに陸軍の軍服って、何だか泥《どろ》くさいでしょう。元々泥の色だから仕方がないけれど。海軍のは海の色だから、まだ増しだけれど」

「夏っちゃん、やっぱりおとうさまの子で陸軍嫌いね」

「でもね、海軍も嫌い、おとうさまには悪いけど。この節軍人ってやたらに威張るでしょう。ことに士官が鼻持ちならないわ。自分たちだけが国を護《まも》ってるってな顔をして」

「そんなこと大きな声で言わないほうがいいわよ」

「だって本当なんですもの。五・一五事件だって、上海《シャンハイ》事変だって、天皇機関説への攻撃だって、士官たちがおこしてるのよ」

「夏っちゃん」初江は強く制した。「わたし、そういう男の世界のことよくわからないの。でもね、軍人……士官も、人によるでしょう。中には立派ないい人もいるわ」〝いい人〟に力をこめて言ったが、むろん妹には意味が通じぬらしかった。

悠太と駿次が駆け回る音が近付いてきた。初江はつと立って〝お居間〟、つまり母の居間に行った。蒲団が敷かれて研三が寝かされている。枕元《まくらもと》に付き添っているのは鶴丸看護婦だった。初江を見るなりすぐ言った。

「お熱は七度八分でございます」

「随分さがったのね」

「熱冷ましのせいですから、まだ油断はできませんが、お元気で、葛湯《くずゆ》を召し上りました。

おお先生の吸入をやれという御命令なので、一応準備はしておりますが」鶴丸は、後に用意した吸入器を指差しつつ初江に伺いを立てた。

「この子は吸入大好きよ」と初江は研三にかがみこんだ。「ねえ、シューシュー好きね」

「うん、シューシューすき」と研三は喜んで起きあがった。

「研ちゃま、えらいわねえ」と鶴丸看護婦は慣れきった手さばきで幼い子の肩から首にタオルを巻き、頭を別なタオルで包んだ。吸入器のホヤを子供の口の位置に調節する。初江が研三に洗面器を持たせ口を開かせて、鶴丸看護婦に目くばせすると青い炎のゆらぎ立つアルコール・ランプが銀の釜《かま》の下に入れられた。ぐつぐつと湯のたぎる音とともに硼酸《ほうさん》の刺戟臭《しげきしゅう》のある霧が吹き出て、子供の口に入っていった。初江は自分も子供のとき、鶴丸看護婦に何度もこうして吸入してもらったことを思い出した。この部屋も卓袱台《ちゃぶだい》も吸入器を置く位置も、すべて昔のとおりだ。霧に煙る中に、うらうら浮ぶ人形たち、母は趣味でさまざまな日本人形を作り、それらは舞姫か囃子《はやし》方《かた》で、傘《かさ》・綿帽子・冠・花束・三味線・篠笛《しのぶえ》・箏《そう》・小鼓《こつづみ》などの小道具まで入念に細工され、娘道成寺《むすめどうじょうじ》・鷺娘《さぎむすめ》・大原女《おはらめ》・黒髪など長唄ものを中心に作られていたのが、霧と薬の匂《にお》いに、不可思議な動きをして見え隠れするのも、昔のままだった。

やがてコップの硼酸水が涸《か》れ、水を吸えなくなった管が、咳《せき》こむような音をたて、子供は口の中の薬液を洗面器に、病気も一緒に吐き出す思いで吐くのだった。

4

炊事場の隣が食堂になっていて、大きな長いテーブルの両側にベンチが並んでいる。テーブルにはお櫃《ひつ》を入れる穴が三尺おきぐらいにあいていて、坐《すわ》った者は誰でもお櫃に手を伸ばせる仕掛である。看護婦たちは棚から各自の箱膳《はこぜん》を持ち出してまず汁と菜と漬物《つけもの》を賄方《まかないかた》より給してもらい、テーブルにむかう。箱膳を置くためテーブルをやや低めに作らせたのもお櫃用の穴も利平の工夫で、椅子《いす》に腰掛けた姿勢で和風の箱膳を用いることができ、しかも飯のお代りが簡単にできるというのが彼の自慢であった。

箱膳は医員と婦長は朱の漆塗《うるしぬり》、一般の看護婦や薬剤師やレントゲン技師はニス塗で、時田家の食器は家族用の戸棚にまとめて収納されていた。中には菊江が孫たちのために買い揃《そろ》えた子供用の茶碗《ちゃわん》や皿も入っていた。院長だけは二階の座敷で食事を摂《と》ったが、時田家の人々は職員と一緒に食堂で食べた。今夜、すでに職員は食事を終えていたけれど、なお何人かの看護婦は残っていたし、勤務の都合で遅れた数人が談笑しつつ入ってきたりして、あたりに病院らしい活気が漂っていた。わが家の茶の間と違って広い場所で食事するのが嬉《うれ》しくて、悠太は高い天井の中央の換気窓を見上げたり、一昨年開院二十周年に津の国屋酒店より贈られた大時計の金の振子を目で追っている。

デザートに夏江が日本橋で買ってきたスイートポテトをみんなで食べているとき、不意に足音高く利平が入ってきた。往診帰りの背広姿だ。

「さあ、これから縁日に行くぞ」と孫たちに言い、二人の歓声に相好をくずした。

「あなたお食事は」と菊江が心配した。

「何だか食欲がない。もうすこしあとでいい」

「お痛みになりますか」

「うん、すこし痛む。なに今晩冷せば何とかなる」

「お顔の色が蒼《あお》いですわ」

「ちょっと疲れてるだけだ。待っておれ、今着替えてくるからな」もう祖父と縁日に行く気でそばに立った二人の孫の頭を撫《な》で、利平は菊江を従えて二階へあがり、しばらくしてセルの着流しでおりてきた。

食後の気晴しに繰り出した人々で、アセチレン灯に青白い露店の並ぶ路上は結構の賑《にぎわ》いであった。昼間の強風はおさまり、暖い微風が胸に春を送りこむ。利平は悠太と駿次の手を左右にひいて先に立つ。そして駿次の右手を菊江が持った。利平は孫たちとこうして歩くのが心底から楽しいらしく、金魚屋の前で水槽《すいそう》をのぞきこみ、飴細工《あめざいく》屋の見事な手つきに嘆声を発し、まるで子供に返っている。もっとも利平の衛生観念では、露店の食べ物はすべて黴菌《ばいきん》の巣であったから、食べ物屋の前は素通りであった。子供たちは両親にまかせておけばよく、初江はすこぶる気楽にぶらぶらと歩いた。前を夏江と並んで代診の中林が行く。ひょろりと背が高く、ほんの散歩に出てきたのに、鼈甲《べっこう》のロイド眼鏡に茶の背広をりゅうと着込んでいるのが、いかにも田舎者のめかし過ぎと見えた。中林が夏江を好きらしいと菊江に聞いたため、それとなく様子をうかがうのだが、男はいっこうに夏江のほうを見る気配もなく、夏江のほうも知らん顔でいる。

「中林先生」と初江は話しかけ、「お国はどちらでしたっけ」とわざと尋ねてみた。

「長野県です。佐久平《さくだいら》の小さな村です。佐久は御存知でしょうか」

「いいえ」初江は気の毒そうに頭を振った。彼女は東京以外の土地をあまり知らず、土地の名前を聞いても何の観念も湧《わ》いてこなかった。そこで会話の糸がプツリと切れた。しばらく待ってみたが、むこうから口を開く様子もない。しかし、夏江のために相手の人物を知っておきたいと思い、やっと話題を見出《みいだ》した。

「父の研究は今どんな具合ですの」

この質問は成功だった。中林は、首を折るようにして初江を覗《のぞ》きこみ、急に熱心に話しだした。

「先生の御研究はもうすぐ完成です。あと一つ、できれば二つ実験をやればよいのですが、その実験が大変なんです」

「わたし存じませんの。父はどういう研究をしておりますの」

「主として紫外線関係です。これは三つに分れまして、第一は紫外線の量の測定、第二は紫外線の物による透過度の測定、第三は紫外線の殺菌力の測定です」

「何だかむつかしゅうございますのね」

「はい、むつかしい研究です」中林は立ち止った。利平たちはカルメラ焼屋の前にいた。アカガネの皿の上で融《と》けた砂糖の塊が踊るのを悠太が熱心に見ている。砂糖の焦《こ》げた甘い匂《にお》いがこちらまで流れてきた。

「紫外線というのは、場所により高さにより量も殺菌力も違うのです」中林は利平に聞えるようにと考えているのか声を大きくした。「たとえば時田病院の露台と東武ビルの屋上と丸ビルの屋上では違いますし、東京市内と伊豆《いず》半島と芝浦《しばうら》の海上とでも違います。それから気象条件によっても違い、晴れた日、曇った日、雪の日によっても違います。先生は、そのすべての場所と条件で紫外線を測定なさり、殺菌力を調べてこられました。丸ビルの屋上なんかは何十回ものぼっておられますし、雪の赤倉や妙高山にも行かれました。しかし残念ながら、まだ三千メートル以上の高さでの測定をしておられません。そこで今年は海抜三七七六メートルの富士山頂で測定、それから高度五〇〇〇メートルの飛行機の上での測定を計画しておられます」

「なるほど」初江は合点した。この五、六年来、父が市内の高いビル、丸ビルや浅草駅ビルの屋上に、御大層な実験器具を持ってはのぼってるとは聞いたことがある。紫外線の殺菌力の応用として、時田病院には結核患者用のサンルームを作り、自分の研究によって紫外線を吸収しない特殊硝子《ガラス》を発明して窓に用いている。

おのれの説明をこちらが理解したと見て、誇らしげに頬笑《ほほえ》んでいる中林を、初江は誉《ほ》めあげた。

「父にそういう研究ができますのも、中林先生の御助力のたまものですわ」

「いえいえ、ぼくなんか先生の御命令で動いてるだけでして。研究てのはアイデアでして、アイデアは全部先生の頭脳から生れるのです」中林は謙虚な気持を示すように猫背《ねこぜ》に背を丸めた。

利平の足が早くなった。カルメラ屋から先は、ベッコウ飴、タコ焼、金太郎飴、お好み焼、焼そばと食べ物屋ばかりなのだ。

だらだら坂を登っていく。道の両側に小さい商店が肩を寄せ合い、道端は露店で、間の狭い所に群衆がひしめいた。魚屋の隣が〝子育て地蔵〟で紅白の提灯《ちょうちん》が満艦飾だ。入口は細く、穴蔵のような場所で、人々が溢《あふ》れて中に入れそうもない。

「坊っちゃん、いらっしゃい」中林は悠太を抱くとひょいと肩車にして群衆の中に割って入った。

「ごめんよ」と中林は人々を強引に押し除《の》け、処々《しょしょ》に悲鳴と叱声《しっせい》が立つのを平然と進んでいき、悠太は落っこちまいと中林の頭を必死でかかえていた。初江はついて行こうとして人波に遮《さえぎ》られた。「ぼくも見たい」と駿次にせがまれて困っているところに中林が戻ってき、今度は駿次を肩車に群衆に突っこんだ。初江は夏江と顔を見合せた。

「よくやるわね」

「やりすぎよ、あんなの」と夏江は顔をしかめた。

「でも、熱心だわ」

「わざとらしい。ああいうの大嫌い」と夏江はそっぽを向いた。

利平が悠太に尋ねた。

「どうだ悠坊、何が見えた」

「お地蔵さん」と悠太は祖父の大声にどぎまぎして答えた。

「お地蔵さんは何してた。ションベンしちょったろう」

「あなた……」と菊江は夫の袖《そで》をそっと引いた。利平は日頃《ひごろ》から子育て地蔵のことをションベン地蔵と呼び習わしていた。

「あのね」と悠太は一所懸命に言った。「赤頭巾《あかずきん》かぶってた。赤い前掛してた。それからね、金の花がピカピカ光ってた」

「そうか、そうか」利平は嬉しげに頷《うなず》いた。「赤頭巾がションベンしちょったか」

「ぼくね、一銭投げたの。だけど下に落ちちゃった」

「そら、もったいないことしたな」

利平は悠太の手を引き、駿次の帰りを待った。が、中々現れない。待ちわびた彼は足踏みし、近くの夜店をのぞき、落ち着かない。やっと中林が駿次を肩に現れると「おそいぞ」と叱《しか》りつけ、もう片方の手で駿次の手を引くと、さっさと先に行った。

「御苦労さま」と初江は中林に言った。「子供って重いでしょう」

「いやあ」中林はネクタイのゆがみを直し、両の胸を払った。「軽いものですよ。しかし、あの地蔵、何だってあんなに狭い奥に引っこんでるんですかね。とんだ迷惑でさあ。でもしっかりとお参りしてきました、みなさんの代りにね」中林は何がおかしいのか吹き出し、夏江の無表情にとがめられ、ふと笑いをのみこんだ。

利平は孫たちと並んで、とある店先にしゃがみこんでいた。菊江が後に立っている。金盥《かなだらい》の水に赤いセルロイドの船が浮び、アメンボーのように動き回っていた。利平は船をつまみあげ裏返してみた。白い樟脳《しょうのう》がついている。

「これは普通の水でもいいのかい」

「はいはい」店の親爺《おやじ》が言った。「水道の水でいいですよ」

「しかし樟脳は普通の水に溶けんぞ」

「いえいえ溶けます」

「そうかな」利平は指先に水をつけ、匂いを嗅《か》ぎ、舐《な》めてみた。

「お客さん、何するんだね」店の親爺が気色ばんだ。利平は平気で言った。

「これゃ普通の水じゃないいな。明礬《みょうばん》か何か混ぜてある」

「妙な言い掛りはやめてほしいね」親爺は怒り顔で逞《たくま》しい腕をさすった。腕に入墨が光り、上背のある中年男である。

「この水をそこの瓶《びん》に詰めてくれ。そのかわり、三十袋買う」

「三十ですか」親爺は気勢を削《そ》がれて、急に腰を低くした。

「そう、金盥の水をサンプルにくれるならばだ……」

「いいでしょう」親爺は、サイダーの空瓶に水を詰め、三十袋を紐《ひも》でくくった。一つ二十銭で六円である。初江は、何だかばからしい買物だと思った。

店を離れると利平は中林を呼んだ。

「この水を分析しろ。多分明礬とアルコールが入っちょると思うが」

「はい」中林は瓶と三十の袋を受け取った。

「この船がな、普通の水で動かんちゅうことは実験ずみなんじゃ。今度は何としても動かしてみせるわ。な、悠坊、駿坊、船を動かしてやっからな」

電車通りに出ると露店はまばらになって店々は戸を閉《た》て込んで暗く、慶応義塾の森が星空の底を黒々とうずめていた。利平が先頭を切るので一同は黙ってついていくが、そんな方角へ行く理由は分らない。左手に鳥居と石段があった。春日《かすが》神社だ。利平を追いこし、悠太と駿次が競争で石段を駆け登った。初江と夏江は、登り坂が苦手な菊江を気遣いつつ、ゆっくりとあがった。朱塗りの神殿は提灯の明りを反照し、熾火《おきび》のように闇《やみ》に立っていた。利平は孫たちを崖《がけ》っぷちに連れて行き、遠くに点々と光る漁火《いさりび》を見せた。これを見せるために来たのだった。初江は、苦しげに息をしている菊江をベンチに坐らせ、「大丈夫」と尋ねた。

「この頃、すぐ息切れがしてね」と菊江は咽喉《のど》でヒューと笛を鳴らした。

初江は母の背中をさすった。柔かい肉がずるずると、何だか骨からずり落ちるように動いたのでびっくりして手を止めた。

「おかあさま、どこかお悪いのじゃない」

「相変らずだよ。ただね、この頃ちょっと歩くとえらく疲れるの」

「どこかお悪いのよ。心配だわ」

「心配いらないよ、お前。これでも、医者の女房なんだからね」

「でも紺屋《こうや》の白袴《しろばかま》ってことがあるから」

「大丈夫よ。おとうさまに、しっかり診察していただいてますから」

「そんなら安心だけど……」初江は聞耳を立てた。この神社の名物である〝天然記念物能登の滝石〟のそばで男女がひそひそ話をしている。中林と夏江だ。内容は聞き取れぬが睦《むつま》じげで笑いを混《ま》えている。男は女に寄り添い、女は男を避ける素振りも見せない。さっき夏江が中林に示した嫌悪《けんお》の情は、姉の前での気取りだったのか、初江は不審に思った。

「夏っちゃん、あの人が好きなのかしら」と独り言のように言う。

「わたしもそれを考えていたよ」と菊江が受けた。「あの子の気持はさっぱりつかめないんだからね」息切れは治っておだやかな口調だった。

「あの話、まだおとうさまにする暇がないの。だって猛烈にお忙しいんですもの」

「今夜、わたしがお話しとくよ」

「だめよ、おかあさま、あの話はわたしが持って来たんですからね。わたしが一番にするの」

「それは……お前の好きなようにしたらいいよ」菊江は気弱にゆずった。

初江はつと立って能登の滝石の前へ行った。大きな石に隠れるように男女がいて、あわてて離れた。男が握っていた手をはなし、女の手が夜目に白く流れたようだった。

「夏っちゃん、ちょっと話があるの」と初江は妹の腕をとり、離れた石灯籠《いしどうろう》のところへ押していった。夏江は不服を背中の圧力に表現しながら押されていった。

「あなた、中林先生好きなの」と初江は言った。中林のひょろ長い姿が視野の端にあった。

「変な質問、どういう意味よ」

「質問した通りの意味よ」

「そんな質問、おねえさんだって不躾《ぶしつけ》だわ」

「わかってる。でもね、これとっても重要なことなのよ、夏っちゃんにとって」

「わかんないわ。わたしにとって重要なことを、どうしておねえさんが知りたがるか」

「夏っちゃんのこと心配だからよ」

「お節介でしょ、そんなの……ははん、わかった。中林先生に頼まれたのね」

「違うわよ」

「そうにきまってるわ。あの先生のそういうところに腹が立つの。ペラペラお喋《しゃべ》りなくせに肝腎《かんじん》なことは言わないで、遠まわしに人の心を探る、悪い癖だわ」

「あの先生、嫌いなの」

「嫌いよ。大嫌い」と夏江はきっぱりと言った。初江は「本当なの。あなたの気持さっぱり見当がつかない」と溜息《ためいき》をついた。「だってそうなんですもの」と夏江が強く言ったとき、中林が間の抜けた感じでぬっと顔を出し、初江は鼻で笑った。

「ぼく、何かおかしいですか」

「いいえ」と初江は打消した。「中林先生のことを笑ったんじゃありませんの。ある人のことがおかしかったんですの」

「中林先生のことで笑ったんですよ」と夏江が言った。「わたし達二人が内緒話をしてると、きっと気になってこちらにいらっしゃるって賭《か》けたばかりですもの」

「おお先生がお帰りです」と中林は生真面目《きまじめ》に言い、右手にサイダー瓶、左小脇《こわき》に樟脳船の包を持ち、せかせかと利平のあとを追った。

帰途、利平はどこへも寄り道をしなかった。途中で睡《ねむ》くなって機嫌が悪くなった駿次を中林はおぶって寝かしつけた。初江がサイダー瓶を夏江が樟脳船を持ち、一行は黙ってさっさと歩いた。あんまり利平が速いので、手を引かれている悠太は駆足になっていた。

菊江が悠太を菖蒲湯《しょうぶゆ》に入れている間、初江は利平の夕食の給仕を引受けた。父と二人きりとなって例の話をしようと思ったからである。しかし炊事場で野菜を刻んでいると夏江が手伝い始め、結局姉妹で父の食事に付き合うことになった。

二階の座敷で利平と向い合って坐りながら、初江はこれこそ父の夕食だと思った。嫁入以前に見慣れたのと同じである。とにかく鍋物《なべもの》がかならずつく。土鍋に煮えたぎる湯が動かす奴豆腐《やっこどうふ》を、まるで魚でも獲《と》るように、自分が考案したたも網ですくいあげる手付、熱い豆腐をたっぷりとした生姜醤油《しょうがじょうゆ》に漬《ひた》して冷まし、ぽんと口中に放《ほう》りこむと、濡《ぬ》れた口髭《くちひげ》を左の人差指でちょっと拭《ぬぐ》う動作、みんな父らしい。なぜ鍋物なのか聞いたことはないが、湯気がさかんにあがり、鍋の中で豆腐や魚や野菜が勢いよく動き、ぐつぐつと音をたてる様子が、父の激しい気性に合っているとは納得できる。湯豆腐、ちり、おでん、とその時々で違うけれども、かならず豆腐がついていて、鍋物の豆腐をすくうために、たも網を発明したのだった。竹箸《たけばし》の先に太い針金で輪をつけ、麻網を張っただけのものだが、鍋に突っこんだままでも鉄やアルミのように熱くならず、太い針金の重みで具合よく沈み、しかも通常の穴あき匙《さじ》よりも水切りがよいというのが利平の講釈だった。

発明と言えば土鍋もそうで、ぐつぐつ煮えたつ鍋の両側に小さい耳のような部分を作り、中央の鍋の余熱で酒の燗《かん》に適した湯をわかすようになっている。煮あがったものが水っぽくならぬように、石鹼《せっけん》入れのように桟《さん》で仕切って、汁を下に垂らしこむ二重構造の皿も利平の発明品だ。豆腐をつかむために、滑りどめのギザギザを入れた太めの象牙箸《ぞうげばし》も、茶瓶の注ぎ口に取り付けられている小さな茶漉《ちゃこ》しもそうだ。よく見れば食卓の上に既製品はあまりなく、それもこれも利平の発明品なのだった。

幼い時から、初江は時田利平の発明癖に驚かされ続けてきた。最初は〝時田式レントゲン器〟だった。それまでのドイツ製にくらべると大型で立派、硝子戸の内側にピカピカの部品や沢山の操作ボタンが何やら難しげで、こういう精密な機械を生みだす利平の頭脳に小学生の初江はただただ感心するのみだった。試運転のときは利平院長がボタン操作盤にむかうのを代診や看護婦たちが取り囲み、その外側に家族がかたまって何かの儀式のようだった。院長がボタンを押していくと、やがてドカンと物凄《ものすご》い音響とともに青白い稲妻が硝子戸のむこうに走り、初江は仰天して母のうしろに隠れた。一斉《いっせい》に拍手がおこり試運転は成功だった。この時田式レントゲン器は特許を得て芝浦の工場で製造を開始し、一時は全国の病院診療所から注文が殺到し、利平は大もうけに鼻息が荒かったが、工場の会計係に売上金を持ち逃げされて夢はついえた。

利平は発明のための研究室を作り、診療の暇をみてはそこに籠《こも》るようになった。研究室の入口の赤ランプが点《とも》っているときは立入禁止で、入れるのは研究助手とか緊急の用を持つ婦長だけだったが、長女の初江だけは自由に出入りを許されていて、それが得意なものだから初江はしげしげと研究中の父を見に入った。鉄扉《てっぴ》のむこうに鉄の階段があって、ぐるぐると螺旋《らせん》状におりていくと天井の高い穴蔵があった。工作機械やガスバーナーやレトルトやフラスコなどが雑然と並ぶ中に、作業服の利平が何かをたたいたり、火にあぶったりしていた。一時期は電動モーターに凝っていて、あちこちで大小のモーターがうなりをあげていた。しばらくして電動蓄音機が発明された。特許をとって工場で量産され、ゼンマイ式の回転盤にかえて電動回転盤を用いる便利と安価が受けて、かなり売れたが、モーターに回転むらや故障が多く、返品の山となって挫折《ざせつ》した。今、夏江が使っている電動蓄音機はその時の製品の一つなのである。

海軍軍医として歯科の免状も持っていた利平は、内科外科レントゲン科のほかに歯科も診療していて、歯科技術の改良にも熱心であった。電動モーターで患者用椅子《いす》を動かしたり、高速回転のドリルを発明した。医療器具や機械のみならず日常の家庭用品にまで発明工夫は及び、今、食卓にあるさまざまな食器がその例である。

絶えず何かを考え、道具を改良し、新しいものを創《つく》り出すのが利平の性分だった。今も、晩酌《ばんしゃく》の杯を傾けながら何やら考えこんでいる父を初江はいかにも父らしいと思った。

「おれの顔に何かついちょるか」と利平は娘を睨《にら》んだ。

「おとうさま、今、何を考えてらっしゃるの」

「研坊のことだ。単純な風邪で毎回あれだけ扁桃腺《へんとうせん》を腫《は》らすとなると切ったほうがいいかと考えとった」

「手術ですか。まあおそろしい。あんな幼い子可哀相《かわいそう》ですよ」

「簡単な剔出《てきしゆつ》手術だ」

「いやです、お断りします。もう熱は下ったんです」

「医者の言うことを聞け」

「いくらお医者様でも、おとうさまでも、だめです。母親としては賛成できません」

「母は強しか」利平はいなすように口をすぼめた。「初江もすっかり母親らしくなった。年《とし》増《ま》だ。目尻《めじり》に皺《しわ》ができているものな」

「まあひどい」初江は睨みつけた。

「女は二十五をすぎると目尻に皺ができる。避けられぬ生理現象だ。心配するな。小暮は元気か。この頃さっぱり顔を出さんな。休みの日ぐらい挨拶《あいさつ》に来いと言っとけ」

「土日泊り掛けで麻雀《マージャン》やゴルフなんです。会社の上役の方やお得意先のお相手ですって」

「やれやれ、宮仕えは辛《つら》いのう。そんなに励まんでも、ええのや。小暮ほどの財産家なら、別に会社で出世せんでも充分収入があるだろうに」

初江は答えようがなく黙っていた。財産のことなど皆目見当がつかない。

利平は娘二人を見較《みくら》べながら上機嫌で箸を動かし杯を重ねた。湯豆腐のほかに鰈《かれい》の塩焼、蕗《ふき》の信田《しのだ》巻《まき》と筍《たけのこ》の煮物、青紫蘇《あおじそ》と三葉と椎茸《しいたけ》のかき揚げが並んでいる。これだけの料理は賄方《まかないかた》まかせではできず、菊江が手を下している。

「ところで初江。四人目は出来んのか」

「子供は三人で結構です。三人で手一杯、四人なんてぞっとします」

「しかし、女の子が欲しいだろう」

「いいえ、欲しくありません。子供はもう沢山です」

〝どうかな〟とからかいの目付きで利平は初江を見た。こちらはぐっと唇《くちびる》を結んで見返した。

実は悠次は女の子を欲しがっていて、ぜひもう一人子供をつくれと迫っていたのだ。

「ところで、あすは、孫たちを新田《にった》へ連れていく。お前もついてくるか」

「おねえさんは」と夏江が介入した。「子供たちの着る物見に銀座に行きたいんですって。新宿にはろくなものがないんですって」

「夏っちゃんに頼んだんです」と初江も口添えした。「子供の洋服にくわしいから」

「ま、好きにするがいいさ」と利平は折れたと見せて、不意に夏江に打ちこんできた。

「お前、まだ帝大セツルメントやらに出入りしちょるのか」

「はい」夏江は、しゃんと背筋を伸ばして頷《うなず》いた。

「あんなとこはやめろと言っといたはずだぞ。帝大なんて主義者の巣窟《そうくつ》だ。滝川や美濃部《みのべ》なんて教授はみんな赤じゃないか。赤い娘なんて誰も嫁のもらい手がないぞ」

「いいえ……」と夏江は言いさした。この問題では何度も父と口論していたが、姉の手前遠慮したらしかった。

「新田には自動車でいらっしゃるの」と初江は話題を元に戻してやった。

「もちろんだ。ドライヴでいく」

「あの新車優秀ですわ。きょうも乗せていただいたけれど、あの急な日向坂《ひゅうがざか》を登りましたわ」

「あたりまえだ。ありゃ、フォードのデラックス・フェートンという高級品だ。四気筒で四十馬力もあるんだぞ」

「悠太も駿次も大喜びでしたわ。何しろスピードがすごいんですもの」

「あすも乗せてやるぞ」利平は機嫌よく言った。「そうそう、今度の海軍記念日に悠太を相撲に連れていくぞ」

「あら、五月の末にお相撲やってますの」

「天覧相撲だ。水交社でやる。何しろ今年は日本海大海戦の三十周年でな、祝賀会が開かれるんじゃ。おれも呼ばれておる」

「そんな晴れのお席に子供が入れますの」

「入れる。従軍者には女房と子供一人が許可されちょる」

利平は海軍記念日の祝賀行事を熱を入れて語った。何しろ日露戦争三十周年、日清戦争四十周年だから海軍では総力をあげてお祝いをするのだ。前日の五月二十六日には軍人会館で日露の海戦に従軍した者の大会が、伏見《ふしみ》軍令部総長宮の台臨を仰いでおこなわれ、むろん利平も大礼服着用で出席する。二十七日当日朝は、横須賀鎮守府の大行進隊が銀座通りを行進する。軍楽隊を先頭に、戦車、装甲自動車、陸戦隊、少年航空兵が参加する大部隊だ。空には海の精鋭機が堂々の飛行をする。しかし何と言っても、祝賀行事の頂点は、大元帥《だいげんすい》陛下の行幸を仰いで芝の水交社でおこなわれる大捷《たいしょう》回顧の式典である。正午、水交社に臨御された陛下は、利平を含む参会者とともに日本海海戦をしのぶ海戦料理をめしあがり、午後、恒例の東京大相撲を御覧になるのだ。

「それじゃお相撲と言っても大したものなんですわね」

「そりゃ大したもんだ。従軍者にあたえられる最高の名誉だ」

「あれから三十年ですか」

「そう、早いもんだな。おれは三十歳だった」

「三十年前の戦争、大昔ですわね」

「その大昔が、おれには昨日のように思えるな」

「八雲《やくも》っていうのは日本海大海戦でどんな働きをしましたの」初江は、父から断片的な話しか聞いていないので、一度詳しく知りたいと質問した。

「大活躍だ。八雲というのは第二戦隊の三番艦だった。砲撃が始ったのは午後二時十分、終ったのが八時、六時間の大激戦だった……」

にわかに夢中になって利平は話しだした。説明のため皿を片寄せ、葱《ねぎ》を並べて艦隊に見立て、両軍の動きを示しながら旗艦三笠《みかさ》の東郷司令長官や第二艦隊の上村長官の言動を、まるでその場で見たように物語った。ある時の話では、利平は運びこまれる負傷者の手当に忙殺されていて、海戦全般の状況など知るよしもなく、大砲の発射音や砲弾の炸裂音《さくれつおん》のみ聞いていたということだから、多分あの海戦についての資料や出版物を目につく限り集めて読みふけった結果、彼我《ひが》の艦船の戦いぶりがしっかと頭に染《し》み入り、いつしか自分が実見したかのような話し振りになるのだろう。

「……大海戦の翌日は、皇后陛下御誕辰《たんしん》の祝日だったな。昨日の大勝利は全員ようく知っとったし、祝日のお祝い気分だった。朝のうち、敵戦艦二隻《せき》巡洋艦三隻発見、そのうちの一隻が全速で逃げよった。戦わずしてな、しかも僚艦を置き去りにして逃げるっちゅうのは、腰抜けもいいとこじゃ。わがほうが敵を包囲攻撃せんとしたら、敵は応戦せんで、軍艦旗を半旗にしてな、万国信号旗で〝われ降る。艦隊を引渡す〟と伝えてきよった。味方の使者が駆逐艦、いや待てよ、水雷艇だったか、ともかくこまい艦艇で敵側に接触、敵将ネボガトフ司令官を三笠まで連れてきた。そのときだ、水平線上に煤煙《ばいえん》あがり、敵海防艦アドミラル・ウシャーコフだと分り、島村少将の磐手《いわて》とわが八雲が追跡し、二時間たって一万メートルまで近付き、島村少将は万国信号旗で〝なんじのアドミラルは降服せり。余はなんじに降服を勧告す〟と告げて、なおも接近した。ウシャーコフ艦長ミクルフ大佐は、乗組員を前に演説した。〝この小艦であの二大艦と戦わば、たちまちに撃沈せられん。されども、余は諸君とともに軍人の本分をまっとうせん〟敵が砲撃を始めたので、わがほうも撃った。ウシャーコフはたちまち煙を吹きだして艦尾より沈んでいった。しかしな、初江、夏江、その艦橋にはミクルフ艦長が立ち、士官たちがこれを囲み、悠然《ゆうぜん》として艦とともに海中に消えていった。ああ勇将ミクルフ、おれはな、今でもあのロシアの艦長のひげ面《づら》を思い出すと涙があふれでる。天晴《あっぱ》れな奴《やつ》じゃった。本当にえらい奴じゃった」利平は袖《そで》で目頭《めがしら》を拭《ぬぐ》った。父の泣くのを見て初江は夏江と顔を見合せた。

「それからが大騒ぎだったぞ。海には敵兵が大勢浮んじょる。そいつらを救助するためわがほうは端艇数隻をおろした。みんな敵兵の勇気に感激しちょる。だから、全員を救ってやりたい。舷側《げんそく》に集った兵と一緒にな、おれも下の者に〝みんな救ってやれ〟と叫んだものさ。そうしてな、敵艦の乗員四百二十二名中三百三十九名は救ったぞ。あたりは裸の露兵で一杯だ。海水を飲んで弱っちょる者、出血のひどいもの、腹の割れとる者と、おれは治療にてんてこまいじゃ。露助ってのは、柄《がら》は大きいし、肥《ふと》っちょるし、毛むくじゃらでな、大分勝手が違ったが、まあ人間だから体の構造は同じことで、重傷者から診てまわり、手当に真夜中までかかった。彼らにもおれの心は通じたと見え、ドクター、ドクターと言って感謝しよったな……」

利平はしきりと右の脇腹を撫《な》でた。

「お痛みになるの」と初江は尋ねた。「おかあさま言ってらした、盲腸ですって？」

「なあに大したことはない。酒で消毒すりゃ治る」利平は銚子《ちょうし》の中身をコップにあけるとぐいと飲んだ。

「お酒はいけないんじゃありません」

「なあに」利平はわざとのようにまたあおった。

「それからどうなすったの」と夏江がいきなり尋ねた。炭火の具合や鍋の中身に気を配り、銚子の燗を一手に引受けていた夏江は、セツルメントを咎《とが》められてから黙りこくっていたので、この質問に利平はちょっと虚を衝《つ》かれポカンと口をあけた。

「それから……」

「露兵の捕虜を手当なさって、それから」

「それからも治療しとった、翌日も翌々日も同じことじゃ。一番困ったのは、言葉が通じんことだったな。八雲に収容したのは下士卒百四十名だが、なかで英語のわかる者がたった一名しかおらん。この一名を通訳として、おれは負傷者の名前を聞き出した」

「どんな傷でしたの」

「あらゆる種類の負傷者がおった。八雲ではわがほうも戦死三、負傷九を出し、それで医務室は手一杯のところに、露助の負傷者二十名余が来たのでどえらい騒ぎじゃ。まあなあ、貫通創、盲管創、穿入創《せんにゅうそう》、挫創《ざそう》、裂創、失肉創——肉がふっとぶやつよ、爆傷、火傷と、まるで戦時外科症例の展覧会だ。背中の失肉で背骨が出たやつ、腕の粉砕骨折、眼球突出、重傷者がいてな……」

「死亡者はいましたの」

「死にそうになったやつをおれが救ってやったんだ」

「おとうさま、それで外科医の腕をおあげになったのね。露助さまさまね」

「……」利平はむっとした顔付で夏江をジロリと見た。夏江の言ったことは時田家では通説になっているが、いやしくも利平の前で言うべき事柄ではない。夏江はときどきこうした失敗をする。初江は急いで口を挿《はさ》んだ。

「露兵は感謝したでしょうね、日本軍にも優秀な医者がいたと知って」

「そりゃ感謝したぞ」利平はすぐ笑顔になった。「日本武士道の情けを知って、日本人が好きになったらしい。面白い話がある。甲板にあがってきた露助はな、大半のやつがパンツ一枚の裸で首に十字架をぶらさげとって、毛むくじゃらの大男じゃ。それが、助けられた感謝の気持に、こっちの水兵にキスしようとした。ところがキスなんか知らん水兵、嚙《か》みつかれると思って仰天してな、咄嗟《とっさ》に柔道の大外刈で大男を投げ飛ばした。もっと仰天したのが露助じゃったろう。何が何だかわからんうちに、ずどんと倒されとったわけだからな」

利平は笑った。大口をあけて、心底から愉快がっているこの顔が初江は好きで、自分も貰《もら》い笑いし、ふと見ると夏江は硬い表情のままだった。痴《し》れ笑いをする父を見下すような態度が、また父の癇《かん》に障りはしないかと心配だ。と、父は不意に笑いやめ、初江がどきりとすると、また脇腹《わきばら》をさすった。

「痛みますか」と初江が心配した。

「すこしな。酒はこれでやめる。飯にしよう」
「はい」と夏江が御飯をよそった。利平はちょっと食べて箸をおき、「いかんな、食欲がない」と言った。何だか気落ちした元気のない様子だった。

5

利平は風呂場《ふろば》に越中褌《えつちゆうふんどし》一つで立っていた。高窓から来た朝日が壁に横縞《よこしま》をつくっている。しかし、まだ朝の気分ではない。体腔《たいこう》の中、胃腸から、昨夜の残り滓《かす》をすべて排泄《はいせつ》し終えなければ、本当の朝にはなれないのだ。日曜日の午前五時、快晴、摂氏一六度、湿度三二パーセント、風力一。起床してまず胃洗滌《いせんじよう》が朝の第一の日課だ。

胃洗滌こそは医師時田利平のもっとも得意とする手技である。旅順海軍病院に軍医として勤務したとき、海軍監獄で看守が倒れたから往診を頼むと依頼され、出向いたところ初老の看守が脳溢血《のういつけつ》で人事不省であった。数日間意識のもどらぬこの看守に、鼻孔からゴム管を挿入《そうにゆう》して滋養物を流しこんでやったのが利平にとってこの道の開眼となった。口からゴム管を入れると吐き気が強くて挿入がむつかしいが、鼻から入れれば簡単だという発見である。大正二年に退官して三田に開業してから、利平はゴム管挿入によって胃潰瘍《いかいよう》の治療をすることを思いつき、症例を重ねた。そして、どんな胃の大出血でも胃洗滌によって止められること、重症の潰瘍も治癒《ちゆ》にもってこれることを実証していった。ただし、一開業医の開発した方法に対して大学の医学部教授連や消化器病学会の反応は冷たく、胃管の尖端《せんたん》によって病に弱った胃粘膜を傷つけるおそれのある危険な治療法だという批判が絶えなかった。しかし、利平は胃管の尖端が胃の入口、噴門よりわずかに出たところで挿入をやめる方法を考案して、胃洗滌には何ら危険なしと主張した。そうして時田病院には胃潰瘍患者の来院が増え、〝胃潰瘍病院〟の異名で知られるようになった。ともかく大正二年からこの昭和十年までのあいだに二五三人の患者に胃洗滌をおこない、一度も事故をおこしてないのだ。

利平が毎朝、自分の胃を洗いだしたのは昭和の初めからだった。朝の胃の中を清浄にすれば、歯を磨《みが》いたり顔を洗うよりも、もっと徹底した爽快《そうかい》感がえられる、これこそ第一の健康法だというのが彼の信念であった。彼は妻の菊江をはじめ娘や息子たちにもこの健康法をすすめたが、みんな後込《しりご》みし、残念ながら今のところ〝朝の胃洗〟をおこなっているのは家族では彼一人だった。ともかく胃洗のための道具だてや準備が大変で、余人はそれを思っただけで閉口してしまうのだった。

利平は当直看護婦が用意したものを点検していった。まず温められた挿入胃管が二本。英国ジャック社製の高級ゴム管を、体温に温めてある。つぎに胃管に接続するゴム管と接続用の硝子《ガラス》管。注入液のための硝子漏斗。流出液を入れる膿盆《のうぼん》。おや、注入液が熱すぎる。温度計で計ると三九度である。これでは火傷《やけど》してしまう。三八度にせよとあれほどやかましく命じておいたのに。たちまち怒りがこみあげてき、怒鳴った。

「当直を呼べ」

賄方の若い女中が顔を出し、裸の院長にびっくりして横っ飛びに隠れた。

「当直の看護婦をすぐ呼んでこい」

しばらくして現れたのは鶴丸だった。この古参看護婦を若い看護婦なみに怒鳴りつけるわけにはいかぬ。

「これは何だ」と出た言葉には勢いがなかった。「これじゃ熱すぎて……」〝火傷する〟では大袈裟《おおげさ》すぎる。「胃粘膜を刺戟《しげき》して過度の負担をあたえるぞ」

「はいはい」と鶴丸は、何もかも承知しておりますと言うように頷《うなず》いた。「おお先生が御使用になるときは、きっちり三七・五度になるよう今回はとくにその温度にいたしましたんで」

「ふん、そうかな……」

利平は仰向き両の鼻孔へオリーヴ油を注いで鼻の奥の粘膜を濡《ぬ》らした。油の芳香がさわやかにひろがり、南国の朝の感じで、油は咽頭《いんとう》から口蓋《こうがい》へとさがってきた。たっぷりとオリーヴ油を塗った胃管をやおら鼻孔から挿入した。ゴム管は鼻腔から咽頭へ進み、つるりと食道に降りていった。食道には二箇所の関門があり、そこを通過するときゴム管にちょっと力を加えねばならぬ。むしろこの関門があるためにゴム管の所在を確定しうるのだ。まず第一の関門、食道と気管の分岐部でゴム管が軽い抵抗に出会った。よろしい無事通過した。つぎの関門は横隔膜を食道がつらぬく場所だ。ゴム管はそこをゆっくり通って胃の中に入った。

胃の入口、噴門にゴム管が達したという確かな感覚があった。毎朝毎朝、もう十年近く繰り返している熟練が、おのれの感覚の正しさを証明している。けれども感覚だけでは安心できぬのが利平の性癖である。鼻孔から垂れている黒いゴム管の端を耳の孔にさしこんで耳を澄ますと、自分の呼吸につれて胃の内圧が変化する音が聞えてきて、ゴム管が胃の中にあることが証明された。さらに、ゴム管に息を吹き入れてみるとポカッと音がして胃の中に空気が出たことが証明された。この二つの証明をえて、やっと利平は安心した――これで鼻のゴム管が胃の内部と連絡したわけである。

まずゴム管をさげて、サイフォンの原理で胃液を流し出した。浅黄色い液は見たところ異常がないが、一応試験管に採り、酸度や血液の有無をあとで調べることにする。それから注入液に温度計を入れて見た。三七・五度、ぴったりだ。鶴丸看護婦が大きく頷いた。この十年三八度で通してきたのに、鶴丸が三九度が適温だと発見した。この老看護婦は妙なことに突然気がつくやつだ。硝子漏斗を目の高さにして注入液を流しこむ。グビグビと温かい液が胃の中に入っていく。五パーセントの重曹液《じゅうそうえき》が胃壁をやさしく撫でて清掃してくれる、えも言われぬ快感に利平は目を細めた、これこそ本当の朝の始りだ。液が全部胃におさまり、腹が脹《ふく》れている。硝子漏斗を膿盆までさげて、液を外に出していく。出てきた液は透明で、胃酸のかぐわしい香りをただよわせ、喜ばしげに光っている。胃の中が完全にからっぽになった。気持がいい。昨日からの古い胃液や食物を胃に残しておいて平気でいられる人々の気が知れない。利平は平らになった腹をさすり、自分の健康を誇ろうとして、下腹の鈍痛に顔をしかめた。慢性の虫様突起炎がきのうからぶりかえしている。一晩氷嚢《ひょうのう》で冷して痛みはなくなり、もう一日冷せば大丈夫と思っていたのが、まだ痛む。

よし、大便を排泄したあとで徹底的に診察してやろう。虫様突起炎ごときに負けてなるものか。

風呂場に隣接して作らせた〝院長専用便所〟に入った。四畳半の明るい室内に洋式便器とベッドをそなえ、浣腸《かんちよう》用のイルリガートルをかける鉤《かぎ》や浣腸液用の戸棚《とだな》がある。褌をとって素裸になるとベッドに横になり、嘴管《しかん》を肛門《こうもん》に突っこんだ。暖い五〇パーセント・グリセリン液が直腸内に注ぎ入る。朝の第二の快感だ。ぐいぐいと腸内に液が溜《たま》ってくるのは、男に精液を注入される女の気持もさもありなんである。二〇〇ｃｃが全部入ったあと、横たわったまま便意を待つ。便意が来たのにじっと我慢するのも快感なのだ。三度目の便意で便器に坐《すわ》った。快い身震いとともに排泄する。腸内の古いものは何もかも体外に出してしまう。温水でもう一度腸内を洗うと、利平は風呂場に取って返し、汲《く》み置きの井戸水を頭からかぶった。一杯、二杯、三杯、皮膚が冷水で引き締り、解剖図譜のように筋肉が一本一本骨としっかり連結している気がする。

さあ、これでおれの体から、昨日からの古い物質はすべて追放した。完全に今日が来た。今日の朝が始るのだ。が、この鈍痛が気になる。きのうからの痛みだけが残っている。利平は、体を拭《ぬぐ》うと、ベッドに横になり、自分で慎重に診察を始めた。

虫様突起炎の診察には、医学史上よく知られた診察法がある。マックバーネイ、ランツ、ローゼンシュタイン、ロヴシング、ブラムバーグと発見者の名で呼ばれる診察法を、一つ一つ慎重に調べてみて、そのうち三つが陽性だったので、きのうからの鈍痛が虫様突起炎のものであることを再確認した。氷嚢で冷した処置も正しかったと思う。しかし……と利平は不意に自分の失策に気付いた。つい習慣で浣腸をしてしまったが、浣腸液による刺戟《しげき》は虫様突起炎を悪化させるから、禁忌であったのだ。せっかく正しい治療をしながら、その治療を無にするような処置をしてしまった。心なしか浣腸のあとから痛みがひどくなったようだ。利平は、しかし、取返しのつかぬ過去にこだわって失望しているよりも、現在の難事態をもっとも科学的に打開することを選ぶ。医者として、この素早い決断が多くの患者を救ってきた。

悪化した慢性虫様突起炎の根治法は、むろん手術による切除である。が、外科医として他人の体に思うさまメスを加えてきた彼は、こと自分の体に対しては躊躇《ちゅうちょ》があって、今までこの方法を避けてきた。第一に、自分以外の外科医の腕が信用できないためである。外傷や炎症におかされている肉体の、あの混乱と錯綜《さくそう》の〝戦場〟で、細かい神経や血管を見落しなく腑分《ふわ》けしていく冷静で繊細なメスさばきのできる外科医はまれなのだ。他の外科医に立ち会うたびに、何て下手くそな手術だろうと思う。慶応義塾医学部卒の医学博士で魚籃坂《ぎょらんざか》に外科病院を開いている親友の唐山竜斎《からやまりゅうさい》にしても、趣味の謡《うたい》は利平より上手だが、外科医の手技はおとっている。そして第二に、一日として休めない多忙な日常生活のためである。ともかく患者の大群に追われている。院長として大勢の職員の面倒も見なくてはならない。発明の研究に、博士論文用の研究が加わり、このところ寧日がない。今日のような日曜日だとてゆっくり寝てはいられない。朝のうち、中林助手と博士論文用の紫外線研究のまとめをし、さらに動物の剖検をする約束だ。そのあと、昨日午後両脚切断手術をした大工を診察してやらねばならぬ。ついでに数人の重症患者だけは回診の要がある。立川飛行隊にいる史郎が外出してきたら、ぜひとも飛行機上での紫外線測定の必要を説き、軍の飛行機を借りる相談をせねばならぬ。孫たちを自動車に乗せ、ドライヴをたのしませてやる。浜田に頼まず、利平は自分で運転して孫たちを喜ばせてやりたいと思う。魚籃坂の唐山を訪ね、三十分ほど謡の練習をする。それから一路武蔵新田《むさしにった》の別荘へとむかう……。利平は、武蔵新田に住わせている秋葉いとの、すべすべした若い肉体を思い出し、勃起《ぼっき》したペニスを軽く撫でた。還暦にはなったが、自分にはまだまだ性欲がある。それも週に一度抱く秋葉いとの肉体のおかげなのだ。

　ともかく忙しくて、慢性虫様突起炎の根治手術などしていられない。仕方がない。今できるのは患部の冷却だけだ。ひたすら冷して炎症を鎮《しず》めるより仕方がないのだ。利平は鶴丸看護婦を呼び、携帯用氷嚢を持ってこさせた。持病の慢性虫様突起炎のために特別に考案したもので、ゴム製の小さな氷嚢を腰から吊《つ》る仕掛になっている。その上に褌を締めてズボンをはけば外からは気付かれない。このまま診察も外出もできる。外出先の便所で氷を補給すれば、患部を冷しながら一日外出することも可能だ、ただし、欠き氷を入れた魔法瓶《まほうびん》を持ち歩くのは面倒だが。

　せっかく洗滌した胃だ。すくなくとも三時間は空のまんまで休息をとらせる必要がある。利平は、胃も腸も空虚となり、自分が清潔な一本の管になった心持で足取軽く階段をのぼった。人間は管である。これが彼にとって基本となる考えだ。呼吸、摂食、排泄、すべて管の作用だ。鼻、咽喉《いんこう》、口、食道、胃、腸、肛門は一本の管である。この管の入口と出口を清らかにすることは、朝、家の玄関と勝手口を掃除するのに似て、もっとも肝要なるいとなみである。

屋上の医学研究室につくと、すぐ壁の研究予定表を見た。全紙の画用紙に細かい字や赤黒の線で、今までの研究成果とこれからの予定が書きこんである。この表を朝見るのが大のたのしみなのである。

紫外線関係の研究はあらかた完成している。あと高度一〇〇〇から五〇〇〇メートルでの実験が残っている。そのためには、富士山にのぼる必要がある。海抜二六四〇メートルの五合目と三七七六メートルの山頂とで紫外線を測定する。今年の夏の最大の課題だ。富士山についての文献を集めてみた。が、紫外線量の実測例はすくないし、まして富士山での紫外線の殺菌作用の研究は皆無であった。この時田利平こそが前人未到の研究をおこなうのである。登山は多分大掛りなものになるだろう。紫外線による化学反応測定用の各種シャーレ、殺菌作用実験用の各種黴菌《ばいきん》（大腸菌、チフス菌、赤痢菌、コレラ菌、連鎖状球菌、結核菌、脾脱《ひだつ》疽菌《そ》）の培養基、それに顕微鏡やら染色器材やら沢山のものをかつぎあげねばならぬ。

海抜五〇〇〇メートル以上となると飛行機を利用するより仕方がないが、これには陸軍飛行隊の助けを借りねばならぬ。利平は、自分が飛行機に乗って、空中の紫外線を測定している勇壮な姿を想像して、ほくそ笑んだ。彼はまだ飛行機に乗ったことはない。しかし、非常な高速と風圧のさなかで、医学の研究をするのは、さぞ面白かろう。

紫外線を測るために、実にいろいろな場所に行った。出発点は当時田病院露台であった。丸ビルの屋上には三三回あがった。浅草の東武ビルも二〇回はのぼっている。ビルの屋上に、白衣の集団が異様な器材を運びこむものだから人目についた。スパイだと疑われ、憲兵にしつこく不審尋問されたり、培養基のレッテルにチフス菌やコレラ菌とあるのをビルの守衛に見咎《みとが》められたりしたし、折あしく春の三社祭《さんじゃ》に行きあって物見高い群衆に囲まれ往生したこともある。けれども、この研究が楽しいのは紫外線をもとめて空気のよい場所に旅ができるためである。伊豆の海、軽井沢、相馬岳、筑波山、高尾山、大山《おおやま》、箱根山と、〃研究旅行〃にでかけ、船上で釣《つり》をしたり、高原のハイキングとしゃれたり、のうのうと温泉につかったり、多忙な診療から離れて、存分に楽しんだ。「院長は博士論文の研究で旅行中」とあれば、職員も患者も一応納得してくれたのである。

研究助手として中林松男医師と秋葉いと看護婦はかならず連れていった。宿屋で、利平が秋葉いとを抱いているあいだ、中林はおとなしく地酒を飲んで見て見ぬふりをしてくれた。もっとも、三年前、雪の赤倉温泉に泊ったとき、利平には中林松男と秋葉いとが親しすぎるように思われて、両人を叱責《しっせき》したため、秋葉いとは看護婦をやめて病院を去ると騒ぎたて、女をなだめるため武蔵新田に家を新築して住わせることにした。

そもそも利平が紫外線研究を始めたのは、秋葉いとと旅行に出る表むきの口実のためだった面もある。もちろん彼自身は、何か後世に残るような研究業績をあげたいと本気で考えていて、六十歳ぐらいまでに医学博士をとることを目差してはいた。開業医としての日々の診療に忙殺されながら、胃洗滌による胃潰瘍《いかいよう》治療法を完成したものの、学会からは冷たくあしらわれ、それならばもう一つ立派な業績をあげて、偉い大学教授連に認めさせてやろうと発奮したのは昭和六年の初頭、利平が五十六歳のときだった。丁度、〝胃潰瘍病院〟として来院患者が増え、増築に増築を重ねて病院も大きくなり、医員を常時数人やとって、資金の余裕も暇もできてきて、何か新しいことを始めるにはよい条件が整っていた。この場合、医学博士号は、学会に対しても世間に対しても恰好《かっこう》の目標であって、医学界で認知されるとともに世間で箔《はく》をつけ、病院の隆盛をもたらすはずであった。

「おれは医学博士をとるぞ」と決心した彼は、その欲望を誰にも隠さなかった。妻子に宣言し、医員や看護婦にも説明して協力を要求した。友人の唐山博士の紹介で北里研究所に出入りし、研究テーマを〝紫外線の強さと殺菌力の関係〟ときめた。このテーマをきめるとき、紫外線をもとめて、あちこちに旅ができるというのが第一の魅力だった。そして看護婦のなかから秋葉いとを研究助手に抜擢《ばってき》すると、屋上に研究室を作って常駐させ、自分は暇を見てはそこに入りびたった。自分と秋葉いととの仲について、院内にあれこれ取沙汰《とりざた》があることを彼は知ってはいたが、意に介せず、ある日菊江が「あの看護婦とあなたとはどういう関係ですか」と詰問《きつもん》したとき、「あれはおれの妾《めかけ》だ。おれにはあの女の若さが活力をあたえてくれる。この活力が医学博士をとる源だ。おれが医学博士になれば一番得をするのはお前ではないか」と言った。そして院内に、妙な噂《うわさ》が流れているのは精神衛生上不健康であると、職員を呼び集め、「秋葉いとはおれの妾だ。今後曲った噂は厳禁する」と言い渡した。その際、

〝妾〟と聞いて失笑した看護婦を彼は即日解雇した。秋葉いとを連れて、利平は頻繁《ひんぱん》に研究旅行に出た。そのおもてむきの口実の裏があまりにも見え透いているので、かえって妙な噂は消えてしまった。

「いや、全く、いろんなことがあったわ」と利平はひとりごち、研究予定表から顔をあげて柱時計を見た。もうすぐ六時だ。中林松男がまだ来ないのはけしからん。大体六時という約束なら、院長のおれより先に来て待つほどの甲斐性《かいしょう》があっていい。あの男は最近時々遅刻する。おれの信任が厚いので思いあがったのかも知れん。許さんぞ。利平の怒りが頂点に達し、今にも爆発しそうになったとき足音がした。中林松男が、壁に這《は》う影のように薄い感じで入ってきた。六時三分前だ。怒鳴りつけようとした利平は、中林が正確に出現した事実をみとめるや、ぱっと心中の陰陽をさかしまにして、陽気に「おはよう」と言った。

「おはようございます」中林はばか丁寧に低頭した。

「どうだね、データの整理は」

「すみました」中林は棚から書類束をおろし、数枚の表を利平の前にうやうやしく並べた。

「これが結核菌の死滅時間の表ですが、結核菌てのはなかなかしぶといヤツですな。なかなか死にません、横が紫外線の透過条件、縦が実験の場所です」

「相馬岳で直接曝露《ばくろ》で三時間も生きとるな。当病院露台で五時間か。問題なのは、ここだ。当病院露台で普通硝子・英国硝子・ドイツ硝子・セルロイド・障子紙のすべてで、五時間紫外線を照射しても結核菌は死にやせん。つまりだ、この病院のサンルームでも硝子ごしは不可っちゅうことか。しかも、五時間の日光浴でもさせないと結核菌には効力がない」

「相馬岳でも三時間の日光浴が必要です」

「相馬は一四〇九メートルだったな。もっと高い所にサナトリウムを作らにゃ意味がないっちゅうことさ。たとえば富士山頂。あそこの紫外線は多いぞ」

「実測してみませんと……」

「むろん測ってみるさ。が結果は予想できる。海抜の高い所ほど紫外線が多く、したがって殺菌力が強い。富士山頂が最強となれば、おれはあそこにサナトリウムを作る。時田病院富士山頂サナトリウムの開設だ。海抜一〇〇〇メートル程度の高原にサナトリウムを作って患者集めしちょるインチキ野郎どもの嘘《うそ》を、おれのサナトリウムの治癒《ちゆ》率であばいてやるんだ。中林、そしたらきみは日本一のサナトリウムの院長だ」

「ありがとうございます」

「サンルームに硝子窓をつけるのも、この研究により、はっきり意味がないとわかったわけだ。みんな、実験もせずに、質のよい英国硝子ならば紫外線を通すと言いよるが、なあに壁で囲ったと同じように駄目《だめ》なんだ。硝子のないサンルーム、これが理想だ」

「そうすると問題が一つおきます。富士山頂みたいな、風が強くて寒いところで、硝子窓なしのサンルームをいかにして作るか」

「うーん、きみ」と利平は中林のロイド眼鏡に目をしばたたいた。「風を遮蔽《しゃへい》し暖房がきき、しかも開放された部屋をつくるんじゃよ」

「難問ですな」

「な……難問だ。だから、そういうサンルームの発明には価値がある。誰でも簡単に作れるようなものじゃ、つまらんぞ」

「はい」

「なあに、現地に行ってみりゃ何か名案を思いつくさ。富士山頂の地形、風の流れ、日光照射の角度、それらの四季おりおりの変化を調べてみることだ。それには大掛りな調査隊の編成が必要だ。きみ、智恵《ちえ》を出せ」

「はい、出します」中林は本当に智恵を絞り出すかのように両手で頭をはさんだ。

「さて動物を見回ろう」利平は中林を従えて、研究室に隣接した動物小屋のなかに入った。左右の棚に並ぶ金網籠《かなあみかご》の中には実験用の家兎《いえうさぎ》と白鼠《しろねずみ》が飼われていた。動物たちの体臭が、ひんやりとした朝の空気を充《み》たしている。

　紫外線研究の副論文として、動物の歯に結核菌を移植して〝経歯的結核感染〟の研究を思い立ったのは一昨年のことである。北里研究所の新任の研究部長より、紫外線の研究はすでに各国で数多く行われてやや時代おくれの感があり、何か前人未到の領域において業績をあげないことには医学博士はおぼつかないと指摘され、あわててこの研究を思い立った。

　家兎と白鼠の歯に穴をあけて結核菌を植えこみ、その上を銀冠で覆《おお》う。歯から体内に入った菌が動物に病気をおこして斃死《へいし》するまでを観察し、さらに死体を剖検して病変の所在を確認するという方法である。

歯科医としても経験豊富な利平は、兎や鼠の小さな歯への工作が難なくできた。動物の飼育には医学生時代に動物小屋の飼育掛として働いた経験が役立った。死体の剖検には外科医としての長年の技術が生かされた。つまり、利平にとっては、これは手頃《てごろ》な研究であったわけである。小さな歯にドリルで穴をあけたり、型取りした銀冠をかぶせたりする利平の手並を、中林をはじめ研究助手たちは感嘆して見守った。

家兎の一羽が死んでいた。

「十七号が斃死。すぐ剖検しよう。あと、四号、七号、十一号が弱ってきとるな。こっちはどうだ……」と白鼠のほうを調べていく。五匹が死んでいた。

研究室に動物の死骸《しがい》を運び、まず家兎から剖検を始めた。脳、顎下腺《がっかせん》、肺、脾《ひ》、腎《じん》などの臓器を手際《てぎわ》よく切り離し、目視《マクロ》で病変をみとめた場合は、組織細片を切り取り、あとで検鏡《ミクロ》するための資料とする。利平のメスは、精密な工作機械さながらに動いて、ねらった部分の細い血管や筋肉をきれいに骨から分離させ、組織の網の目のなかに仕舞いこまれている臓器を、それだけが単独で存在していたかのように取り出した。たしかにおのれの頭脳には解剖学の知識がつまってはいた。が、メスが動き出すともはやそういった知識は引っ込んでしまい、メスは命あるものに化して対象とじかにたわむれるのだった。こうして家兎の剖検をおえると白鼠にかかり、一匹一匹とすばやく作業が進められていった。三匹目にかかったときだ、中林が不意に言った。

「先生、ひどく汗をおかきですが、お疲れですか」

「いや、疲れはせん。ただちょっと例の虫様突起が具合が悪い」

「それはいけません。わたしが代りましょうか」

「そう願おうか。いや、いかん、最後までおれがやる。なあに、虫様突起ごとき……」

氷嚢《ひょうのう》の氷が融《と》けて、中が生暖かになっていた。錐《きり》で深部を突き刺す痛みがして、一刻、メスをとめて我慢した。やがて痛みが鈍くなると、利平はふたたびメスを動かした。

ノックがあって、初江が顔を見せ、兎や鼠の死骸にも無頓着《むとんじゃく》な様子で、すたすた入ってきた。

「ここは女の来るところではない」利平はマスクの上で眉《まゆ》をひそめた。

「おや、なぜですの。女だって……」初江はむっとした。娘のこの利《き》かん気の顔を利平はよく承知していて、急いで言い換えた。

「結核菌がうようよしちょる」

「でもおとうさま、結核菌は空気感染せんとおっしゃったでしょ」初江は、白鼠の割かれた腹の中、血まみれの肝臓と脾臓のほうに、わざとのように鼻を突き出した。この子は小さいときから血を恐《こわ》がらなかった。轢断《れきだん》されて血を吹きだす脚をまじまじと見詰めていたこともある。

「何の用だ」利平は口調をやわらげた。

「お話がありますの。おとうさまったら、お忙しくてなかなかつかまらないんですもの」

「じゃ今言え」

「でも……」初江は中林を上目遣いに見た。「内々のことですから、新田にお出掛けの前にお時間下さいな」

「中林」と利平はメスの手を休めた。「もういい。あとはおれがやる。標本の検鏡だけはあすまでにやっといてくれ。それから水の分析結果はどうなった」

「何の水ですか」

「きまっちょる、夜店の水じゃ、きのうの」

「あれですか。まだです」

「何だと」利平は熱くなった。ヒューズが飛ぶように怒りで体が弾《はじ》け、メスを震わせつつ一気に怒鳴りつけた。「そりゃ怠慢じゃ。すぐ分析せいと言ったはずだぞ。きょう、新田で孫たちに樟脳《しょうのう》船を動かしてみせにゃならん。すぐやれ」

「はい」中林は院長の剣幕に驚いてすっ飛んで行った。

「何だかお気の毒みたい」と初江が言った。「あんな水の分析、どうでもよろしいのに」

「よくないぞ」と利平は初江を睨《にら》み、娘の恬《てん》とした目付きに目をそらした。「孫たちに船を動かしてやらんとな。ところで話とは何だ」

「こんな気味の悪いとこじゃ申せません。お仕事終ってからにします」

「じゃ待て、あと一匹だ。すぐ終る」利平は白鼠の臓器を一つ一つ硝子《ガラス》板上に並べた。結核菌を移植し銀冠を装置した歯、脳、顎下腺、頸腺《けいせん》、気管支腺、肺、脾、肝、腎の順である。それからメスさばきだと思う。一つを取ってまず外側から観察する。それからメスで切り割き、断面を見る。この目視観察《マクロ》をおえると、今度は検鏡用《ミクロ》の検体を作るため、臓器の一部分の〝切り出し〟をおこなう。切り出したものは十倍希釈のホルマリン液に放《ほう》りこみ〝固定〟する。ホルマリン液の強烈な刺戟《しげき》に利平は目をしばたたいた。ふと見ると初江が我慢強く目を開いて覗《のぞ》きこんでいる。

「気味悪いとぬかしたくせに、平気で見てやがる」

「気味悪いけど興味があるんです。動物の体って、とっても精巧にできてますもの。こんな小さな鼠のどんな部分でも、神様は手抜きなさりません」

「神様か」利平は軽く頷《うなず》いた。初江は聖心に通いだしてから耶蘇《やそ》にかぶれて、洗礼を受けたいなどと言ったこともある。が、そう熱心でもなかったと見え、その一件はいつしか立ち消えになった。ただ時々、〝神様〟について気のきいたことを言うので利平は面白がっている。

「どうだ、お前、おれの助手になって小遣稼《こづかいかせ》ぎせんか。人手が足りんで困っとるとこだ」

「あら、ここは女の来るところじゃないのでしょう」

「一本取られたか」利平は破顔一笑した。初江と話しているとつい何かからかってみたくなる。それで逆襲されるのを、むろん予想している。同じ娘でも夏江のほうはそうはいかない。変に生真面目《きまじめ》な返事が返ってきたり、こっちが腹を立てるようなことを言われるので、からかわぬよう用心している。

　剖検を終えた動物の死体を大バケツに集めると利平は呼鈴を押して研究助手の書生を呼んで捨てさせた。検体のシャーレを硝子戸棚《とだな》の中に仕舞う。これらの検体にはまだまだなすべきことが沢山ある。水洗し、脱水し、パラフィン包埋《ほうまい》にしてから薄切機《ミクロトーム》で薄切《はくせつ》を作り、スライドグラスに貼《は》り付け、パラフィンを脱《ぬ》き、やっと染色の段階に来る。この標本をカバーグラスで封入して、いよいよ顕微鏡で検査する最終段階になる。まったく医学研究とは何と時間と労力を食うものか。が、だからこそ平凡な人間にはできないのだと利平は誇らしく思う。足掛け五年夢中になってやってきた研究も、いよいよ大詰めに来た。夏までには全研究を終え、今年中に論文を書き終える。『太陽光線紫外線ノ化学的測定並ニ殺菌力ニ就《ツイ》テ』のほうは大著になるだろう。もう一つの『経歯的結核感染ノ研究』は薄い論文となるだろう。硝子戸棚の扉《とびら》を閉めながら利平は不愉快なことを思い出した。北里研究所の研究部長は『経歯的結核感染』のほうが新しい領域の開拓で博士論文にふさわしく、したがってこちらを主論文にしろと忠告してきた。が、利平は最初から研究に従事した『紫外線』のほうこそ主論文であると思うのだった。紫外線博士なら世間への聞えもいいが、経歯博士では何のことやら分らない。研究部長は博士号さえ取れれば研究内容の世間体などどうでもいいではないかと言うのだが、利平はそうは考えない。彼はこう予想している――うまく行けば来年の初頭、おれが医学博士になったとすれば世間の人はあっと驚くはずだ。何しろ本卦《ほんけ》還《がえ》りの町医者が五年間の研鑽《けんさん》を積んだすえ輝く医学博士になったのだ。記者が会いに来て、写真入りの記事が新聞に載る。そのとき、『経歯的結核感染』なんかでは、あまりにも特殊すぎてつまらない。『紫外線』ならば、誰にでもよくわかり、輝かしい雰囲《ふんい》気《き》もあって、ひとつ時田病院に入院して紫外線療法を受けようかという人たちも出てくるだろう。富士山頂の時田サナトリウムの開設だって、勢いに乗って成功させられるだろう。『紫外線』は時代おくれなりとぬかす研究部長なんか糞《くそ》くらえ。利平は本当にクソクラエと叫びそうになって初江の存在を意識した。娘はこちらをじっと見詰めている。つぎつぎに子供を生んだため、体の線がすこし崩れてきたが、まだまだ若い女の張りが頰《ほお》や額にあって、父親の自分が見てもまぶしいくらいだ。

白衣とマスクをとり、手を洗う。下腹で波打っている氷嚢に気付いた。ズボンつりの横からずるずると引き出し、中の水を捨てた。

「初江、そこの魔法瓶《まほうびん》の氷をこの中へ入れてくれ」

初江はズボンの上に垂れさがった氷嚢に目を丸くした。

「これ何ですの」

「新案の携帯用氷嚢だ。必要あって下腹を冷しちょる」

「何だか不潔ですわね」と臭《にお》いを嗅《か》ぐ。

「文句言うな。ここに氷を入れろ」

「はい、はい」

初江は氷嚢に氷を入れた。利平は留金で氷嚢の口を締め、それをズボンの内側に押しこんだ。娘の前だが平気でズボンの中に手を入れ褌《ふんどし》を締め直す。氷嚢が虫様突起の上に冷えを送ってくる。痛みは今のところ治っている。

「おとうさまって相変らずね」と初江は笑った。「バンドをなさらず、ズボンつり」

「バンドは内臓を圧迫して不健康だ」

「そのくせ、子供にはズボンつりはいかん猫背《ねこぜ》になるからって」

「子供は成長する。成長を押えるようなものはいかんのだ。さて、おれの居間に来い。そこで話を聞く」

利平は階段を足早に降りた。朝の研究を順調に終えて気分がよく、体が軽やかだった。居間に着いて振り返ったが初江がいない。大分遅れて息をはずませつつ入ってきた。

「おとうさまったら物凄《ものすご》く早いんですもの。追いつきやしない」

「まあ坐《すわ》れ。話って何だ」

「はい」初江は行儀よくソファに腰掛け、膝《ひざ》の上に両手を重ねて、父親をしおらしげに見た。「夏っちゃんのことなんです。脇のおねえさまから頼まれたんですけど、敬助さんが夏っちゃんをもらいたいんですって」

「敬助ってのは長男のほうだったな。軍人じゃないか」

「はい。陸軍歩兵中尉《ちゅうい》で小隊長です」初江は両手の下に押えていた袱紗包《ふくさづつみ》を開き、写真と履歴書を利平に渡した。

鍔広《つばびろ》の軍帽をかぶり、胸を張った青年将校の姿があった。初江の結婚式のとき脇礼助夫妻のそばに陸軍士官学校の制服を着て立っていたのはおぼえているが、会ったのはその時一度だけで顔形は忘れてしまった。写真を見ていると、母親の脇美津よりは、父親の政治家脇礼助に似ている。鋭い目付きと頑丈《がんじょう》な顎《あご》が意志の強そうな感じを与える。けっして美男子ではないが、何かにひたむきに迫っていく気勢が、盛りあがった肩のあたりに見て取れる。

利平は、しばらく写真を見詰めたのち履歴書にさっと目を通した。几帳面《きちょうめん》な楷書《かいしょ》で書き連ねてある。脇礼助の長男として東京に生れ、中学二年修了で大正十四年四月東京陸軍幼年学校入学、昭和三年四月陸軍士官学校予科入学、昭和五年四月歩兵第三聯隊付《れんたいづき》、同年十一月陸軍士官学校本科入学、同校卒業後見習士官として帰隊、昭和七年八月陸軍歩兵少尉に任官、昭和九年十月陸軍歩兵中尉……。

利平はつぶやいた。

「どうも陸軍の将校の経歴ってのは、ごたごたしとってようわからんな。要するに順調な昇進をしちょってきたわけか」初江の沈黙に対してなおも言った。「どういう性格の男じゃ」

初江は当惑したように溜息《ためいき》をついた。

「わたしもよく知りませんの。脇のおねえさまにはよくお邪魔するんですけど、敬助さんって隊がお忙しくてお留守がちですし、たまにお会いしても無口なようで何もおっしゃらないし」

「無口は軍人としてはよい性格かも知れんな。しかし……」利平は考えこんだ。夏江も無口というほどではないが口数はそう多くはない。もしこの二人が夫婦になるとすると随分ひっそりした家庭になりはしないか。

「そうそう」と初江が言った。「きのう、この件で脇のおねえさまのお呼出しがあってうかがったとき、敬助さんのお部屋見せていただきました。完全に整理整頓《せいとん》してあって立派でした。それに軍人らしく質素でしたけど……おとうさま、このお話どうお思いになる」

「どうもこうもない。結婚するのは夏江だ。夏江は何と言いよったか」

「まだ話してません。だって夏っちゃんがよくても、おとうさまが反対なすったら、この話こわれますもの。おとうさまの御意見うかがうのが先」

「意見なんかまだ無い。要するにデータ不足で判断のしようが無いわ。お前はどうなんじゃ」

「もちろん夏っちゃんがいいって言えば別ですけど、あんまり賛成できないんです。父方の脇家は彦根藩の由緒《ゆいしょ》ある家系だそうだし、母方のほう、脇のおねえさまの母上は、悠次の母上とは違って金沢藩の二千石の家老の家柄《いえがら》だそうですから」

「家柄なんかどうでもいい」利平は思わず不機嫌《ふきげん》に言った。

「そうなんです」初江はにっこりした。「家柄なんて鬱陶《うっとう》しいだけですから。何しろ脇のおねえさまときたら家系調べが大好きで、古文書なんか読んで御先祖様の研究をしてらっしゃる」

「そりゃやりきれんのう」

「まったくやりきれません。家系への誇りだけじゃなく、脇のおねえさまって気位が高くてお節介で、わたし散々いじめられましたの。そんな家に夏っちゃんが入るなんて可哀相《かわいそう》で、嫌《いや》です」初江の目から不意に涙が溢《あふ》れ出た。

目頭を押えている娘の姿に利平は胸を締めつけられた。これまで家計の不如意《ふにょい》を訴えることはあっても、家庭内は円満という報告で、まして小姑《こじゅうと》の美津の陰口などたたいたことはなかった。

「おれもこの縁談には反対じゃ」

「それなら夏っちゃんには黙っていて、お断りしましょうか」

「それはいかん。こういう場合本人の気持が最優先じゃ。それに敬助が望んだとすると、敬助は夏江を直接知っちょるんじゃろう」

「去年の夏、葉山で会ったのは確かです」

「自分で見初めたというわけか。なあ、初江、おれがこの縁談に反対なのは、男が女に惚《ほ》れたら自分で直接女に意思表示をすべきなのに、母親やら叔母やらを介して回りくどく言って寄こすのが気に入らんからじゃ。今の若い者は考え方が何とも古くさいのう。おれが敬助だったらすぐ夏江に言う。女の気持を確かめたうえで、親にも自分で申し込む」

「おねえさまのお話では、敬助さんは無骨者で自分の気持を表すのが下手で、それでわたしに仲介をお頼みになったとか……」

「軍人のくせに女々しいやつだ」利平は吐き捨てるように言い、写真の表紙を閉じた。そして「おれなんか……」と口走って、娘の手前気恥かしくなって黙った。自分が菊江と結婚するまでのいきさつが一塊の熱い思いとなって浮びあがってきた。日露両軍が停戦したのは明治三十八年の七月末で、前年の二月に出征して以来一年半、八雲の軍医として戦争に明け暮れした。十月中旬、日露平和条約の批准《ひじゅん》が発表となり、艦内の士卒は心躍った——これで家郷に戻れる、父母や妻子と相まみえるという喜びに晴ればれとした空気が通った。八雲は東京湾に凱旋《がいせん》した。読売や朝日の新聞記者が艦上に来て、大海戦の思い出話を取材し、利平も軍医としての苦心談を誇らしげに話した。戦捷《せんしよう》記念の観艦式が挙行され、日本艦船百七十余隻《せき》、英艦六隻と米艦一隻をまじえ、全艦満艦飾で天皇陛下と皇太子殿下を軍艦浅間にお迎えしての式典は晴れがましく、利平は戦勝した大海軍の一員として誇らかに思い、妻や息子や娘に大海戦の話をしてやろうと心たのしんでいた。ところが三《み》田《た》豊岡町《とよおかちよう》の借家に帰ってみると妻のサイとの関係がしっくりいかなかった。留守のあいだにすっかり肥《ふと》った三歳年上のサイは、利平の戦争話には無関心で、留守中の諸事支払が大変だったことばかりを訴え、軍医の月給のみでは生活できぬと愚痴り、夜ともなると奇声を発して迫ってき、利平はそんな女にまるっきり性欲をおぼえなかった。凱旋歓迎の宴や戦歿者《せんぼつしや》追悼の式で忙しく、帰宅すると妻といさかいし、子らが泣き叫び、ついにサイと離別を決意したのは十一月初旬のことだった。サイと別れるのはあきらめがついたが、幼い子供二人と別れるのはつらかった。汽車に乗れると喜んでいる四つの男の子と眠っている二つの女の子に、利平は軽く手を触れ、子の温みを握りしめると後をも見ずに立去った。暮に利平は八雲の艦付から横須賀水雷団軍医に転任を命じられた。艦上勤務から地上勤務となった最初の実感は寒さであった。密閉された室内と違い、隙間《すきま》だらけの木造家屋でおこなう診療の寒さに、利平は震えあがった。そして豊岡町のわが家に戻ると、やもめ住みの身に寒さはひとしお滲《し》み入った。暮も押し詰った雨の午後、軍医長の頼みで利平は、豊岡町の自宅のすぐ近く、伊《い》皿子《さらご》坂《ざか》の永山光蔵という人の往診にでかけた。何でも軍医長の旧友で鉱山技師として著名な人だという。坂下の豊岡町と違い高台の伊皿子坂は、寺や大邸宅が多く、なかでも永山邸の豪壮な構えには驚かされた。主人の病は、風邪をこじらせた程度で大したことではなく、それよりも日本海大海戦の勇者として実戦談を聞きたいというのが先方の希望であった。マントルピースに薪《まき》が燃えさかって暖い応接間に酒肴《しゆこう》がととのい、夫人と二人の令嬢までが聞き手となった。利平は姉の菊江の美しさに魅《ひ》かれ、彼女を喜ばそうと熱心に物語った。治療所で軍医として立働いていて砲撃戦の詳細など見てはいなかったが、士官水兵らの話を点綴《てんてい》し想像力でふくらまして話した。露艦アドミラル・ウシャーコフ撃沈の場がさわりで、ミクルフ艦長が艦とともに沈みいくところで菊江が泣きだしたのを可憐《かれん》に思った。妻とするのはこの人しかないと利平は心に決め、言い寄る機会をねらった。非番の日、菊江が外出するのを待って朝から門前のあたりをうろつき、午後になって門から出てきた菊江に偶然通りすがりの体で近付き、彼女がこのあいだの実戦談の礼を言うと、話さなかった面白い事実があると近くの泉岳寺の茶屋まで誘い、いきなり、「わが輩の妻になっていただけませんか」と切り出した。男のあまりの性急さに真っ赤になったきり返答できず、逃げ出しそうに腰を浮した菊江に、利平は最近妻と離別したおのが境遇を告白し、夢中になって承諾を迫り、ついに「父が承知いたしますならば、結構でございます」という返事をえた。そして彼女を家まで送っていくと、すぐに永山光蔵に会って結婚の申し込みをした。先方も昨日の今日という出来事に驚いたらしく返答を保留し、一週間後軍医長を通じて断ってきた。軍医長は「きさまが漁師の子だというのが不足らしい」と断りの理由をのべたけれども、利平はそのくらいのことではへこたれず、すぐさま永山光蔵に会いに行き、自分の熱情をのべ、こうすること三度目で、ついに彼の承諾を得たのだった。いったいどうしてあのような大胆な行為をなしえたのか、あとで利平は自分でも不思議に思いあきれるのだった。何度追想しても、あのとき菊江と自分とのほかの一切の記憶が欠落していて、門前で徘徊《はいかい》する自分を通行人が見とがめたかどうか、声高に若い娘を口説く三十男を茶屋の女将《おかみ》や客たちが不審がらなかったかどうか、永山光蔵がその都度どのような言辞で断ったか、何もおぼえていず、ただまっしぐらに突き進んだという熱した感覚だけが際《きわ》やかに残っていた。

「御意見はわかりましたけど」と初江が言った。「わたし一つだけお聞きしておきたいことがありますの。おかあさまからお聞きしたんですが、中林先生と夏っちゃんを結婚させたいっておとうさま考えてらっしゃるんじゃありません」

「そいつを聞いたか。そいつは、おれが考えとることじゃなくて、中林が望んどることじゃ。あいつは夏江をくれと申し込んできよった。しかし、現在のところ返答保留じゃ。あの田舎者は実直な働きもんで気に入っちょるんじゃが、性格に弱いところがあってな」

「酒飲みだとか」

「ああ、大酒家で女遊びもはげしい」初江がぞっとしたように身震いしたので利平は強く言った。「しかし、酒も女も男の甲斐性《かいしょう》で悪い性癖ではない。あの男が駄目《だめ》な点は、敬助と同じ点だ。好きな女に自分で意思を伝えられん、その優柔不断が失点の最たるものだ」

「でも、中林先生と夏っちゃんが一緒になれば、時田病院の後継者ができるんじゃありませんか」

「後継者だと」利平は笑いだした。「おれはまだ六十歳の若さだぞ。あと二十年、三十年は生きて院長をやれる。おれが駄目になる頃《ころ》にゃ、お前の子が一人前だ。どうだ三人も男の子がいるんだ。一人ぐらい医者にせい」

「そんな先のことわかりませんわ」初江はむっちりした肩をすぼめた。

ノックがあって賄方《まかないかた》の女中が朝食を運んできた。毎朝定《き》まった献立で、粥《かゆ》、海苔《のり》、納豆、梅干、種芋《たねいも》の煮っころがし、それに人参《にんじん》エキスで、胃洗滌《いせんじよう》後三時間目に胃に吸収されやすいものを厳選してある。初江は給仕にまわり「おとうさまの朝御飯、いつも同じですわね」と感心した。立って、「わたしも子供たちの御飯にします」と言い、「おかげさまで研三、けさは熱がなくて元気です」と付加え、ドアの前でむこうを向いたまま「敬助さんの件、夏っちゃんに話してよろしいんですね」と尋ねた。

「むろんだ」

「中林先生のことはどうですか。それをひっくるめて話してよろしいんですね」

「中林の件は夏江が知っちょる」と利平は、梅干の酸《す》っぱさを舌一杯に感じながら言った。

「あの子は考えさせてほしいと答えただけだ。だから、両方一緒によく考えろと言っとけ」

初江は軽く頷《うなず》いて出ていった。娘のときより、すこし太めになった尻《しり》と腰のあたりを、利平は男の目で見て心にとどめた。

粥がからっぽの胃に具合よく入っていった。柔かい米の膜が胃壁を覆《おお》っている様子を思い描く。梅干の酸の刺戟で胃壁が動きだした。利平には腹の中で蠕動《ぜんどう》している胃の姿がまざまざと見えるようだった。四〇〇カロリーの栄養分が吸収されていく感じ、それは快感だった。

人はおのれの健康な身体《からだ》から論であった。ふつう人は病気になると身体を感じる。痛み、かゆみ、熱っぽさ、吐き気などは、身体の中に生じた病気からのメッセージだが、それらを通じて人は自分が身体を持つことを知る。しかし健康は一見何のメッセージも送ってこないように思われていて、健康な人ほど身体に無関心になる。ところが実際のところ、健康は、さまざまなメッセージを送ってくるのだ。息を吸いこむとき気管や肺にみなぎる快感、息を吐くとき鼻が抜けていく快感、運動したときの全身の血がせいせい流れていく快感、そして食事の際に胃のもたらす快感。こういう健康な身体からのもろもろのメッセージを正確に強く感じることは人生をゆたかに意義深く生きることである。胃洗滌も浣腸《かんちょう》も、胃や腸からの健康のメッセージを正確に強く感じるために有効な準備なのである。

八時半が鳴った。利平はネクタイを締め、糊《のり》のきいた白衣をパリパリ音をさせて着ると居間の扉《とびら》を押した。そこはもう病棟の廊下で、間島婦長と若い看護婦二名が待ちかまえていた。付近にいた看護婦たちも、みんなが院長に丁寧に頭を下げた。病室の匂《にお》い、消毒薬と治療薬と患者たちの体臭を吸いこむと利平は満足して、鼻息で口髭《くちひげ》をなびかせた。

日曜日は総回診はしないけれども、重傷患者を診たあと病棟を一巡する極《きま》りである。院長の後から間島婦長と看護婦二人がついてくる。手術室の向いにある重傷者室に行くと、きのう両脚切断術をほどこした大工のところに人だかりがしていた。大工の細君と兄弟か友人たちらしい。若い細君は赤子をおぶっていた。患者は汗をかいて眠っている。睡眠薬とモルヒネのせいだ。利平は家族を遠ざけて診察を始めた。膝の上のところで切断した大腿《だいたい》をくるんだ繃帯《ほうたい》に異常はない。止血と縫合が完全なので後出血がないのだ。血圧一三二、九〇、脈搏《みやくはく》九五、体温三六・八、呼吸二三。すべて予想通りの経過を示している。患部の離被架《りひか》の上に毛布をかけてやり、利平は二、三度合点した。手術は成功し、患者の命は救われたのだ。

「先生」と真剣な眼差《まなざし》で迫ってきた細君に、利平は目を見開いて、「大丈夫です」と言った。細君は「有難うございます。だけど脚がなくなってしまって……」と涙を流した。一晩寝ずに付添っていたらしく、眼《め》が真っ赤で肩当てをした着物の肩が皺《しわ》だらけである。何か訴えるようにすがってくるので、利平は相手のなすがままに任せた。赤ん坊は目脂《めやに》を溜《た》めてぐったり寝入っていた。

　きのう運びこまれたとき、男は死の一歩手前にあった。品川の踏切で省線に轢《ひ》かれ、近所の人が傷口をシーツで縛って医者に運んだ。が、あまりの重傷のため断られ、さらにもう一軒でも断られ、三軒目が時田病院だった。急患と聞いたとたん利平はコッヘル止血鉗子《しけつかんし》を持って男に走り寄り、混乱した血の海を食塩水で洗い流して出血源の動脈を突き止めると、それを巧みにはさんで止血した。吹き出た血を浴びて自分も血まみれとなったが、こういう場合咄嗟《とつさ》に最重要な処置をするのに何の躊躇《ちゆうちよ》もなかった。つづいて、いくつかの静脈を鉗子ではさんで止血し、それから落ち着いて手術室に運ばせた。両膝がくだけていて、両脚切断以外の治療法なしと見極めるとすぐ手術を始めた。細君に会ったのは術後である。命が救われたことへの感謝よりも、両脚を取り去られたことへの恨みが大きく、くどくどとからんできた。医師として最良の治療をおこなったつもりでも、家族や本人にとって不満な場合もある。こういう場合、利平は相手が納得するまで辛抱強く説明するのが常であった。短気な彼がまるで人が変ったように、腹も立てずに粘り強く話す。海軍で無教育な水兵たちにそうせねばならなかった経験がここに生かされていた。きのう、細君は、彼の説明を受け入れ、義肢《ぎし》をつけて歩行練習をさせること、大工からほかの仕事に転業させることまで、納得したのだった。今、細君は利平の白衣の胸にそっと触れつつ泣きじゃくっていた。相手がなかなか用件を言い出さないので、利平は行こうとした。すると細君が小声で言った。

「先生、お金がないのです。事務で手術代を聞いたら、あんまり高いんで困ってるんです」

「そんなことか」利平は笑いだした。「今払えなけりゃいつでもいい。払えるようになったら払いなさい」

「でも両脚がない体で……」

「旦那《だんな》が元気になったら、よく相談しなさい。払いなんか、いつまでも待つよ」

〝払わなくてもいい〟とは利平は言わない。三田に開業したての頃、三之橋《さんのはし》の貧民窟《ひんみんくつ》の患者に泣きつかれ治療代を免除してやったことがある。が、ただの治療というのは有難味に乏しくて患者はせっかく治った体を大事にしない。せっかく得意の胃洗滌で治してやった胃潰瘍《いかいよう》が患者の不摂生で悪化し、一年後大吐血で死の転帰をとった。患者に治療の価値を認めさせるためには金を払わせねばならぬ、これが利平の得た教訓だった。

「有難うございます」細君は深々とお辞儀をすると、くしゃくしゃの顔をこすった。

「ちょっと、おお先生」と間島婦長が目くばせし、廊下に出てからささやいた。「きのう、あの人たち大変だったんですよ。焼酎《しょうちゅう》を回し飲みしてるうちに酔っ払って、手拍子で歌を唱《うた》いだしたんで注意したら、あの女がベロベロになって悪態つきましてね。この藪医者《やぶいしゃ》め、取らなくてもいい脚を全部取りやがって、こっちはオマンマの喰《く》い上げだって怒鳴り散らす。そのうち赤ん坊が泣き出し、重傷者がいるからっていくら言い聞かせても駄目《だめ》で、往生しました」

「なんでおれに報告せん」利平は叱《しか》りつけた。

「そうしようと思った矢先、みんなぐうぐう眠ってしまい一件落着したもんですから。でもこれから毎晩あんなふうじゃたまりません」

「部屋を替えろ。かまわん。物置の隅《すみ》にぶちこめ」

「はい」間島婦長は頷き、肉付のよい丸顔をなおも近付け、目だけは油断なく大工の家族に向けて、言った。「それからあの人たちは金を沢山持ってますよ。患者の舎兄が棟梁《とうりょう》で兄弟五人で建築会社を作り、手広くやってるんです。きのうだって折詰料理に大鉢《おおばち》盛りの鮨《すし》なんかとって豪勢なもんでした」

「そういうわけか」利平は口髭《くちひげ》をつまんで苦笑した。自分が単純に人を信じすぎ、時として騙《だま》されてしまうのを欠点として自覚はしている。

病室に戻った。大工の細君がつつましげに頭をさげたのがおかしい。利平はほかの重傷患者の診察にかかった。鉄材で肩をくだかれた沖仲仕、印刷工場の火事で全身火傷《やけど》の少年工、省線にはねられて頭蓋骨《ずがいこつ》骨折の道路工夫、寺院の屋根から落ちて全身打撲で意識不明のとび職、いずれも悲惨な傷ばかりだ。彼らは自身にさまざまな物語を背負っている。沖仲仕は出身地を言わず、長年芝浦港で働いた中年男で、頑丈《がんじょう》な体軀《たいく》だが結核で片肺がやられている。今度の事故ではじめて結核が発見された。傷のほうは癒《い》えても多分そう長生きはできず、家族にも知られずにひっそり死んでいくのだろう。少年工は東北の寒村からの出稼《でかせ》ぎだが、彼が死に瀕《ひん》しているのに親には上京してやる旅費もない。とび職だけは東京佃島《つくだじま》の出身だ。下町風に白い割烹着《かっぽうぎ》を着た老婆《ろうば》が付添っている。重傷患者ほど貧しい階層の人が多く、手術にかかった費用を支払える人が少ない。救急外科医というのは引き合わぬ商売ではある。

一般病室を巡った。個室・二人部屋・大部屋、大小さまざまな部屋がある。大正の初期に建てた畳部屋もあれば、リノリウム引きのモダンな洋間もある。廊下の広さも一定せず急に狭くなったり、三角形の変な戸棚《とだな》で斜めに切り取られたり、ふわっと天井が高くなって頭上に蚕棚そっくりの雑品倉庫が現れたりする。あまり構造が複雑で消火活動のさまたげになると消防署から何度も注意されるのだが、と言って改築する方法もないのだ。むしろこの複雑な構造の中に病院の歴史が刻印されているので、このままをそっくり保存したい気持が利平にはあった。たとえば、今室内花壇として使っている天窓つきの広い空間は、まだ病院の炊事場が不備であった時代に、患者の付添いたちが食事を煮炊《にた》きした場所である。時分時になると思い思いの材料や調理法で立働く人々が、練炭焜炉《こんろ》の前に群がり、多くの料理の混った臭気が天窓から吹きあげた。夏など室内では暑いものだから、ベランダや外階段、物干台までが炊事場に早変りし、それを道端から見物する弥次馬《やじうま》がいたり、食物目当ての乞食《こじき》が集ったり、まるでお祭りさわぎだった。

コンクリートの仕切に鉄扉《てつぴ》が焼場の扉のようについた先が結核患者用の隔離病棟だ。ここはあっさりと見回りをすまして間島婦長と看護婦二人を帰し、利平は病棟の奥の普請場《ふしんば》に行った。大工の岡田が、角材を打付けていた。二十年来のお抱え大工でもう六十半ばの老人だが、鍛えぬかれた細い手足は頑丈そのもので胡麻塩頭《ごましおあたま》の顔はてらてら赤い艶《つや》に輝いている。この場所に利平の設計した新しいサンルームを作らせようとこの三月から工事をやらせている。岡田は院長を見ても、表情一つ変えず、仕事の手も休めようとはしなかった。

「あのな、設計変更だ」と利平は槌音《つちおと》の合間に大声で言った。

岡田は返事もせず金槌を振り続けている。

「窓なんだが、硝子ごしだと紫外線が吸収されてうまくない。でな、太陽光が直接室内に入るように設計を変更せにゃならん。つまり窓を工夫せにゃならん。おい、聞いちょるのか」

「聞いちょります」岡田は五寸釘《くぎ》をガンガン打ち始めた。打ち終るまで利平は待たねばならない。

「引き窓を一杯に開くんじゃなくて、水平回転式の窓を太陽の方向にむけて、太陽光を入れるんだ。大体の案はできとるから窓にかかるのはまだにしろ」

「もうかかってまさ」岡田は足元を指差した。窓を支える框《かまち》が塡《は》め込まれてある。大きな引き窓をその上にのせる溝《みぞ》もほってある。

「そこまでで中止にしろ」

「窓枠《まどわく》もできてるんで」と後を指差した。岡田は建具師の腕もあって、窓框なども手綺麗《てぎれい》に仕上げる。

「その式の窓は駄目だ」

「材料がもったいないで」岡田は筋張った腕を振った。実は自分が払った労力を惜しんでいるのだ。

「許せ。やり直しだ。これはおれの研究の結果えられた学問的帰結なんじゃ。硝子ごしの光には殺菌効果がない。といって窓を一杯に引きあけたんじゃ冬は寒うてかなわん。そこで水平回転式にして風をさえぎりながら直接太陽光を引き入れる」

「何だか知りませんが、じゃやり直しまさ」岡田は渋々頷いた。

「それからな、これから新田へ行く。むこうの玄関の格子戸《こうしど》が立付けが悪い。あと、二、三直してもらいたいとこがある。材料はむこうにあるんで間に合うと思う。孫たちを車に乗せていくから、お前も一緒に乗っていけ」

「おお先生が運転なさるんで」

「むろんだ。日曜日は浜田を休ませることにしちょるからな」

「やめときます。電車でまいりまさ」

「おれが運転するのが恐ろしいか」

「おっそろしいで。誰だってそうさね」岡田は親指で鼻を押し上げてにっと笑った。

「失礼なやつだ」と利平も鼻先で笑った。

岡田に手を振ると、利平は病棟の外壁に設けてある鉄製の階段をのぼり、露台に立った。ここは院内でもっとも高い場所で、病院の全景が眺《なが》められた。右の建物が外来診療所や一般病棟や院長家族の住居、左側の建物が結核病棟だ。両方とも建増しを重ねたため、凸凹《でこぼこ》の複雑な有様で、一戸の建物というよりいくつもの建物を合成した街という感じだ。

光る風がピカピカの白衣に磨《みが》きをかけた。利平はこの露台からおのれが作りあげた病院を見るのが好きだった。最初の小規模の診療所から、入院患者百五十人の大病院にまで育てあげた自分の力を実感できるからだ。

もっとも、わが時田病院はまだまだ小さい。西にひろがる徳川邸の林や庭園、北の丘を覆う三井邸の大森林ともいえる規模に比べれば取るに足らぬ。が、これらの森の海に浮ぶ戦艦、いや戦艦がおこがましいと言うなら、八雲級の巡洋艦がわが時田病院だ。そしてわが輩は艦長である。この露台を病院の中心部に盛りあげ、形や手摺《てすり》を艦橋に似せて作ったのも、そういう気持を味わうためではなかったか。

しかし、春陽にきらめく新緑のさなかからふと一抹《いちまつ》の淋《さび》しさが揺らめき昇ってきた。せっかく粒々辛苦のすえ作りあげた時田病院も利平一代限りに終りそうだ。一人息子の史郎は医者を嫌《きら》って気楽な会社勤めをしたがっている。夏江が医者と結婚して病院を継いでくれるのが望みの綱だが、変に強情で父親に反抗の態度を見せるあの子が思い通りになってくれるかどうか。中林の求婚に対して、「考えさせて下さい」と答えたきり、何一つはっきりとした返答をしてこない。後継者などいらんと初江に強がって見せたものの、実はこの点こそが、彼の最大のアキレス腱《けん》ではあった。右の下腹に鈍い痛みがわだかまっている。せっかくいい気分でいると邪魔しにかかる天邪鬼《あまのじゃく》の痛みであった。

6

食堂に降りてみると鶴丸が研三に御飯を食べさせていた。夜勤を終えた看護婦たちが睡《ね》むたげな顔を寄せている。が、ほかの子供たちが見えない。

「みなさま〝お居間〟にいらっしゃいます」と鶴丸が言った。「奥さまが武者人形をお出しになったものですから」

「へえ、武者人形……」そんなものがここにあったかしらと初江は訝《いぶか》しがった。

「史郎さまのをお出しになりましたのです」

「あんな昔のものを」史郎が武者人形を飾ったのは幼稚舎時代だから十年余も昔のことだ。

「はい。昨夜、倉庫を一所懸命お探しになってとうとう発見なさったとか」

「おかあさまったら、無理なさって」

初江は研三の額に手を触れてみた。熱はない。

「まだちょっとお咳《せき》がでますけど、峠はお越しになりました。あと吸入を二回ほどなされば治癒《ちゆ》でございます。ご心配なく、わたくしが研ちゃまの面倒みますから」

「でも鶴丸さん夜勤だったんでしょう。これから眠るんじゃないの」

「いいえ、この年じゃ、そんな必要ありません」

「じゃ研三お願いするわね」初江は喜んで言った。この老看護婦に任せておけば安心だし、何よりも幼児への気苦労から解放されたのが嬉《うれ》しい。

〝お居間〟では、床の間に飾られた武者人形の前にみんながいた。菊江と夏江に両側から囲まれて子供たちは柏餅《かしわもち》を食べていた。

「懐《なつか》しいわねえ」と初江は人形をしげしげと見た。鎧《よろい》兜《かぶと》太刀弓矢、桃太郎、金太郎、とくに鍾馗《しょうき》に見覚えがあった。幾分古びてはいるが人形はどこも毀《こわ》れていない。

「この鍾馗さま、恐《こわ》がったものねえ。夏っちゃんなんて、この前で一人にすると泣き出すんだから」

「おねえさんだって恐がったくせに」

「たしかに、今家にあるのより、この鍾馗さまのほうが迫力あるわ。昔の物のほうが出来がいいみたい」

「鍾馗のお髯《ひげ》がとれていてね」と菊江が言った。「直したんだよ」

「おかあさま、また夜なべ仕事でしょう。御無理なすっちゃ駄目よ」初江は母を心配げに見た。

「今日は端午の節句だからねえ、人形飾らないと子供たちが可哀相《かわいそう》だからね」

「おばあちゃまにね、家の鯉幟《こいのぼり》の話をしたの」と悠太が言った。「だって、おばあちゃまの鯉幟って小さいんだもの」と壇上のを振りあおいだ。

「たしかここでも鯉幟立てたわね」と初江が夏江に言った。

「おぼえてる。徳川さまとの境に大きなの。岡田がうんと張切ってここらで一番高いのを立ててるってやったんだわ」

武者人形から自分たちの幼い頃《ころ》が明るい爽《さわ》やかな幻となって立ちのぼってきた。父は若く、母は美しく、自分たちは無邪気だった。

「おねえさん」夏江が不審げに尋ねた。「おとうさまと何をお話してたの、ながいこと」

「心配ごとがあったんで相談にのっていただいていたの」

「おねえさんみたいな苦労なしで心配ごとがあるの」

「お言葉ですわね。これでも人妻でございますからね」

「悠ちゃん、駿ちゃん、あやとりやろう」と菊江は毛糸紐《けいとひも》の輪を出した。「うんやろう」と子供たちは喜んで応じた。あやとり、おはじき、鞠《まり》つき、千代紙細工などの女の子の遊びを菊江は、かつて初江や夏江に教えたのと同じように、孫たちに教えたのだ。駿次はまだ簡単なものしかできないが、悠太はこの遊びにすっかり堪能《たんのう》になり、家でもよく一人あやとりをやっている。悠次は、そんなのは女の子の遊びだと子供をたしなめるが、初江は、子供の知能の発育にはこういうものがいいと信じ、自分でも相手になり教えてやるのだった。菊江は紐が崩れた。二度目もすぐさま駿次が取り損じたので、それではと一人あやとりをやることになった。一等簡単なもの、輪ゴム、ホウキ、亀《かめ》、鉄橋、富士山に月――駿次のできるのはここまでで、あとは悠太の一人舞台でいろいろ作り始め、蟹《かに》、蜘蛛《くも》の巣、二段梯子《ばしご》と巧みに作ってみせた。彼がもっとも得意とするのは梯子で、二段梯子のつぎは四段梯子、そうして誰も教えないのに六段梯子や八段梯子を作り出すのだった。このあたりになると菊江もできず、びっくりして見守るのみである。

「悠ちゃんて、こういうの上手ねえ」と夏江は器用に動く小さい手に見惚《みと》れた。「女の子に生れればよかったみたい」

「ほんと、男の子の遊びのほうはさっぱり駄目《だめ》なのよ」と初江が言った。幼稚園の先生によると駆けっこや相撲などは得手でなく、折紙やままごとが好きだという。ともかく家では一箇所にじっと坐《すわ》ってレコードをかけたり、絵本を見たりしている。童謡のレコードは文字など読めないときからどれがどれと判《わか》って、正確にかけてみせたし、絵本は一度読んでやった物語を記憶していて、そのページの文章を言う。最近は片仮名と平仮名を覚え、童話をひとりで読んでいる。そんなとき、弟の駿次が砂場遊びや木登りにさそっても動こうとしない。

母が孫たちと遊んでいるのをしおに、初江は妹を彼女の部屋に誘った。

「夏っちゃん、まあそこにお坐りなさい」

「何だかいわくありげな顔ね、どうしたの」夏江は冷たい風でも受けたときのように衿《えり》もとを合せた。

「大事な話があるの」初江は単刀直入に始めた。「実は夏っちゃんを嫁にもらいたいと、脇の敬助さんがおっしゃるの。きのうおねえさまからお話があって、これをあずかってきました」と袱紗包《ふくさづつみ》を渡した。「この件、おかあさま、おとうさまにもお話してあって、あなたの気持を聞いてくれとおっしゃるの」

夏江は気が無さそうに写真を開き履歴書をひろげ、すぐ膝元《ひざもと》に置いた。十字絣《じゅうじがすり》の明るい裾《すそ》からほっそりとした足袋足を出して所在なさそうに爪先《つまさき》で畳をたたいた。

「どう思う」と初江は返事をうながした。

「何だか変な気持なの。敬助さんって、おねえさんの甥《おい》でしょう。その人とわたしが一緒になれば、わたしはおねえさんの姪《めい》になっちゃうでしょう」

「ほんと、そうなるわね、そこまで考えなかった。わたしも変な気持、夏っちゃんが自分の姪だなんて」

「おねえさん、それでもいいの」

「いいか悪いか、どっちでもない。だって夏っちゃんと敬助さんの問題だもの。わたしは局外者」

夏江はゆっくり頭を振り、それから唇《くちびる》を噛《か》んで急に強く頭を振った。幼い時からよくやる〝いやいや〟の所作である。初江は自分の内面を妹から見透された気がした。そこへ妹はすっと踏み込んできた。

「おねえさん、この話に反対なんでしょう」

「……どうして」

「脇のおねえさま——あの古風なおばさま——の悪口をさんざん言っていた人が、まさかそんな家に妹を嫁がせようとするわけないでしょう」

「その通りよ」初江は溜息《ためいき》をついた。夏江のほうからそれを言い出してくれたので自分の意見を言いやすくなった。「美津って方、気位が高くて、何かってえと家風だとかシキタリとか御自分の考えを持ち出されて大変。きのうも悠太が幼稚園の帰りに道に迷って、なかなか帰らないものだから誘拐《ゆうかい》されたかって大騒ぎしたんだけど、元はって言えば美津女史が、幼稚園の送り迎えなんて子供の甘やかしだって口出しなさったせいなの。ほんとに癪《しゃく》に障るったら」

「その癪に障る美津女史のお使いを、おねえさん、なぜするのよ」

「言ったでしょう。敬助さんのお使いなの。夏っちゃんをもらいたいってのは、女史じゃなく、敬助さんだわ」

「それはわかってます」夏江はおちょぼ口からチラと炎のような舌を覗《のぞ》かせた。「ちょっとおねえさんを困らせてみたの。わたしね、敬助さんからはずっと手紙をいただいていました」

「それほんと」初江は驚いて妹を見詰めた。夏江は坐り直し、真顔で大きく頷《うなず》いた。「ほんとよ」

「そうだったの……いつから」

「最初は去年の九月、それから何通も。全部で十二、三通ぐらい。帝大セツルメント気付で来たから、このことは誰も知りません。ねえ、おねえさん、ここだけの話にしてね」

「いいわ。で、あなた何て返事したの」

「全然よ。だってどう書いていいかわからないんですもの」

「あきれた。それじゃ敬助さん、随分苛々《いらいら》なすったわよ」

「そうでもないの。あの方って、物事を明るくいい方に解釈なさるみたい。わたしが返事を出さないと、最初のほうは男に手紙を出す少女の含羞《がんしゅう》がよくわかるって書いてこられ、四度五度目になると、こういうことに慎重なあなたに信頼が置けるとなり、最近はあなたの気持を尊重していつまでも待ちます、でも母を介して一応申し込みはさせていただきますって」

「あの敬助さんがねえ」謹厳居士《こし》としか見えない男が恋文を書いた事実が初江には意外だった。「ねえ、その恋文ってどんな調子なの。熱烈な感じかしら」初江は思わず身を乗りだしてしまい、自分のあけすけな好奇心の表出を恥じて顔を赤らめた。

「恋文ってのかしら、ああいうの。それより、何だか手記みたいなの。御自分の生立《おいたち》やら思い出やら、それに幼年学校や士官学校での生活だとか思想だとか、時局への発言とか」

「〝時局への発言〟ですって、むつかしいのね」女への手紙に〝時局への発言〟を書くというのはやはり敬助らしい。もっとも、その敬助本人について初江はほとんど何も知らなかった。

「むつかしくはないの」夏江はふたたび膝をくずして、くの字になり、投げ遣《や》りなふうに言った。「わたしみたいな女の子にもわかるように書いてあるの。見たければ見てもいいわよ」とそばの引出しからリボンで束ねた手紙を取り出し、押してよこした。今日、初江がこの話をすることを見越して、そこに用意しておいたかのようである。

「いいえ、見たくないわ」初江は強《し》いて興味無さそうに言った。実際のところ敬助の手紙を見たくて仕方がなかった。女学校時代未知の男から付け文をもらったことが何回かあるが、いたずらと見なして返事をせず仕舞だったし、男が意中の人への真剣な手紙など読んだことがなかった。そして今、〝いいえ〟と言ったとき、男から恋文をもらった夏江への嫉妬《しっと》が突風のように吹きおこった。意地でも読んでやらないと自分に言いきかせながら、自分が敬助なる男にさかんな興味を持っていることに気がつき狼狽《ろうばい》した。「でも、敬助さんって変った方ね」と初江はやっと言った。

「面白い方よ」夏江は手紙の束をじっと見た。袖口《そでぐち》から伸びた白い手が足首をとらえ、体全体の緊張が解けて女らしい柔かな曲線を作っていた。ふと、夏江は敬助が好きなのかも知れぬと初江は思った。

「あなた、敬助さんをどう思ってるの」

「だから面白い方だと思ってる。立派な方よ。ちゃんと御自分の意思も思想も持ってらっしゃる。でも……」

夏江は言葉を切ったきり考えこんだ。思わせぶりではなく、一所懸命の様子だった。やがてさざなみのように繊細な皺《しわ》が額に走った。

「でも、わたし、結婚して家庭を持つってことが女の幸福だと思えないの。おねえさん、ほんとに正直に言ってね、結婚して幸福」

いきなり胸の奥底の核心を衝《つ》かれて初江は目を伏せた。かすかな汗が胸元から額に染《し》み出て、おのれのたじろぎを示していた。

「そうね」と初江は自嘲《じちょう》気味に言った。「結婚すると辛《つら》いことが増えるわね。男と女は違いすぎるし、子供ってのが、また、思い通りにならない……でも、今の日本で、女にほかの生き方があるのかしら」

「女は生活の保障のために結婚する。子供を生み育てる単なる牝《めす》になる。すると夫は女郎買いを始め、女は単なる牝に終りたくないから恋人を探して不倫の関係を結ぶ」

「夏っちゃん、やめて」初江は妹の口から飛び出したはしたない言葉に仰天して叫んだ。

「別に驚くことはない」夏江は、どこでうつったのか男みたいに言った。「そんなの定説だ」

「何だか主義者みたい」初江はおびえて言った。〝主義者〟と口にしただけで憲兵に引ったてられる恐怖がある。帝大セツルメントに、夏江と親しい主義者の学生がいるのかも知れぬと心配にもなる。

「ともかく、わたしね」と夏江は姉を憐《あわれ》むように言った。「誰とも結婚する気ないの。敬助さんにお返事出さなかったのも、あの方が結婚を前提として書いてこられるからよ」

「敬助さんにお会いしたのは去年の夏でしょう」

「そう」夏江は初江の唐突な問の意味を量りかねて首をすこし傾《かし》げた。

「つまり三日間だけでしょう。それではまだ敬助さんって方がわからないんじゃない」

「だって御手紙沢山いただいた」

「そういうことじゃなくて……」初江は言い淀《よど》み、「肉体としての男っていう意味」と言って顔を赤らめた。〝肉体〟だなんて表現、あからさまに過ぎて恥かしい。〝男として愛してるか〟と言えばまだよかった。

「わたし敬助さん好きよ」と夏江は唱《うた》うように言った。「男として、肉体ある男性として。あの方は好きだわ」

「中林先生よりも」この質問が冷水を浴びせたようだった。とたんに夏江の顔が曇った。初江はひるまず続けた。「中林先生からもお話あったんでしょう」

「おとうさまから聞いたの」

「ええ」

「そんなら仕方がない。松男さんは」と中林の名を言う。「好きじゃないの。医者として研究者としておとうさまのお眼鏡にかなってるらしいけど、あの人の肉体は嫌い」

「はっきりしてるのね」

「女ってこういうこと、はっきりわかるものでしょう」

「そうね」初江は頷いたものの自信がなかった。悠次の肉体を好きか嫌いか、愛してるか愛していないか、判然としないのだ。

「結論として夏っちゃん。このお話、お断りするわね」

「いいえ」夏江は初めて取り乱した様子で言った。「お返事待ってほしいの。しばらく考えさせてほしいの」

「そう……」妹の意外な言葉に初江は戸惑った。

廊下が騒がしい。史郎の快活な声に子供たちの歓声が答えている。夏江が手紙の束を引出しに隠し、初江が写真と履歴書を包み終えたとき、ずしずしと畳を揺らす足音とともに軍服の史郎が入ってきた。顔は小麦色に日焼けし、対照的に坊主頭《ぼうずあたま》が青い。悠太と駿次が珍しげに軍服を引っぱり、腰の短剣に触ってみる。皮革の臭《にお》いが漂った。

「元気そうだな」と史郎は姉と妹を見較《みくら》べ、「親父《おやじ》が用だってえからまず行ってくる」と、そそくさと去った。

姉妹は、史郎の去った跡を、まるでそこに残っている空気の陰圧に吸われたかのようにしばらく見詰め、それから顔を見合せて頷いた。物を言わずとも二人の心は一致していた。史郎ちゃんすっかり兵隊が板に付いたみたい。おにいさんたら、くやしいけど軍服が似あうわね。

夏江は鏡台に向って髪を梳《くしけず》り始めた。額に垂れたほつれ毛を首を巧みに振って肩に流すのが化粧慣れた仕種《しぐさ》と見えた。初江は妹の後に回り、鏡の中の顔に言った。

「銀座には史郎ちゃんと一緒に行きましょう」

「それはいいけど……」

「久し振りにきょうだいみんなで出掛けたいわ」

「でも、おかあさまはおにいさんに御馳走《ごちそう》しておやりになりたいの。軍隊じゃ碌《ろく》な物食べてないから」

「おかあさまも御一緒すればいいわよ。みんなでおいしいもの食べましょうよ」

母はよく子供たち三人を連れて銀座のレストランで食事をさせてくれ、それは初江にとって懐しい思い出となっていた。ところが結婚してからは、絶えてそういう機会がなくなった。悠次は外食を嫌い、たまに一緒に出ても食事時には家に帰ってしまう。家にいても店屋物を毛嫌いし、不時の客に鮨《すし》を取ることさえ許さなかった。勤先からは決った時刻にきちんと帰宅して夕食をとった。酒の飲めぬ彼は宴席が苦手で、二つに一つは断るらしく、外ですませて帰ることはまれだ。いきおい初江は、悠次の食事作りに追われ、自分もお手盛の食事しか口にせず、里に帰って外食するのを大の愉《たの》しみとしていた。

「駄目なの」と夏江は初江の思いを断ち切った。

「おにいさんは〝お袋さんの〟でなくっちゃ駄目なの。そのために家に帰るんだって言うんですもん」

「それじゃまるで子供じゃあないの」

「そうよ、子供よ。おにいさんってそうじゃない」

「そうね」初江は頷いた。男の子一人のため、史郎は幼い頃から両親にちやほやされて育ち、とくに母親には甘やかされてきた。史郎が医学部を嫌がって父と衝突したとき、父をなだめて法学部進学を認めさせたのも母だった。「じゃ、銀座には夏っちゃんと二人で出掛けましょう」と初江は妹の部屋を出た。

菊江はひっそりと坐っていた。孫たちが去った空虚な〝お居間〟で、不意に時が停《と》ったように動かず、背を丸めて放心の体だ。よく見ると右手であやとりの紐を所在なげにまさぐっている。忍び入ってびっくりさせようとした初江は、かえって襖《ふすま》に強く帯締めを引っ掛けてしまった。菊江が振り返った。初江は仕方なく母の正面にどんと坐った。

「けさ、例の件をおとうさまにお話ししました。そしたら、夏っちゃん次第だとおっしゃるの。そこで、夏っちゃんに話しました。そしたら、しばらく考えさせてほしいって言うの」

「考えさせてほしい……」

「お断りしてとは言わないの。夏っちゃんにしちゃ珍しく有耶無耶《うやむや》な返事でしょう。わたしの勘だけど、夏っちゃん、敬助さんが好きかも知れない。それに敬助さんの方も熱心で、夏っちゃんにラブレターをたんとお出しになってるの」と言いながら、夏江が〝ここだけの話にして〟と釘《くぎ》をさしたのを思い出した。が、口に出た言葉は先をうながす。初江は言ってしまった以上全部を母に打ち明けたくなった。「一通や二通じゃないの。これくらいあるわ」と自分の見た手紙の束の倍ぐらいの大きさを両手で示した。「それがおかしいの。夏っちゃんたら、一度もお返事しなかったんですって。それでも、ますます熱心に、熱いラブレターをお書きになった……」

「そんな大事なことを、わたしに秘密にしとくなんて」それは怒ったふうでなく、むしろ気落ちした言葉付きだった。「このこと、おとうさま、御存知かしら」

「もちろん御存知ないわ」初江は強く言った。「知られたら大変。ねえ、おかあさま、この話はここだけの話ですよ」

「でもわたしはね、おとうさまに秘密を持ちたくないの」

「だめよ、後生だから……おとうさまに知られたら夏っちゃんが可哀相《かわいそう》……傷ついてしまう」

「しかしね、こんな大事なことをお知らせしなかったら、とことん爆発なさるよ。夏江の結婚を一番心に掛けてらっしゃるんだからね」

「困ったわ」初江は、俄然《がぜん》どっしり構えてきた母に気圧《けお》されて、縮こまった。

「わたしね、夏っちゃんに、誰にも言わない約束でこの話聞きましたの。もちろん、おかあさまにも内緒のことだったんです。ですから……」

「わかってますよ」と菊江はいたずらっぽく片笑《かたえ》くぼを浮べた。「いつまでもねんねだね、お前は。世間を渡るには口にしっかりと栓《せん》をしなさい」

「はい」初江はしおらしく言った。

「ともかく夏江の気持が定まるまで、おとうさまには黙っていましょう。お前ももうこれ以上話をひろげないのよ。ともかく脇のほうには、正直にお返事するよりほかないわね――考えさせてほしいって」

「そんなお返事じゃ脇のおねえさまかんかんにおなりになるわ」初江はあすにでも美津に会って返事を伝えねばならぬ自分に気が滅入《めい》った。きっと夏江が何を考えているかを根掘り葉掘り聞かれることだろう。まさか女は結婚して幸福になれないという危険思想をいだいてるなど明かせやしないし……。

「考えさせてほしいなんて、ふつうはお断りのお返事だね。先様がそうおとりになって当然だとしても、あの子の場合、かならずしもそんな婉曲《えんきょく》じゃなくて、文字通り考えてるのかも知れないいんで、そこまできっちり先様にわかっていただけるかどうか」

「それ大問題よ。わたしには荷がかちすぎよ。おかあさま、助けて。脇のおねえさまとお話してちょうだい」

「それはいいけれど……」

「助かった」初江は急に肩の荷がおりて笑顔になった。「わたし荷重で肩が凝ってたの」

「今度はわたしが肩凝りだよ」と菊江は右手で項《うなじ》をもみ、首を回した。

「もみましょうか」

「それよりも吸引をやっておくれ」

「吸引は、わたし一人じゃ自信ありません。鶴丸を呼んできます」

「大丈夫、もうお前一人でできるよ。今用意するからね」菊江は戸棚《とだな》から硝子《ガラス》コップを八個ほど出し、そばに皿とアルコール綿とマッチを並べた。それから帯を解き、すっかり手慣れた動作で、あっという間に諸肌《もろはだ》脱ぎとなって、初江に背を向けて坐《すわ》った。

初江は腰紐《こしひも》で襷《たすき》掛けをすると、母の裸の背をゆっくりと撫《な》でた。厚い脂肪層の下に凝った固い筋肉がコリコリと音をたてた。アルコール綿の一片を皿にのせて火をつける。燃えるアルコール綿を投げ入れたコップを母の肌に当てる。するとコップの中の酸素が消費された分だけ肌が吸引されて丸い丘となって盛りあがる。一つ成功すると初江は自信がつき、つぎつぎに母の背中にコップをつけていった。八つ付け終ったところで、「どう」と母に尋ねた。

「とっても気持がいいよ」と菊江は答えた。

コップの中で丸い丘となった皮膚は、一杯に開いた毛孔《けあな》がブツブツと赤く、いかにも痛々しい様子だ。この吸引療法は凝りを取るというので最近流行していた。去年あたりから菊江は鶴丸看護婦に命じて吸引を始め、初江も何度か手伝わされた。が、自分一人でやるのは今回が最初である。

八つのコップを、すぽっと背中から抜いていき、今度は場所を変えて吸引に掛る。これを繰り返すうち背中にはコップの輪が沢山刻印された。

「熱くないかしら」と初江。

「全然……」と菊江。

「でも、汗かいてるわよ」母の肌に汗が光ってコップが滑るので、初江は乾いたタオルで丁寧に拭《ぬぐ》った。

「おお、いい気持」と菊江は背を波うたせた。

「首のほうも拭《ふ》いておくれ」

初江は、濡《ぬ》れたタオルを新しいのに変え、首から前のほう、分厚い胸へと拭ってやった。母の皮膚は真っ白で美しい。しかし、水のように柔かく頼りなく動いた。贅肉《ぜいにく》が多く乳房はたるんでいる。

「おかあさま、働きすぎよ。すこしお休みにならなくっちゃ」初江はいたわしげに言った。

病院の事務長として、菊江は毎夜算盤《そろばん》を手に収支決算に当っていたが、大所帯の病院では、これがなかなかの難事で、複雑な帳簿を前に夜鍋《よなべ》仕事となることも珍しくなかった。以前専門の事務長を傭《やと》ったところ、収益金を猫《ねこ》ばばされてしまい、それ以後利平は、妻以外の人間を信用できないでいる。

子供たちの声をお供に史郎が入ってきた。裸の母に驚いて「おっ」と後込《しりご》みしたのを、子供たちは逆に好奇心を剝《む》き出しに、「おばあちゃま、どうしたの」と入ってきた。

「何でもないの。ちょっとお体拭いてたのよ」初江は、コップの輪の跡が無数についた背中に肌襦袢《はだじゅばん》をかけた。菊江が身繕《みづくろ》いを始めると子供たちはそれで納得し、口々に初江に言った。

「ねえ、おかあさん、すごいんだよ。おじちゃんてね、一本の手で逆立ちするの」

体操服姿の史郎の太い腕を悠太は羨望《せんぼう》のまなこで見た。筋肉の塊が一つ一つ明らかな、彫りあげたような腕であった。

「久し振りだから、ちょっと体操をやろうと思ってね」と史郎は言い、「さあ行くぞ」と甥《おい》っ子たちの手を引いて去った。

「わたしも見に行くわ」と初江は言い、襷を解いて大急ぎで着物をなおし、すぐに夏江を呼びに行った。史郎の体操なら夏江だって見たいに決っていた。

姉妹は勝手口から庭下駄《にわげた》を突っ掛けて出た。ここは病院の裏側で、勝手口から徳川邸との塀《へい》のあいだに病院の運動場があった。隅《すみ》に鉄棒や吊輪《つりわ》がしつらえてあり、そばの倉庫には鞍《あん》馬《ば》や飛箱も仕舞ってある。つまり器械体操のための運動場であった。史郎が学生時代にはここに部員たちが集って練習に励んだものだ。

史郎は、滑り止めの粉で手をはたくと、鉄棒に飛びついた。二、三度軽く体をゆらし、いきなり鉄棒の上で逆立ち、ついで腹に風をはらんで回転。白い脚が半透明の円弧を描く。大車輪という技だ。初江は、弟のこういう運動神経に目を見張るばかりだ。ぱっと手を放すと、史郎は弓なりになって空中で一回転し、開いていた脚を一本に閉じて着地した。瞬間、顔から汗が数本の矢となって飛んだ。

拍手がおこった。勝手口に集った賄方《まかないかた》や女中や看護婦からである。鉄の器具や薬品や繃帯《ほうたい》など、陰気くさい病院の景色の中で、真っ白な体操服に身を包んだ〝お坊っちゃま〟の、明るく爽《さわ》やかな演技が彼女たちを浮き立たせたのだ。

みんなに軽く一礼すると、史郎は吊輪に飛びついた。両腕を水平に開き、おもむろに両脚を前にあげた。日焼けした腕が充血で赤黒く、目も血走っている。力のみなぎる腕の震えと脇の下の毛が男らしい。とすばやい回転が始まった。くるりくるり、逆立ちになって停止。ふたたび、くるりくるり、飛んで着地。すこし脚が流れたが踏み止《とど》まった。みんなの拍手が鳴り続ける……。

「すばらしいわ」と初江が言った。

史郎は汗を光らせながら首を振った。

「いかん。すっかり衰えてやがる。軍隊ぼけで体がなまったな」

「これだけ出来れば大したものよ。これなら飛行機に乗っても平気でしょう」

「飛行聯隊《れんたい》といっても、整備隊で空には行かねえんだ。それが親父にはわかんねえらしくてさ、さっきは呼びつけて、〝史郎、おれを飛行機に乗せて操縦しろ〟なんて無理をいう」

「紫外線でしょう」

「そう。飛行機に搭乗《とうじょう》して紫外線の測定をしたいんだそうだ。聯隊長の許可をもらえってえんだが厄介《やっかい》だよ」史郎は大きな目玉を剝《む》いて、三白眼《さんぱくがん》とした。「さて、ちょっと床運動といくか」と走って行き、とんぼ返りをした。逆立ちから、でんぐり返す……。どうして、あのように身が軽いのか、初江はただただ感心して見守った。

そこへ鶴丸看護婦が来て、「おお先生が新田にお出掛けで、悠ちゃまと駿ちゃまをお呼びです」と伝えた。大急ぎで子供たちに支度をさせて玄関に出てみると、エンジンを始動させて、熱病患者のように震動しているフォードの運転席に利平が坐って待っていた。黒い背広を着て山高帽をかぶり口髭《くちひげ》をこすりながら、初江を見ると「おそいぞ」と怒鳴った。

「おとうさまの運転ですの」と初江は驚いた。正直に言う。「何だか不安ですわ」

「何を言う。おれは運転の名手じゃ。さあ、悠坊と駿坊はここに乗れ」

子供たちは歓声をあげて利平の隣の助手席にのぼった。後の席に、研三を抱いた鶴丸看護婦が、子供たちの着替や洗面道具を収めた信玄袋をさげて乗りこんだ。

「岡田、お前も乗れ」と利平は老大工に言った。

「電車でまいりまさ」と老大工は、かかえていた板や角材を拒否の表示として、強く振った。

「まだ頑固《がんこ》を言っとるな。むこうに着いたらすぐ仕事をしてもらわにゃならん。電車でのこのこ後から来られたんじゃ困るんじゃ。乗れ、命令だ」

「命令ならしょうがない」老大工は不満げなしかめ面《つら》でつぶやいたが、その実最初から乗車するつもりだったらしく、荷物を要領よく後座席に入れ、鶴丸の隣に細い体を滑り込ませた。

病院中の者が見送りに出ている。初江、夏江、史郎、中林代診、間島婦長、久米薬剤師、看護婦たち。いよいよ発進だ。利平は胸を張ってハンドルをにぎり、エンジンの音を高くし、ぐいっと出た。一同が一斉《いっせい》に礼をする前をブルブル砂利を蹴《け》立てて行く。門から通りに出ると人々が驚いて振り向いた。何しろ黒い背の高いオープンカーを山高帽に口髭の紳士が運転しているのだ。青バスが来ると利平はラッパ型の警笛を朗らかに鳴らし、バスの乗客の注視を浴びた。商店街に来るとまたラッパを鳴らし、人々の視線を意識したのかそっくり返ってハンドルをあやつった。車は坂を登って小さくなった。

「大丈夫なのかしらねえ」と初江がつぶやいた。

「大丈夫さ」と史郎が言った。「親父の運転技術はあれで一流なのさ。まだまだ元気だぜ。そう、さっきも、隊の飛行機に乗る許可がなかなかおりんという話をしたら、じゃ自分で飛行機の操縦を習うなんて言い出すんだから」

「おかあさま、お出《いで》にならなかったわね」と夏江が唐突に言った。

「ほんと……」初江は、自分もその事実に気付いてはいたが、妹に指摘されると今さらながら母の不仕合せを思った。武蔵新田には妾《めかけ》の秋葉いとがいる。利平はむろんいとに会いに行ったのだ。この元看護婦に対する菊江の憎悪《ぞうお》は、彼女が表立って何も言わないだけ、強く深いと、今、初江には実感された。

7

東海道が多摩川を渡っていく六郷橋《ろくごうばし》の手前で、利平は右に曲った。市街地から急に視界の広い田舎が開けた。麦の穂が深緑に波打つむこうには乾田がずっと続いている。川岸にはタンポポがゆれ、山吹の黄が鮮やかに光る。川は青々と清く、釣人《つりびと》が三々五々糸を垂れている。いかにものどかな風景だが、未舗装の道は凸凹《でこぼこ》がひどく、しかも半ば草に覆《おお》われたり狭すぎたりして車の運転は楽ではない。しかし利平は何度も来て勝手知った道とて、自信満々で運転した。むこうから来た肥桶《こえおけ》を積む馬車をよけようと柔かい畑に入ってしまい、タイヤが空回りしてしばらく立往生したが、岡田に後押しさせて何とか脱出した。

〝元の矢口ノ渡〟に来た。神社があちこちにあり、こんもりとした景色にアクセントをつけている。昔多摩川だったこのあたりは、幅広の湿地帯で葦《あし》が密生し、中央を小川が貫いていた。

「さあもうすぐだぞ」と利平は孫たちに言った。

「あ、水車だ」と悠太が言った。

「そう、あの水車でな、小川の水を田圃《たんぼ》に汲《く》みあげる。ほら、小さなバケツが沢山ついてるだろう」

「ほんとだ」と悠太は水車をじっと見詰めた。この子は田園の風物が珍しいらしく、絶えず左右に目を配り、目をひく物を発見すると嘆声を発した。豚、牛、鶏、肥溜《こえだめ》、藁葺《わらぶき》屋根、苗《なわ》代《しろ》……何でもが興味の対象となった。新田へは何度も連れてきているのだが、その都度何か新しい物を発見する。たとえばこの水車だ。前からそこにあったはずなのに、悠太に言われて利平も初めて農家の蔭《かげ》にひっそり隠れていた水車に気が付いたのだった。

駿次のほうはまだ幼くて、そういう外界への興味よりも、車の振動や警笛や、赤い腕木の出る方向指示機などを面白がっている。悠太をくすぐったり、利平の膝《ひざ》に頭をのせたり、すこしもじっとしていない。あまりふざけすぎると後から鶴丸が注意したけれど、それはかえって騒ぎを大きくする効果しかなかった。

研三は座席の上に縫いぐるみのキリンや熊《くま》を並べ一人遊びに余念がない。兄たちが賑《にぎ》やかにしているのに知らん顔で、何やらつぶやきつつおのれ一人の遊びの世界に没入している。この三人兄弟を見ていると人間の性格が幼い時から決定しているのに気がつく。利平は自分も幼い時の性癖をそのまま現在も持ち続けているのを思った。海辺の寒村に育った彼は、海浜に打ちあげられた木切や貝殻《かいがら》を利用して細工物をするのが好きだった。幼い時には貝殻の帆掛船や家、小学校の時には精巧な漁船や鍵《かぎ》のかかる船簞笥《ふなだんす》などを作った。いろいろな物を組合せて何かを作り出す志向は今も変らない。

「天文台が見える」と悠太が叫んだ。アイスクリームのような白いドームが森の上に頭を出している。それは利平が別宅にしつらえた天体観測所だった。森を抜けると一面の麦畑で白いドームに寄り添う二階屋が見えた。障子を明け放した一階の座敷で秋葉いとが立ちあがった。家の前に幅二メートルほどの堀割があって車は入れない。エンジンを停《と》めると秋葉いとが出迎えに出て来た。

「いらっしゃい」といとは利平に頭をさげ、孫たちに「坊っちゃんたちもようこそ」とやはり丁寧に頭をさげた。黒い清潔なモンペを着け、入念に化粧した顔に唇《くちびる》の朱がきっかりと目立った。

鶴丸は子供たちと先に行き、岡田は材木と道具箱を運び入れ、利平は深呼吸を始めた。三田とは空気の質がまるで違う。紫外線で消毒された、清浄でオゾンの多い特級品の空気だ。まばゆい青空のどこかでヒバリが鳴いている。

「元気か」と利平はいとの胸元を見た。丁度よい大きさの乳房が上下している。菊江の垂れ下った乳房とは大違いだ。モンペの尻《しり》の脹《ふく》らみも程々で好ましい。この女を早く抱きたい。一週間も待ったのだ。

「お顔の色が悪いわ」といとが心配そうに言った。

「みんなそう言う。そんなに悪いか」

「はい。何だか貧血気味です。それからお熱がおありになるんじゃありません。こんなに汗をおかきになって」

「虫様突起のやつめが痛むんじゃ。冷してなだめてきたが、途中の振動でな、ちょっぴり悪化した」

「お休みになったら。二階に床をとってあります」

「いや、そうもしておれん。いろいろやることがある」利平はズボンの下から携帯氷嚢《ひょうのう》を抜き出した。「畜生、すっかり湯になっちょる。氷あるか」

「はい、冷蔵庫に一貫目ほど」

「そいつを使おう。そうだ岡田、玄関の戸じゃ。立付けがえろう悪い。そいつをまず直せや。そのあとで温室の建増しだ」

庭に回った。庭と言っても三分の二は畑になっていて、いとが丹精した野菜が育っている。コマツナ、ホウレンソウ、ウドは今が収穫期で、キュウリ、トマト、ナスなども芽を吹き出している。

「苺《いちご》を摘みましたから、あとで召しあがって下さい」いとは畑を誇らしげに見た。新潟の農家出身のため畑仕事には精通していて、草茫々《ぼうぼう》の荒地を開墾し、どしどし畑に変えていった。今では野菜は自給自足の生活である。最初庭師を入れて日本庭園を作るつもりだった利平は、いとの希望をかなえて予定を変更したのだった。

「三田のほうはいかがです」

「相変らずだ。可もなし不可もなし」

「平穏無事が何よりです」

「そうだな」利平は頷《うなず》いた。が、実のところ平穏無事どころではなかった。最近、糖尿病と喘息《ぜんそく》で病いがちの菊江は、利平が日曜ごとに秋葉いとのもとに通うのを嫌《いや》がり、週末が近付くと変に癇《かん》がたかぶり、「もう新田行きはおやめあそばせ」と泣いたり、夕食の菜を手抜きして、利平が夕食の決りにしている豆腐を買い忘れたりする。それで利平が怒れば菊江は泣きわめいて収拾がつかなくなるので、不快ながら我慢している。が、短気が性分の利平は二つに一つは爆発してしまい、夫婦は修羅場《しゅらば》を演じるのだった。またそういう夜に限って菊江は激しく夫の愛をもとめ、利平は妻のあられもない要求に性欲も萎《な》えてしまい、すると菊江は、いとのせいだとなじり、いつ果てるとも知れぬ啜《すす》り泣きとなった。夫婦の間柄《あいだがら》が、先妻のサイと別れる直前に似てきた。しかし、利平は菊江と別れる気は全くない。たとえ体を抱かなくとも、菊江は自分の妻であり、彼女と一緒に時田病院を今日の大にまで守《も》り立ててきた日々は生涯《しょうがい》の思い出であり、菊江こそは、計画や思い付きは豊かだが理財にうとい利平を援《たす》けて、しっかりとした病院経営をしてくれた名事務長であった。と言って、利平はいとと別れる気にもなれなかった。いとの若い体は、おのれの衰えた性欲をかきたて、意外な活力をあたえてくれた。菊江は妻、いとは妾という関係でうまく平衡がとれていたのが、菊江の側から崩されてしまう、平穏無事でいられなくなる。困ったことだ。この問題が、研究や発明のように理詰めで解決されないのが歯がゆい。

「なかなか片付かんもんだな」と利平はつぶやいた。

「何がですか」といとが聞いた。自分の畑について批評されたのかと思ったらしく、畝《うね》、鶏小屋、納屋《なや》、温室と順々に見回している。鶴丸に連れられた孫たちが池を覗《のぞ》き込んでいる。池は浅いけれども、池の水が流れ入る小川は深い。川のほとりは危いぞと怒鳴ろうとして、もう何遍も注意したことを思い出した。鶴丸がついていれば心配は何もないのに、このごろ妙にしつこく同じ心配を繰り返す。年のせいらしい。

「畑のことじゃない。人間のことだ。人間は片付かん」

「人間ですか」といとは安心した様子で利平を見上げ、「そのお帽子お取りになって、お上りなさい」と言った。

二階で背広を作業服に着替えたところへ、悠太と駿次が駆けこんで来た。

「おじいちゃま、天文台見せて」と悠太が言った。

「よしよし。しかし、夜にならんと星は見えんぞ」

「望遠鏡ちょっと見たいの」

利平は二階の端の鉄扉《てつぴ》を開き、観測所に孫たちを連れていった。鉄筋コンクリートの塔の上に可動式の円いドームをつけ、赤道儀付の望遠鏡を設置してある。オプティック・カール・ツァイスの口径十五センチ屈折望遠鏡は利平自慢の物で、新田に誰かを連れてくるとかならず見せたくなる。来るたびに布で丁寧に拭《ぬぐ》うものだから、買いたてみたいにピカピカだ。孫たちは溜息《ためいき》をついて見上げていた。悠太は天体観測に興味を示し、月の表面や土星の輪を見せてやったときにはもう夢中になり、学校に入ったら自分にも天体望遠鏡を買ってよとねだるのだった。

「夜になったら星を見せてやるからな」と利平は言い、孫たちを観測所の外に出した。

「そうそう、あとで樟脳《しょうのう》船を動かしてやる。それまで外で遊んでおいで」と言うと、子供たちははしゃいで走り出していった。そのときだ、急に強い吐き気が襲ってきた。何だか脚に力が入らない。いかん、車の振動で虫様突起炎が悪化したなと思い、利平は蒲団《ふとん》に横になって注意深く自分の体を診察し始めた。

体温三八・二度、脈搏《みゃくはく》一〇八やや微弱、呼吸二五、血圧一二三低すぎる。腹部の触診にかかって利平は「うーむ」とうなった。右の下腹の圧痛がひどい。マックバーネイ、ランツなどの診察法ですべて陽性だ。のみならず腹の筋肉が石のように固い。これは腹膜炎を起したときの〝腹壁緊張〟という症状だ。虫様突起の炎症が腹腔《ふくこう》内にもれてひろがったらしい。やはり手術をせねばならぬか——利平は「うーむ」とふたたびうなった。手術をすれば一週間は臥《ふ》せっていなくてはならぬ。そのあいだの診療と研究の頓挫《とんざ》のほうが手術の成否よりも重大である。うーむ、うーむ……。

いとが入ってきて「痛みますか」と尋ねた。欠き氷を盛った鉢《はち》を持っている。

「大したことはないが、治療法を考えちょる」

いとは氷嚢に氷を詰め、手慣れた仕種《しぐさ》で利平の下腹に置いた。氷の冷えが快い。いとは体温計を見て、「まあ随分……」と驚いた。が、病状について意見を言わぬ看護婦の習慣を守って黙っていた。

「孫たちはどうしてる」

「池のオタマジャクシが面白いって夢中です」

啓蟄《けいちつ》の頃《ころ》から蛙《かえる》が池に卵を生み、暖気とともに孵《かえ》ってオタマジャクシになる。全部を生かしておくと蛙の大群となるので、せっせと捨てるのだがなお沢山生き残ってしまう。

「岡田は」

「玄関の修理をしてます」

「あいつには、温室の建増しをさせにゃならん。設計図は鞄《かばん》にある」

いとに設計図を持ってこさせ、赤鉛筆で二、三箇所修正すると岡田を呼んで説明した。とても今日中にはできぬと言うのを、強《し》いて今日中にやれと厳命した。これだけのことで、ひどく疲れてしまい、すこし睡《ねむ》った。目覚めるといとが枕元《まくらもと》にきちんと坐《すわ》っていた。

「今夜はお前を抱けんな。疲れすぎとる」

「まあ……」いとは肩を固くすぼめ顔を赤らめた。三十になっても小娘のような羞恥《しゅうち》を示す、彼女のこんな態度が利平には好ましかった。どこかに幼さを残す顔、やせている割に豊満な乳房、ほっそり締った腰の線、いずれも十年前と変らない。いとは新潟から両親の反対を押し切って上京し、下谷《したや》の私立病院付属看護学校を出た。その病院への一年間のお礼勤務を終えると時田病院の看護婦募集に応じてきた。十代の半ばで親元を離れて自分の力で生きてきただけあって、変に気の強いところがあり、看護婦仲間では浮きあがっていたのを、利平は博士論文用の研究助手に引き抜いた。研究室の狭い空間で間近にいとと接する毎日が始ったとき、利平は後悔した——こんないい女をどうしてもっと早くおのれのものとしなかったのかと。妻の菊江より二十も若い女に利平は溺《おぼ》れた。

もっとも、いとのほうは彼に夢中になったふうではなかった。馴染《なじ》んだ体となっても、その都度生娘《きむすめ》のようにきまりわるがり翌朝は面映《おもはゆ》げで、かえって他人行儀になるのだった。そして、何年経《た》っても看護婦が院長に対するような敬語を使い、男と女という平等な関係になろうとしなかった。が、利平のほうは、女のよそよそしさを物足りぬと思うよりも、いつも新鮮な欲望をかりたてる媚態《びたい》と見るのだった。あらがう女を犯す男の奇怪な喜びがそこにあった。

いつも慎《つつま》しく遠慮深げないとが荒れたことが一度だけある。三年前の冬、赤倉温泉で雪中の紫外線測定をおこなったとき、吹雪となって宿に閉じ籠《こ》められた。湯好きの利平が長湯してのぼせ気味で部屋にもどると、いとがいない。風音の激しさが不安をつのらせ、女を探して廊下を右往左往するうち楽しげな女の笑い声にさそわれて行って見ると、雪景色が一杯の応接間でいとが中林松男と身を寄せ合って談笑していた。ついぞ女は利平にそんな打ち解けた科《しな》を作らず、そのうえ中林の漁色は院内の定説であったから、利平は一瞬の判断で二人へ怒りを爆発させ、宿の番頭が驚いて顔を出すほどの大声でわめき散らした。中林は院長の権威の前に平あやまりであったが、いとは涙をうっすら浮べた固い顔で、荷物をまとめ馬橇《ばそり》を呼んで帰ってしまった。こうなると利平もあわてて跡追いし、病院であわや荷物をまとめて出ようとした女に追い付き、散々なだめたあげく、中林との間を疑われるような病院を去りどこかに隠棲《いんせい》したいと言う女の希望をいれて、ここ、武蔵新田《むさしにった》に家を建てたのだった。この事件によって利平は、おのれがいと無しには暮せぬと心底から悟った。

「いと」と呼ぶと利平は女の手を握って引き寄せた。女は彼の上に倒れかかり、はずみで彼の額の濡《ぬ》れ手拭を落した。彼が眠っているあいだ、ずっと額を冷し続けてくれたらしい。

「今何時だ」

「三時半です」

「孫たちはどうした。えろう静かじゃな」

「鶴丸さんが散歩に連れてっています」

利平は小便に立った。ところが腹がちぎれるような痛みが来て立っていられない。そのまま蒲団に倒れていとに支えられた。いとの用意した溲瓶《しゅびん》で用を足すと、「どうもいかん」とつぶやいた。

「先生」といとが言った。「どうも御様子が普通でないので、眠ってらっしゃるとき、鶴丸さんと相談して三田に電話しときました。もうすぐ浜田がまいります。ともかく三田にお帰りになったほうがいいというのが鶴丸さんの意見です」

「そうか。そうするか」いよいよ虫様突起切除術をせねばならぬ。利平は決心した。するならば早いほうがいい。下腹をまさぐると、拳《こぶし》のような塊ができていた。膿瘍《のうよう》である。ちょっと押すと激痛が喉元《のどもと》まで突きあげてきた。

痛み止めにモルフィウム・スコポラミンを一筒打った。痛みが消えると薬の影響で、ふわふわとしたよい気持になった。ネジをゆるめた機械のように思考がうまく作動せず、時間の観念が朦朧《もうろう》としてきた。悠太や駿次が枕元に来てひとしきり動きまわったあと、鶴丸といとが来てひそひそ話をし、不意に浜田が現れた。日が暮れかかっていた。浜田が自動車を運転し、利平は座席に寝ていた。手術の準備をするように鶴丸に言うと、さっき御命令になったので手術の準備は整っていますと返事した。夜だった。病院に着くと菊江や史郎をはじめ看護婦一同が出迎えた。魚籃坂《ぎょらんざか》で開業する外科医であり謡《うたい》友達である唐山竜斎の白髪を見たとたん、利平の意識は、拭われたようにはっきりした。

「どうしてきみがここにいるんだい」

「御挨拶《ごあいさつ》だね。虫様突起炎《アッペ》の手術をやってあげるんだよ」

間島婦長が進み出た。

「日曜日でお休みのところ、唐山先生は手術ならわたしが執刀しようと、わざわざお出《いで》になりましたんです」

「本当に有難うございます」と菊江は唐山に頭をさげた。

「悪いけどな」と利平は唐山に言った。「きみの助けはいらん」

「しかし……」唐山は驚いて左右を見た。中林代診と若い医師しかいない。不断から利平は中林や病院の外科医の腕が未熟だとぼやいていたのだ。

「おれが自分で執刀する」

「自分で自分の腹を切る……そんなことは不可能だ。冗談はよせ」唐山は笑った。

「おれは真剣に言うちょる。とっくに研究済みじゃ。アッペなら簡単にできる」

「そりゃ、やり方によってできんこともないが……麻酔はどうする。局麻でやるのか」

「いや、一々局麻でやるのは面倒だから、腰椎麻酔《ルンバール》でいく。そうだ、きみルンバールだけやってくれ」

「それはやってやる。しかし、ルンバールの効き目は四十分間だぞ。一人で自分を手術して、四十分間で終えられるか」

「大丈夫、それも研究済みだ。どんなひどいアッペだろうが、四十分以内に終えられる」

唐山博士が後退すると、菊江が哀願した。自分で自分を手術するなど無謀で危険なことはやめてほしいという。しかし、利平は一喝《いっかつ》して妻を斥《しりぞ》けた。

「医学のことはおれがよう知っちょる。いらん口出しをするな」

菊江が撃退された以上、もう誰も意見を言う者はいない。利平は自分を手術室に運ばせ、てきぱきと指示した。

手術者は利平一人、腰椎麻酔と鉤引《かぎひ》きは唐山、介添看護婦は間島、この三人が手を洗う。血圧測定と補助は中林。以上四人以外は手術室に入室厳禁。すべての指揮は利平がとる。たとえ唐山博士でも利平の命令に従うこと。

救急医療を本領とする時田病院では、手術器具、繃帯《ほうたい》材料、手術用布類、手袋などの消毒は常時完全だったし、必要な薬品もそろっていて、いつでもすぐさま手術にかかれた。間島婦長に命じて下の毛をつるつるに剃《そ》り落させた利平は、手術台の上で刷毛《はけ》と石鹼《せっけん》をつかって十五分かけて入念に手を洗った。両手を消毒布で包むと、「じゃ唐山さん、麻酔をたのむよ」

と横になり背中を海老《えび》のように丸くした。

ヨードチンキとアルコールで拭われ、ひやひやする背中にクウィンケの注射針が突き立てられた。針の中にマンドリンと称する細い針金が入っている特殊針は脊椎骨《せきついこつ》の間隙《かんげき》を進入していき硬膜を通過して脊髄腔内に到達した。ここでマンドリンを抜くと透明な脊髄液がポタポタと落ちてきた。その音が利平にも聞えてくる。唐山の手技はなかなか正確だ。

「トロパコカインは何ccにするね」と唐山。

「一ccじゃ」と利平。

麻酔薬の注入が終った。利平は手術台に仰むけになり、手術局部（右下腹部）の消毒をさせると、背中に枕を入れて自分の腹が見える位置まで起きあがった。穴あきの消毒布を右下腹部にかぶせて待つこと二分。まず両脚の感覚が無くなり、無感覚が腹まであがってきた。

「よし、いくぞ」

メスで皮膚を切開した。痛みはない。自分の体を切っているという意識を追い払い、それを他人の皮膚だと思おうとする。さいわい長年の外科医としての修練が助けてくれた。何も考えずとも指が動いてくれる。虫様突起切除術などもう何千という症例を手がけている。出血があれば指はつと動いてコッヘル鉗子《かんし》でパチンととめてしまう。筋肉を押し開いて指が奥へ奥へと分け入っていくのは、丁度勝手知った森林を足が自然に目的地へと歩いていくようなものだ。

虫様突起炎の切開法には先人の開発したいくつかの方法がある。今おこなっているのは

〝直腹筋切開法〟といって、腹の中央を縦に走る直腹筋の外側にそって切り開いていく方法だ。切開線が長く、縫合したあとヘルニアをおこしやすいので不断はあまりやらない方法だ。しかし割いた腹腔内がよく見えるので今はこの方法しか無しと結論を下したのだ。

腹が割れて白い魚のような腸が現れた。今自分は昔の武士のように切腹をしているという自覚がおこってきた。痛むはずはないと打ち消すのだが傷口全体に痛みが燃えた。試しにメスの先で皮膚を突いてみた。何も感じない。ではこの痛みは幻なのだ。時田利平よ、しっかりせい。

皮膚の堅固さ、脂肪の柔かさ、筋肉の弾力、そのどれもが腸には備わっている。人間は管であるという彼の基本とする考えの中で腸こそはもっとも重要な内臓である。胃のつぎに十二指腸、それから空腸、回腸と管がのびてきて、盲腸、結腸、直腸から肛門《こうもん》の出口へとエンエンとつながっている。盲腸は、盲結直の大腸の入口にある太い腸だが、なぜか虫様突起という奇妙な盲管を持っていて、これが病気をおこしやすい。化膿したり、破れたり、癒着《ゆちやく》したりする困り者だ。十五人に一人は虫様突起炎をおこすと言われ、利平がおこなった手術の中では虫様突起切除術が一番多かった。正直に言って、その半分は誤診で虫様突起炎ではなく、手術も必要なかったが、なに構うものか、人間の管をすっきりとした形に完成させたのだし、将来の病気を予防したのだし、何よりも手術料が儲《もう》かった。

指先を腹の中に突っ込み、ぬめぬめと逃げる腸をまさぐるうち、どろどろの血膿《ちうみ》が溢《あふ》れ出てきた。鉤をひいて切開口を覗いていた唐山が、おっと驚きの声を立てた。

「大分ひどいぞ。腹膜炎をおこしている。膿瘍もでっかいな」

「なあに、これしきの腹膜炎……」盲腸を探り当てて、そろそろと腹の外に引っ張り出した。何やら異形の塊が頭を出してきた。普通だったらなまめかしいほどに白く薄く柔かいものがおどろおどろしい赤い血にまみれ、変に分厚い壁の代物《しろもの》に変っていた。利平がいつも不思議に思うのは、健常の内臓は惚《ほ》れぼれするほど美しいのに病んだ内臓は醜いということである。健常な内臓は単純な形を示し内部の構造もわかりやすく体全体のなかで明確な役割を果している。ところが病んだ内臓はやたら猥雑《わいざつ》な形を見せつけ、内部は滅茶滅茶《めちゃめちゃ》に入り組み、元来の役割を放棄するばかりか体全体の機能に邪魔だてをする。もっとも、この病んだ内臓の見せつけがましい異形のありようこそが外科医にとっては救いなので、彼は敵である対象をたやすく見出《みいだ》して戦をいどむことができるのだ。戦略はただ一つ、猥雑な異形の塊を切りはなし、単純で美しい部分のみを残してやることだ。今、利平の指は盲腸と虫様突起の病変を正確につかんで切断の場所を特定した。この切断部の先を絹糸で〝タバコ縫合〟といって巾着の口のように縫っていき、病巣を切断したあと糸を締めると腸の外側が内側めくりに埋没して安全な仕上げとなるのだ。そのとき縫合のため盲腸を引っ張りすぎて吐き気がきた。

「大丈夫かい」と唐山が言った。

傷口に吐いたら大変である。「うーむ」とどうにか吐き気をこらえた。腸を引っぱれば吐き気がくるのは神経の反射なのでふせぎようがない。しかし、病変が大きいのでかなりの部分腸を引き出さねばうまく縫合も切断もできない。吐き気を我慢しながら、利平はハラワタを引きずり出して奮戦したという昔の荒武者の心境になった。血圧一三七、脈搏一一〇、体力は何とか持ちこたえている。あとは気力だ。汗が噴水のように吹き、中林に拭わせた。やっと病変部を全部外に出した。この血まみれの怪物め。利平の指が、怪物退治にむかう勇者のように働きだした。タバコ縫合はすぐ完成し、メスが一気に怪物を切り落した。切断面を消毒して巾着の口をぎゅっと締めて結んだ。余計な糸を切る。

「やったね」と唐山が祝福した。

「やった」利平は、切断された怪物を膿盆に投げ捨てると、みずからの手術の成果を見極めようと、盲腸の断端を見た。綺麗《きれい》な仕上げである。ほっと一息をつくと、前かがみの姿勢で自分の腹の中を覗《のぞ》き込んでいたため背中全体が型に塡《は》められた板のようだった。背を伸ばしてみる。無影灯がまぶしく背筋が快く軋《きし》んだ。

「中林、肩をもんでくれ」と命令したが中林の姿が見えない。

「中林先生は今報告に行ってます」と間島婦長が言った。

「報告だと、誰に」

「奥様が心配なすって様子を知らせてくれと……」

「余計なことを。心配なんどいらん。まだ手術は終っとらん。肩をもまんと後が続かん」

中林が戻ってきた。利平は怒鳴りつけようとして思いとどまった。大声を出すと腹の傷に響くのだ。肩をもませ、背中に枕を入れさせ、前と同じ前傾姿勢となって傷口に向った。

手術の第一段階は終った。しかし、まだ腹腔内に溜《たま》った膿や血を清掃する作業と傷口の縫合が残っている。腹膜炎をおこした部分がおたがいに癒着して嚢《のう》を作って膿瘍となっているのだ。困ったことに麻酔が不充分になってきた。思いのほかの難手術で時間がかかり、有効時間の四十分がすぎたのだ。切創となっている皮膚と筋肉がちくちくと痛む。やがてずきずき痛み始めるだろう。ためしに足の指先を動かしてみると鈍いながら動かすことができる。それを唐山が目ざとく見付けた。

「麻酔が切れてきたな。ノボカインで局麻をしてやろうか」

「いや、このままで続ける」

「莫迦《ばか》言っちゃいけない。まだやることが沢山ある。とても我慢しきれんぞ」

「まだ完全に切れたわけじゃない。このままでいい」

「頑固爺《がんこじじ》いめ」と唐山は溜息《ためいき》をついた。

脂汗《あぶらあせ》が額に染《し》み出す。痛みをこらえて膿瘍を拭《ぬぐ》っていく。ガーゼ三枚が血まみれになった。なるほど確かに頑固にやせ我慢している。麻酔の持続時間内で手術を終えてみせると豪語した手前ひっこみがつかないのだ。しかし麻酔なしでおこなう手術がどういう苦痛をあたえるかを体験してみたかったのも事実だ。単なる好奇心が第二にある。一体この痛みとは何なのかを知りたい。体を切っても突いても痛む。黴菌《ばいきん》がついて炎症をおこしても、腸が詰って閉《へい》塞《そく》症をおこしても痛む。痛みは生体に危険な状態がおきたことを体自身に警告する。が、単なる警告ならば短時間続けば充分なのに、それが切れ目なしに持続するのはなぜか。さらには痛みによって体自身が打ちのめされ生命の危険（医学でいうショック症状）をおこすのはなぜか。つまり、痛みは単なる警告ではなくて、体に対する害悪そのものでもあるのだ。体の感じる痛みは、心の痛みとそっくりだ。心の深い傷は強く長く持続して、ついには心をも亡《ほろ》ぼしてしまう。支那人が心の苦痛を〝断腸の思い〟と表現したのは言いえて妙である。傷口がずきずき痛み始め利平はうめいた。どうしても声が出てしまう。この痛みは、かつて幼い子供たちに別れたときの痛みにそっくりだ。ずっと忘れていた過去が痛みのなかから浮びあがってきた。大切なことは心の痛みは忘れることができることだ。体の痛みも同じ構造でそれを感じないようにそらすことはできぬか。この問題への関心が第三にある。利平は痛みを意識から弾《はじ》き出そう、忘れてしまおうと努力してみた。鉄道事故など緊急の場合に麻酔をしようと手間取ると救命の時期を失してしまうので無麻酔で手術を敢行することがある。我慢しろもうすぐ終ると負傷者を叱《しか》りつけながら何と残酷な行為をおのれがするものかと自己嫌悪《けんお》におちいることがある。しかし、今やってるように気持を傷にむけなければ痛みはある程度減弱せしめうる。むろん痛いには痛いが、脂汗が吹き出てうめき声を漏らしてはしまうが、まあ何とか無麻酔手術にもたえうる。四枚目のガーゼを挿入《そうにゅう》してもさして汚れぬと見るとゴムの排膿管を埋めこみ縫合にかかった。腹膜、筋肉、皮膚の順に傷口を閉じていくのだ。利平の意識で痛みはずきずきと耐えがたくなったり、きりきりの程度に減少したり、さまざまに変化した。痛みというのは避けえぬ害悪だがそれを覚える体のほうの条件にも左右されると利平は知り、思わず頰笑《ほほえ》んだ。唐山が言った。

「驚いた人だな。笑ってる。それとも顔がひきつってるのか」

「笑ってるほうじゃ。この実験である事実がわかったからな。喜んどるんじゃ」

手術は終結段階に辿《たど》り着いた。指は正確に動いて針糸を使ってくれている。この指こそは徹底的に訓練され頼りがいのある部下どもである。開いた皮膚を縫い閉じていく。激痛が伏兵のように襲い掛ってきた。何くそ、この敵兵めと、一針一針で敵を突き伏せるように縫い進み、全部を縫いおえたとき力尽きた。槍衾《やりぶすま》に倒された感じで利平は気を失なった。

8

初江と夏江が時田病院の玄関を入ったとき、あたりに常ならぬ気配があった。日曜日の夜といえば外来は真っくらで人気もないはずなのに、電灯がしろじろとつき看護婦たちが物々しげに往来している。「急患でもあったのかしら」初江は夏江と顔を見合せた。〝お居間〟の前に来ると鶴丸が待っていたように顔を出し、「みなさま集っていらっしゃいます」と真剣な面持《おももち》で言う。菊江を囲んで史郎と悠太がいた。駿次と研三は隅《すみ》の子供用の蒲団《ふとん》で眠っていた。

「あら史郎ちゃん、帰営しなかったの」と初江が言った。

「親父《おやじ》が大変なんでね、特別許可をもらった」

「大変……」

「実は、盲腸が悪くなって手術した。自分で自分を手術した」

「ええ」と初江は驚きの声をあげたが言葉の割には驚いていない。そういうことを利平ならやりそうな気がする。それから安心して言った。「御自分でおやりになったのなら大丈夫ね。手術は成功ね」

「そうらしい。ちゃんと最後まで遣《や》り遂げたそうだ。しかし終ったとたん失神しちゃった。ショックをおこしたんだ。今、唐山先生が診察してる」

「ショックってのは危険な状態なの」

「危険だともさ。血圧が急にさがって……」史郎は母の沈みきった様子を一瞥《いちべつ》して言い直した。「何しろ相当ひどい盲腸炎だったらしい。膿が溜って腹膜炎を併発していた」

　菊江が誰に言うともなくつぶやいた。

「きのうの朝から盲腸が痛みなさったのを平気で外来病室と飛びまわられて、午後には大手術、きょうは車で田舎道を遠出……」

「たまったもんじゃない」と史郎が父親似の大きな目を剝《む》き、坊主頭《ぼうずあたま》をがりがり掻《か》いた。

「医者のくせにてんで衛生観念がない」

「史郎」と菊江がたしなめた。「そんなふうに言うもんじゃありません。おとうさまは本当にお忙しいんだからね」

「しかし、新田まで車で行く必要はない」

「それも孫たちを楽しませてやろうと思われたからです」

「あの女が車を運転する親父を見たがるからだ」

「お黙り」不断おだやかな菊江には珍しい癇声《かんごえ》だった。頰が真っ赤に上気していた。

「黙らないよ」と史郎が腕組みして言った。体格のよい彼がそうすると母親を押し除《の》けるような迫力があった。「おとうさまはあの女ときっぱり別れるべきなんだ」

「なぜ」と夏江が尋ねた。

史郎は妹の唐突な疑問にびっくりして、「きまってるじゃないか」と答えたが何だか自信がなさそうだった。

「おとうさまの行為に他人が口出しするのはおかしいわ。おとうさまだって、いろいろ事情があってそうなさってるんだから」

「他人ではない。おれは子供だ」

「おとうさまは人間よ。おにいさんも人間よ。つまり他人同士じゃないの」

「……」史郎は妹の整然とした理屈に反論できず、目を白黒させた。

悠太があくびをした。九時十分だ。祖母と折紙を折っていたが飽いたらしい。この分では今夜は帰れそうもない。あすの幼稚園は休ませるより仕方がない。

「悠ちゃま、お寝かせしましょうか」と鶴丸が言った。子供三人を夏江の部屋に休ませることにして鶴丸は一人で立働いた。その間、初江は西大久保《にしおおくぼ》に電話した。なみやの心細げなのに、戸締りと火の用心の念を押した。

九時半過ぎに唐山博士と中林代診が姿を現わした。二人とも長身だが、白髪で骨太な唐山先生は、白衣が体にぴたりときまり名医然とした威厳がある。物問いたげな一同の前に正座すると軽く会釈《えしやく》した。

「一応ショック状態は脱しましたが、高熱と腹痛と疲弊がひどいのです。排膿管からの膿もかなり出て、弥漫性《びまんせい》腹膜炎をおこしています」

「じゃかなり危険……危篤《きとく》ですか」と史郎が聞いた。

「いいえ、そうは思いません。虫様突起の病変部は完全に切除できましたから、これで回復にはむかうでしょう。薬で痛みは今のところ止めてあります。あとは中林さんにおまかせして、わたしはこれで……」

菊江が湯をうった金盥《かなだらい》をすすめ、唐山は白衣を脱いで手を洗った。しきりと礼を言いながら菊江は尋ねた。

「自分で自分を手術したため病状を悪くしたのでしょうか」

「いいや奥さん」唐山は謡《うたい》の名手らしい朗々とした声で答えた。「そんなことはありません。時田先生は完璧《かんぺき》な手術をなさった。自分の病気に対して最良の治療をなさった」

「そうですか」菊江は安堵《あんど》して、初めてにっこりした。

唐山博士が帰ってしばらくして中林がまたやって来た。

「おお先生がみなさんにお会いになりたがっています。何でも重大なお話がおありになるそうです」

「重大なお話……何でしょう」菊江は消え入りそうな表情になった。

熱で赤らんだ顔をむけ、利平は妻と子供たち一人一人に頷《うなず》いた。菊江が何か言いたそうに身じろぎすると目で制しておもむろに口を開いた。

「おれは危篤状態じゃ。死期が迫った。虫様突起炎が思いのほかの重症でな、回復はまったく覚束《おぼつか》ん。自分で自分の腹の中をのぞいてよう見極《みきわ》めたからこれは確実なことじゃ」

「あなた」菊江が枕元《まくらもと》にすがりついた。「気をしっかりお持ちなさいまし。唐山先生は手術は成功だった、大丈夫回復するとおっしゃってました」

「唐山に何がわかる。手術をやったのはおれじゃ」

「ですけど……」菊江は助けをもとめるように子供たちを振り返った。初江は史郎と顔を見合せ、〝何か言ってあげなさいよ〟と目まぜをしたが、弟が案のほか困惑しているので自分で進み出た。

「おとうさま。死ぬなんてお考えになるのおやめになって。生きて下さい。博士論文、もうすぐ完成じゃありませんか」

「残念じゃ」利平は弱々しく言った。呼吸は早く苦しげだ。「おれは医学博士にはなれん。もうすぐ死ぬ。あと一日か二日……人間が死期を知るというのは本当じゃ。体中の精気が突然抜けてな、全身から死のメッセージが来よる。ハハ」と苦笑する。「面白いもんじゃ。体のほうが心より先に進んどる」

菊江がすすり泣きを始めた。利平は燃える赤い目でジロリと睨《にら》みつけ、「泣くな」と叱った。「今後のことを冷静に相談せにゃならんのに、興奮するやつがあるか。みんなよう聞け。まず、おれの意識があるうちに、すなわちじゃ、今晩中に、親しい人に別れを告げたい。このむねを今すぐ知らせてくれ。誰に知らせるかは史郎、長男のお前が考えろ。それからおれ亡《な》きあとの病院の将来について相談したいから、この件についてのお前の意見をあとで聞かせろ。さあ行け」

　利平は目をつむると片息をついた。甲羅《こうら》のように脹《ふく》らんだ毛布の端に、きょう一日ですっかり憔悴《しょうすい》した顔が、しなびた亀《かめ》の首のように出ている。間島婦長が氷嚢を額の上に垂らし毛布を直した。妻と子供たちは足音を忍ばせて退散した。

〝お居間〟にもどった一同を重苦しい沈黙が支配した。

菊江は「どうしたらいいかねえ」と項垂《うなだ》れ、史郎は「やれやれ」と明け放した窓に腰掛け、しきりと背を伸ばし、いきなりあくびをすると、「十時の消灯時間が来やがったんで睡《ねむ》い」と言い、睡気ざましだとひょいと畳の上で逆立ちをし、真っ赤な顔になって坐《すわ》った。

「親父は本当に悪いのかな。どうも信じられねえ。けさ飛行機の操縦を習いたいと元気一杯だったくせに、夜にはもうすぐ臨終だなんて言う」

「何をお言いだね」と菊江が気色ばんだ。「おとうさまの御診察に間違いないよ」

「自分で自分を診察する場合は間違いやすいってことがありますよ。重く考えすぎる。親父の顔は、ありゃ重病人の顔じゃない」

「でも四十度ぐらいの熱があるわ」と初江が言った。「呼吸だって荒いし、普通じゃないわ」

「そりゃわかるけどさ。あすあさって、死ぬって顔じゃねえや」

「史郎」と菊江がたしなめた。「死ぬとか臨終だとかという言葉はやめておくれ。聞いただけで身が縮むよ」

「死ぬってのは親父殿が言ったんですよ」と史郎は不満げに言い、ひょいと逆立ちして今度は片手で立とうとして失敗し、どんと畳に転がった。

「ともかく、おとうさまの仰《おお》せに従って〝親しい人〟を呼び集めなきゃならないわ」と初江は言った。「でも〝親しい人〟ってどの範囲までかしら」

「それが面倒だな」と史郎は胡座《あぐら》を組み、腕も組んだ。「もし親父が危篤じゃなかったら親しい人に知らせる必要もない。もうすこし様子を見たほうがいい。大勢呼び集めてあとで治りでもしたら恥をかく」

「お治りになったら嬉《うれ》しいじゃないの。恥をかくなんていう心配はこの際一切無用だと思うわ。史郎ちゃん、まるでおとうさまが冗談なすってると言いたいみたい」

「正直言って冗談だと思う」

「本気よ」

「冗談だよ」「本気よ」二人は同じ言葉を繰り返した。

「わたしはこう思うわ」と不意に夏江が言った。「おとうさまにも、本気か冗談かおわかりにならないの。ただ確かなことは、おとうさま、おにいさんを試してらっしゃるのよ。長男として、こういう危急存亡の際にどう対処するか試験なさってるのよ」

「そうかな」と史郎は腕組みを解き、両手で膝頭《ひざがしら》をさすりだした。「そうらしいな。なお面倒だな」

「誰に知らせるか、相談しましょうよ。すくなくとも今すぐ、それだけはすべきだわ」と夏江が言い、他の三人も同意した。

　菊江の妹藤江と夫の風間振一郎と小暮悠次は難なく決った。利平の兄が数人故郷の山口県須佐《すさ》にいたが、これは遠隔地でもあり、最近ほとんど交際がないので除外された。議論になったのは、秋葉いとで史郎が反対し初江と夏江もそれに同調したが菊江ひとり、「あの女を呼ばなかったらあとでひどく叱られる」という理由で賛成した。史郎が風間家に、初江が鵠沼《くげぬま》の悠次に、鶴丸がいとに電話連絡をとった。

　せっかく長いあいだかかって通じた長距離電話に悠次は中々出ず、やっと出るとのっけから文句を言った。

「今満貫であがったんだ。ついてきたところなんだぜ」

　初江の訴えに悠次は笑いだした。

「ご本人が自分で危篤だなんていう病人、聞いたことないよ。そんな元気があるなら大丈夫さ。あす、会社の帰りに一応見舞に寄る。おとうさんにはそう伝えてくれ。じゃ、よろしくな」

　電話は切れてしまった。しかし箱形の電話機からはなおも牌《パイ》の音、タバコの煙、男たちの笑い声が洩《も》れてくるような気がして、初江はしばらく睨《ね》めつけていた。

　自動車が二台滑りこんできた。風間振一郎藤江夫妻と四人の娘たち、それに驚いたことに脇美津までが降りてきた。偶然風間家に遊びに来ていたので、急を聞いて便乗してきたという。応接間兼用の利平の居間は、大勢の女たちでにわかに華やいだ。四人の娘たちの色とりどりの着物が長椅子《ながいす》に切り花を台に並べたようだ。彼女たちは重病人を見舞に来た深刻さを示すよりも、若さから来る陽気な気分を全身から発散させていた。上の娘の百合子は、それでもかしこまって構えていたが、中の二人娘で双子の松子と梅子は、同じ黄八丈に同じ水色の帯を締めて肩と肩とで押し合いをし、末娘の桜子《さくらこ》は、こんな夜おそく伯父の家に来たのが嬉しいらしく、くりくりした目で錨形《いかりがた》の置時計や海軍軍医の軍服を着た利平の肖像《しょうぞう》を見回していた。

時田家を代表して史郎が病状の報告をした。自分の腹を自分で手術したくだりに来ると、四人の娘たちはオルゴール人形のように動き出し、一斉《いっせい》に声をあげた。「まあすごい」「それじゃ切腹ですわ」「痛かったでしょう」「そりゃ痛いわよ」「伯父さま勇敢ねえ」「でもそんなことできるのかしら」

「……で、盲腸炎はひどくて腹膜炎をおこしていたそうです。手術は成功したんですが、その直後に失神しました。唐山先生によるとショック症状というのだそうです。高熱があって、血圧が低く、危篤です。さっき父は意識をとりもどし、死期が迫ったから、親しい人々に会いたいと言いだしました。それで、こんな夜分、お出まし願ったようなわけです」史郎は風間振一郎に深々と頭を下げた。

「よくわかった」と振一郎は頷いた。二重顎《あご》が三重になり、縁無眼鏡が光った。「では今すぐお会いしましょう」

「父の様子を見てまいります」と史郎は出て行った。内々では父の病状を皮肉に解釈していた史郎は風間家の人々に対しては極端に物々しげに話した。

「わざわざどうも」「いいえ」「みなさまお変りなく」菊江と美津が挨拶《あいさつ》を交し、そこに藤江が加わった。美津の視線は何げないようでありながら、何度も夏江の上を通りすぎた。

「ねえ夏っちゃん」と松子が立ちあがった。「わたしたちあなたの部屋へ行きましょうよ」

「そうよ、行きましょう」と梅子も立って、大きく息をした。この双子と夏江は聖心の同級生で親しい仲だった。夏江・松子・梅子のあとに百合子と桜子が従った。自分も行こうと腰を浮かした初江は、菊江から目くばせを受けた。〝叔父さまのお相手をなさい〟という意味で、やむを得ず振一郎の隣に坐った。

「どうだね子育ては」と振一郎は気さくに言った。背広のチョッキが丸くはち切れそうだ。

「大変ですわ。男の子三人ですもの」

「女の子四人よりは楽かもしれんぞ。男の子はさっぱりしてるが、女の子はねちねちくっついて、かなわん」

「そうですかしら」

「そうとも。それに大きくなれば親を助けてくれる。女の子は親から吸いあげるばかりで助けにならん」

「わたくし女ですわよ」

「お、忘れとった」振一郎は笑った。場所がら不謹慎なほどの快活な笑いである。「初っちゃんは違うか。親に貢《みつ》ぐほうか」

「初江さん、いかが」と美津が突如話しかけてきた。〝いかが〟で意味深長なまたたきをした。初江はその信号に気付かぬふりをして別なことを言った。

「本当に、けさは元気でしたのに、病状が急変いたしまして、ただもうびっくりしております」

「病気って予測がつきませんからね」と美津は何食わぬ様子で応じた。「宅の礼助の場合もそうでした。満洲《まんしゆう》事変の一周年の記念日に熱弁を振ってから喘息《ぜんそく》の発作をおこしましてね、大したことはないと思っていましたらそのあと肺炎になって寝込んでしまいました。絶対安静が必要な肺炎なのに、その安静を破るのが喘息の発作で、病気はずんずん悪くなり、帝大の稲田先生もまさかあんなに急に悪くなるなんて予測できなかったとお嘆きになる始末でした」

「そうだった」と振一郎が言った。「脇先生の演説はぼくも拝聴しに行ったんです。一時間四十分にわたる大演説でしたね。元気一杯でアジア・モンロー主義をとなえていた。国際聯《れん》盟《めい》などは、世界平和のための聯盟にあらずして欧州平和のための聯盟だ、あんなものから日本は脱退して、アジアに還《かえ》り、アジア八億の人間の生活のために努力せよというのです。脇礼助のアジア・モンロー主義の一つの成果が満洲事変だった。満洲は国防の第一線だから日本が守る。ロシアも英国も米国も文句を言うな。東洋平和のために日本の七千万人がこぞって立ったのが満洲事変だったと脇さんが声をふりしぼったとき、万雷の拍手がおこりました。

おそらく、その瞬間が政治家脇礼助が生涯で到達した最高点だったと思います。その直後にあんな具合に病気が重くなるなんて誰も予想もしなかったですな」

「それも自宅で臥《ふせ》っていればよいものを鎌倉の海浜ホテルに出掛けるなんて無謀なことをいたしました。あの重病人が自動車に三時間も揺られていくなんて無茶苦茶でした」

「なぜ海浜ホテルへ行ったか。その理由はいろいろ臆測《おくそく》されているけれども、ぼくはこう思うんです——脇さんは自分の死期を知っていたんだと。鎌倉の海浜ホテルというのは脇さんが近衛《このえ》文麿《ふみまろ》に出会い、貴族院と衆議院の若い連中を集めて、例の〝憲法研究会〟を発足させた思い出の場です。それが政治家脇礼助の出発点だった。脇さんは、きっとそういう思い出の場で死にたかったんでしょう」

「そうかも知れませんね」と美津はしんみりと言った。亡夫の旧友で石炭会社の社長である有名な実業家、風間振一郎との会話を独占しているのが得意らしく、取残された形の菊江と藤江と初江に軽い一瞥《いちべつ》を与えてから、すこし声を震わせた。「なにしろ海浜ホテルでは看病が行きとどかないので逗子《ずし》の別邸に移ってからも、政治のことばかり言い続けておりました。満洲国の現状とかアメリカと日本の海軍力の比較とか、そんな話ばかりで、家庭のことなんか一言も喋《しゃべ》りません。お見舞の方々にもそういう話ばかりで、亡《な》くなるまで自分の病気のことはただの一言も言いませんでした」

「ぼくも昔結核で喀血《かっけつ》したときに死を垣間見《かいまみ》たんです。あれはロンドンのハムステッドの下宿だったが、死を覚悟して寝ていると無性闇《むしょうやみ》に親しい人に会いたくなった。でもね、おねえさん」と振一郎は菊江に言った。「人間が知る死期てのは間違う場合もある。脇さんのような場合はむしろ例外で、ぼくなんか死ぬと思って助かってます。助かったどころか結核治療の成功者として『肺病に直面して』とか『結核征服』なんて本を出したくらいです。これはね、時田先生の医者としての手腕を批判する意味で言うのじゃありませんよ。たとえどんな名医でも死期の診断は正確にはわからんということです。だから、あまり気落ちなさらんように……ぼくはね、死ぬと決めているにいさんを慰め、生きる方向に意見を変えさせてあげたい。そのために来たんです」

史郎が沈痛な表情で入ってきた。

「父がみなさんに来ていただきたいと申しております。叔父さんからどうぞ」

風間夫妻が出て行った。美津はにわかに遠慮深げに「わたしは縁が薄い身で、どうしましょうか」と史郎に尋ねた。

「どうぞ会ってやって下さい」と菊江が頭をさげると美津は、「それでは差出がましいですが、わたくしもちょっとお会いして」と立ちあがった。

夏江の部屋には、若い女たちの脂粉と香水と派手な色彩が充《み》ちていた。初江を見るとみんなは口を噤《つぐ》んだのだが、笑い声や冗談や噂《うわさ》や駄洒落《だじゃれ》がまだそこかしこに漂い、真面目《まじめ》くさった様子がかえって取って付けたようだった。

「伯父さま、お加減はいかが」と百合子が尋ねた。

「今からみなさんに会いたいんですって」

「行きましょう」と百合子が立った。

「まだ早いわよ」と桜子が言った。「わたしたち一番最後に行けば」

「でも何をお話したらいいのかしら」「お話すること何もないわね」と松子と梅子が言った。

二人はこもごも口を開いた。

「わたしたち、伯父さまとあんまりお話したことないでしょう」「今夜も行くの嫌《いや》だって言ったんだけど、パパったら全員行くんだ、なんて勝手に決めちゃうんですもの」「そしたら、あの脇女史が、伯父さまの一大事です、だなんて」

桜子が咳払《せきばら》いすると、きちんと正座して、すこし頭を傾《かし》げ、すまし顔で言った。

「あなたたち、すぐお支度なさい。伯父さまの一大事ですわよ」

それは美津にそっくりで、松子と梅子が手を打って笑った。

「ちょっと」と百合子がたしなめた。「あんたたち不謹慎よ。伯父さまが苦しんでらっしゃるのに。さあ行きましょう」

「待って」妹たちは急に身繕いを始めた。

一騒ぎになった。鏡台の奪い合いで化粧直しが始まる。着崩れを正し合う。松子と梅子の黄八丈が重病人のお見舞には派手すぎると百合子が言い出して姉妹の口争いになる。ざわめきで目を覚ました悠太に初江は着換えを命じ、駿次と研三も起して洋服を着せる。一同が出掛ける段になると初江が最年長者の分別を見せて「静かに」といくら制しても、何やら賑《にぎ》わしい行列となった。

病室の前に来ると、その場のひっそりした雰囲気《ふんいき》に気圧《けお》されて、娘たちはしおらしく静まり返った。ベンチに菊江と史郎が坐《すわ》っていた。風間夫妻の面会がおわり、今脇未亡人が入っているという。やがて目を泣き腫《は》らした美津が出てき、みんなに黙礼して去ると菊江が入った。史郎の提案で、まず初江と子供たち、つぎに史郎、夏江、それから風間家の子供四人の順に入ることにした。廊下には中林代診をはじめ医師たち、間島婦長、鶴丸看護婦、久米薬剤師、大工の岡田、運転手の浜田、看護婦たちがひそひそ話を交しながら詰めていた。中林はひょろ長い体の先の顔をしかめながら、院長の手術に立ち合った情報を医師たちに仔細《しさい》らしく洩らしていた。そんな代診の行為を莫迦《ばか》にしたように、間島婦長は本当のことは自分のほうがよく知ってるという態度を見せて、わざと医師団に背を向けていた。大人たちの沈痛な様子におかまいなしに悠太と駿次はスリッパをパタパタさせて廊下を走り回っていた。睡気のため機嫌《きげん》の悪い研三を鶴丸は抱いてあやしていた。初江は悠太と駿次を静かにしなさいと叱《しか》りつけ、父は本当にこのまま死んでしまうのかと思い、この重大な場面に悠次が来ないのは何という失態だろうと恥じた。

史郎が「おねえさん」とささやいた。「病院の将来のことだけどね、どうしたらいいと思う」

「そんなむつかしいこと分らないわ。史郎ちゃん考えてよ」

「もしも親父《おやじ》が死んだらこの病院は閉鎖だな。おれには病院経営なんて辛気くさいことはできんし、お袋にも休息してもらいたいし……どっかに小さな家でも買って気楽に暮したい。

お袋ひとりはおれが面倒をみる。問題は……」と史郎は夏江をチラリと見て頭を振った。

「史郎ちゃん」と初江は姉らしい勿体《もったい》をつけて言った。「そんな計画じゃおとうさま納得なさらないわよ。この病院を誰かが継いでいくのがお望みなんだから。何とか病院だけはつぶさないように考え直してよ」

「面倒だな」

「あなた、何かっていうと面倒がるけど、それ悪い癖よ。ともかく今はおとうさまを安心させなくては。何でもいいから安心なさる案をひねりだして」

「わたしが医者と結婚して病院を継げばいいんでしょう」と夏江が不意に言った。

史郎は目を剝《む》いて妹を見詰め、初江は不満げに口を尖《とが》らせ、「誰もそんなこと言ってないわ」と言った。

「あ、そう。そんならいいんだけど」と夏江は言い、つんとそっぽを向いた。

菊江がよろめき出てきて、史郎に抱えられた。喘息の気が出たらしく、喉《のど》をヒューと笛のように鳴らして苦しんでいる。中林が飛んできて間島婦長を呼び、治療室のベッドに坐らせた。喘息患者を横にするとかえって苦しむので、上半身を起した姿勢をとらせるのだが、それが見ている人には痛ましく思える。母を看病しようとした初江は史郎に呼び止められた。

「おねえさんの番だ」

「おじいちゃまにお会いするのよ」と初江は子供たちに言った。「おじいちゃまは重い御病気なんだから静かにしてね」

左腕に研三を抱き、右手で駿次の手をひき、悠太を前に押し出しつつ初江は進んだ。小学生のとき父に呼びつけられ叱責《しっせき》される場合の緊張が思い出された。真っ白に盛りあがったベッドを見て研三は恐《こわ》がって泣き始め、駿次は母の後に隠れた。

「みんなの顔をよく見せろ」と命じられ、初江はいやがる研三の顔を無理強《むりじ》いに利平にむけた。駿次は隠れん坊をしている子が鬼をのぞきみるように病人を見た。存外に平然としているのは悠太で、祖父の顔をまじまじと見て「おじいちゃま、どこが痛いの」と尋ねた。

「お腹《なか》が痛い」と利平は孫に笑いかけた。

「我慢できる」と孫は大声で尋ねた。

「できるともさ。おじいちゃまは強いんだ」

「じゃ頑張《がんば》って」と孫は言った。これを言うために一所懸命になったらしく額に汗が光った。

「おう頑張るぞ」祖父は孫の頭を撫《な》でた。孫はこそばゆげに首をすくめたが、目は真剣そのもので祖父を注視していた。

「ねえちゃんや」と利平は初江を幼いときの呼び方で呼んだ。「元気に暮せ。おれはどうも駄目らしい」

「いやよ。おとうさま、そんなことおっしゃっちゃ。生きて下さい。そうでないと、もう……」泣くまいと決心していた初江の気持の張りがここでたわんだ。子供たちが母の泣くのを驚いて見ていた。研三はかえって泣きやんだ。

「お前どうも不幸なようだな」

「いえ」初江は強く打ち消した。「そんなことはないんです。おとうさま、もう駄目だなんておっしゃるから、悲しくて……」

「悠次はなぜ来ん」

「上役の方の麻雀《マージャン》のお相手に駆り出されてるんです」初江は涙を袖で拭った。

「宮仕えのためには妻子や岳父は犠牲か」

「そういう訳ではないんですけど」

「そういう訳だ。だからお前は不幸だ。まあいい。そういう男でも我慢して元気に暮せ、子供のためにな」

「はい」

悠太の様子がおかしい。鼻血だった。利平は床頭台のガーゼを指差した。初江は子供の鼻をガーゼで押えた。兄の世話をやく母を研三は腕にかじりついて邪魔をした。駿次は、さっきから床頭台の上の吸い飲みや聴診器や診察用ハンマーをいじろうとして出した手を母にたたかれていたが、このときハンマーを握るのに成功し、しゃがんで床を叩《たた》き始めた。

「ねえちゃんや」と利平は孫たち一人一人に目を配り、「四人目を作れ」と言った。

「子供はもういりません。子育てには飽きました。結婚なんてつまんないものです」言ってしまってから、夏江の縁談を思い出した。「夏っちゃんに例の話をしましたら、今すぐは結婚したくないというんです。でも敬助さんが嫌《きら》いではないようです」

「結婚したくないが好きだと言うのか」

「……ええまあ」

「それじゃまるで主義者の言種《いいぐさ》だ。結婚を何と考えとるんじゃ。けしからん」語気が荒く口《くち》髭《ひげ》が震えている。

初江は考えた。夏江が利平に会った際、かならずや敬助との縁談が話題になるだろう。夏江の答え方によっては利平は癇癪《かんしゃく》を爆発させ、夏江のほうも黙っていずに、父娘のあいだが険悪になる。そうなれば利平の生命にもかかわる。ここは自分が防壁となって夏江のために弁ぜねばならない。

「夏っちゃんは今、悩んでるんです。わたしにもありましたわ。あの年頃《としごろ》に、女は結婚についての恐れから、あらぬ空想にふけるんですの。夏っちゃんの気持、きっと本人にもよくわからないふわふわしたものなんです。ねえ、おとうさま」と初江は、睡《ねむ》くてむずかりだした研三の背を撫でてあやしながら言った。「敬助さんとのお話について、夏っちゃんにいろいろお聞きになるの、今はおやめになって。もうちょっと間をおいて、よく考えさせ、そのうえでわたしが本当の気持を聞きますから」

「ほほう」と利平は微笑した。その微笑には〝お前にそんなことができるかな〟という皮肉な影があった。〝できますとも〟という表示として初江は自信ありげに目をしばたたいた。が、すぐ自分の言葉の矛盾に気付いて動揺した。明日にも死ぬという父にむかって〝間をおいて〟とは何と奇妙な要求をしたことか。

利平は疲れたのか目を閉じ、せわしい呼吸に入った。小鼻がひくひく動き、口髭が息になびいた。父が重病人であることをつい忘れて長話をしたと初江は後悔し、睡って重い研三を抱きかかえて帰りかけると、利平がかっと目を開いて言った。

「さっき脇の美津さんが熱心に夏江を所望して帰った。先方は本気じゃ。本気の先方に対して、こっちの返答がふわふわでは困る」

「おねえさまが……」

初江は眉《まゆ》をひそめた。重病人に息子の縁談を願うとは何と思いやりがないことかと思う。

「だからな、はっきり返事をするよう、夏江に言え」

「おとうさまは、この件夏っちゃんに黙ってて下さる」

「ああ、この件はお前に一任する」

〝一任する〟と言われ、幾分嬉《うれ》しく、しかし重荷を背負った気持で初江は廊下に出た。あたりの空気がすっかり変って重苦しく淀《よど》んでいる。原因は秋葉いとだった。彼女は田舎じみた久留米絣《くるめがすり》で看護婦たちの端に佇《たたず》んでいた。浅黒い顔は、日焼けのためかますます黒く、俯《うつむ》いた顔の表情は読めない。看護婦たちは、この元同僚の存在が気になっているくせに、押し黙ってあえて無視していた。いとを真っ向から睨《にら》みつけているのは史郎で、今にも獲物に飛びかかる猟犬のように身構えていた。が、つぎの番は史郎で、初江と入れ替りに病室に入った。するとと夏江がいとのそばへ行き、ドアの前まで引っぱってきた。いとは初江にむかって丁寧に頭を下げた。初江はどう対応していいかわからず、知らん顔も変だと思い、軽い会釈《えしゃく》を返した。初江が結婚する前に、いとは看護婦として勤めていて、時々見掛けたことがある。しかし、いつも何か卑下するような態度を見せ、初江が近付いていくと恥かしげに目をそらす風で話しかけたことは一度もなかった。今、目の前のいとは昔と変らず細身で若々しく、菊江の婆《ばあ》さんじみた体とまるで違い、利平がいとを愛《め》でる気持もわかり、それだけに生臭く薄気味悪かった。

「あのう」といとは腰を低くして初江に言った。「おお先生の御容態いかがでございましょうか」

初江はその莫迦丁寧な声に嫌悪《けんお》を覚えて身震いし、結果として〝容態が悪い〟と頭を振って答えた形になった。

「手術はうまくいったんです」と夏江が答えた。「でも、ちょっと手遅れで盲腸炎がひどくなっていて、熱がひどいんです。で、御自分ではもう助からないと思ってらっしゃるの。ね、秋葉さん、父を励ましてあげて下さいな。ね、おにいさんのつぎはあなたがお会いになって」

「わたしはお会いしなくても、ここで御様子をうかがえば充分でございます」

「駄目。お会いしたがってるのは父のほうなんですから」と夏江は断ち切るように言った。

史郎が出てきて深刻な顔付で夏江に目くばせした。夏江はいとを開いたドアへ押していき、中に押し入れてドアを閉じた。史郎が文句を言いそうな気配に、夏江は素早く後ずさりして逃げた。

秋葉いとの出現を風間の四姉妹は不思議そうに見ていたが、百合子が夏江に「あの人だあれ」とささやいた。夏江が困惑して黙っていると史郎が「親父のこれだ」と小指を立てた。百合子が「まあ」と叫び、松子と梅子が期せずして同じ形で口をぽかんと開けた。桜子だけは事情がのみこめず、「ねえ、あの人誰なのよう」と大声を出して人々に振り向かれた。百合子は「伯父さまのお知合いの方ですよ」としかつめらしく答えた。

子供たちを鶴丸にまかせ、初江は治療室の菊江を訪ねた。母は背中に枕《まくら》を重ね当てして、一人ベッドに坐《すわ》っていた。

「どう」

「大分具合がいいよ」顔の色つやはよく、ヒューという笛音は消えていた。

「あまり心配なさるから……でも」と初江は涙声で言った。「心配ねえ、おとうさま、もう死ぬと御自分で決めておられるんですもの」

「そうじゃないのよ」と菊江は意外に明るい面持《おももち》をみせた。「お前だけに打ち明けるけどね、おとうさまはわざと危篤《きとく》だという振りをなすったんだよ。なにしろ御自分で手術なすったんだし、あれよりずっと重症の患者を何人も治してこられたんだからね。治る自信はおありになるのさ。それをお聞きして、すっかり安心したんだけど、わたしもおとうさまに合せて、ちょっとお芝居してみたのさ、心配のあまり、発作をおこしたってね」

「まあ」と初江はあいた口がふさがらなかった。「でも、なぜそんなことを」

「多分、御自分がどんなに大事な人間であるかをみんなに知らせようとなすってるんだね。みんなが大騒ぎするのを見て、内心、すっかり喜んでらっしゃるのさ」

「ひどいわ」と初江は腹立たしげに言い、それからほっと溜息《ためいき》をついた。「史郎ちゃんの言う冗談だったのか」

「そう、でもね、そんなことを思いつかれるほどには、重い御病気ではあるんだね。御自分が死んだらどうなるか、真剣にお考えにはなったらしいの。これは秘密よ。誰にも言っちゃだめよ」

間島婦長が入ってきた。菊江は急に苦しげに喉をヒューと鳴らし、初江は背中をさすり始めた。

9

自分の見立てでは十日で回復するつもりだった利平の病勢は、しかし日増しに悪化していった。手術したあたりに激痛がひどく、絶えまのない嘔吐《おうと》で、呼吸も跡切《とぎ》れがちになった。唐山博士が時々往診してくれ、看病には鶴丸看護婦と間島婦長と菊江が三交代制を組んで付きっきりであたった。吐き気のため栄養がとれず、衰弱して頬骨《ほおぼね》や鼻がとがり、医者がよく言う〝ヒポクラテス顔貌《がんぼう》〟となって、誰が見ても危篤状態の患者と見えた。

ところが数日後、利平があらかじめ予想していたとおりに、手術創に埋めこんだ排膿管《はいのうかん》から大量の膿《うみ》が出、そのあとふと熱がさがり吐き気もおさまった。それまでリンゲル注射に頼ってきた栄養も胃から入るようになり、ぐんぐん回復して、かつての重病が嘘《うそ》と思えるほどになった。唐山博士がまだ早いと止めるのに利平はベッドからおりて歩行練習を始め、歩けるようになると排膿管を腹からぶらさげた姿で診療をしだした。そして五月二十六日、海軍記念日前日、海軍軍医少監の大礼服を着て功五級金鵄勲章《きんしくんしょう》に従軍記章を胸にさげ、九段の軍人会館で催された海軍従軍者大会に出席した。全国から集った老兵は約二千、伏見軍令部総長宮の台臨のもとに、日本海大海戦三十周年記念の式典が開かれた。

病みあがりの利平は、まだ十全な体力を取り戻しておらず、大礼服の重みを支えるのがやっとで、海軍大臣を筆頭にお歴々が戦歿者《せんぼつしゃ》の霊に玉串《たまぐし》を奉奠《ほうてん》するあいだに貧血をおこし、正面壇上のZ信号旗を必死で見詰めて倒れるのをこらえた。が、余興になって椅子《いす》に坐ってからやっと人心地がつき、海軍軍楽隊が演奏する『日本海海戦』が流れだすと、水兵服の老兵たちとともに歌をくちずさんだ。

海路一万五千余浬《り》
万苦を忍び東洋に
最後の勝敗決せんと
寄せこし敵こそ健気《けなげ》なれ

砲声が天を打ってとどろき、水柱が海を破ってあがる。若き日の盛んな力が利平の胸によみがえった。血に染まった甲板、弾丸の砕け散るさなかの担架、そう、自分はあの大海戦に参加したのだ。利平は心より誇らしく老兵たちと頷《うなず》き合い、あす水交社でおこなわれる大捷《たいしよう》回顧の式典にも是非とも出席せねばならぬと思った。帰宅した彼は疲労のあまり居間で倒れ、そのまま食事もせず寝こんでしまった。しかし翌日は、葡萄糖《ぶどうとう》液とヴィタミンB剤と強心剤を注射し、ふたたび大礼服を着て芝公園内の水交社に出掛けた。

朝十時、水交社内の水交神社社頭に整列、海軍大臣、軍事参議官、軍令部次長などの海軍諸将星の参列のうしろで利平は立ちつくした。正午には大元帥《だいげんすい》陛下の行幸を仰ぐ庭園の祝賀会場に行き、千三百名の参会者の一員として海戦料理を陪食した。この海戦料理は日本海海戦当時の軍艦食で、握り飯、数の子、なますの簡素なものだったが、利平は珍しく食欲を覚えて全部をたいらげた。余興の東京大相撲となって参会者は家族を呼び入れ、利平も菊江と悠太を呼んで観戦させた。体の具合を心配する菊江に、利平は「大丈夫だ。陛下のおかげで、おれは完治した」と言った。その言葉のとおり彼は、翌日から以前と同じく診察、手術、研究といそがしく飛び回るようになった。もっとも体力の回復は遅々としていて、手術中に貧血をおこしたり、剖検していて吐き気をもよおしたりしたが、持前の強引さで、通常の日常生活に体を無理に馴《な》らすようにして頑張った。

梅雨時に経歯的結核感染の研究を大体終え、つぎの研究の準備にかかった。梅雨があけて、太陽が紫外線をふんだんに送ってくる真夏に、富士山頂での紫外線測定実験をおこなう準備である。利平が測定隊をひきつれて富士の北側、通称吉田口から登攀《とうはん》を始めたのは、八月上旬のある晴れた午後であった。

浅間《せんげん》神社の裏から登山道に入ると富士は大杉の間からすっくと頂きをのぞかせていた。だらだら坂が上っていく。先頭は富士吉田でやとった中年のガイド、ついで利平、中林、秋葉いと、大工の岡田、運転手の浜田、研究助手の書生、看護婦が二人、計九人である。むろん総指揮は利平で、この登山のため特別に購入した、チロル帽をかぶり、チェック織の毛シャツ、茶のニッカーボッカーズ、ドイツ製の登山靴《とざんぐつ》、それにリュックサック、つまり彼の思う〝万全な登山者の服装〟で、「止れ」「休憩」「出発」と大音声で号令を下していた。それだけでも目立つところに、男たちは利平の命令で揃《そろ》いの登山者の服装（ただし利平のよりぐっと安物）を着、女たちはその頃まだ珍しかった女物のズボンに赤いシャツを身につけ、しかも全員が食料、測定器材、実験用黴菌《ばいきん》培養シャーレの戸棚《とだな》などを入れた大型のリュックサックを背負っているので、一般の登山者——白い修験者《しゆげんじや》装束に金剛杖《こんごうづえ》をもち「六根清浄《ろつこんしようじよう》」ととなえる人たち——のなかで異形の集団として人目をひいた。

〝中の茶屋〟の前では赤前掛の女たちが「らっしゃい」「寄ってらっしゃい」と呼びこみをしていた。真っすぐな道を赤松の林が単調に覆《おお》っている。蟬《せみ》しぐれが遠くのカッコウを消し、木々に遮《さえぎ》られて風も入らず暑かった。利平が汗を拭《ぬぐ》うため立止る。すると一行全員が立止った。秋葉いとが心配そうに見ていたが何も話しかけない。いや初めからみなは黙っていた。この数日、英国硝子《ガラス》の入荷が遅れたり、殺菌力測定用の菌が揃わなかったりして、利平は機《き》嫌《げん》が悪く、医者や看護婦のちょっとした越度《おちど》を怒鳴りつけるので、みな戦々恐々としていたのである。

道の勾配《こうばい》はすこしずつ増していったが、真っすぐで変化に乏しく、登るという動作が単調に繰り返された。〝大石茶屋〟でひとしきり女たちの呼びこみがあり、若い看護婦二人がそこで一休みしたそうに顔を見合せたが利平は先を急がせ、〝馬返し〟と呼ばれる地点から、さらに急になった登坂をぐいぐいと登った。三箇月前は危篤だった老人と思えぬ院長の頑張りように、一同は弱音をはくわけにもいかず汗みずくで進んだ。ようやく一合目に来た。小さな富士嶽神社があり、境内には「大願成就《じょうじゅ》」とか「登山八十八度報賽《ほうさい》明治十一年」とか願掛けの登山で功徳《くどく》をえた人々の立てた石碑があちこちに建っている。利平は、おのれも医学博士になったら、「大願成就」あるいは「真願成就医学博士時田利平」なる石碑を建てようと、参考のために石材の種類や刻された文字を手帳に書きとめた。二合目をちょっと過ぎたところに「真願成就来登山三十三度鯛屋《たいや》勘治郎」という大きな石が道端にあり、三十三度も登ってやっと願がかなえられるとしたら、自分のようにたった一度の登山で真願成就だなんて成果をのぞむのはおこがましいと思い、あまり大きな石碑はやめよう、惜しいけれど医学博士の称号も書きこまぬことにするか、など考えこみ、そうして利平が立止ったのをこれさいわいと一同は大きく息をしつつ涼を盗むのだった。

三合、四合。赤松を主とした黒っぽい針葉樹林に岳樺《だけかんば》、黄楊《つげ》、唐松《からまつ》など高原の雑木が混り、蟬の声がまばらになった反面小鳥のさえずりが繁《しげ》くなった。道は曲折して、ふと麓《ふもと》の視界が開けたり、頂上の赤茶けた肌《はだ》が迫ったりする。頭上には宇宙の底を示す青空がひろがっている。

「天気じゃ」利平はいとにそう言って笑った。

「よろしゅうございました」といとも笑い返した。紫外線研究には終日雲一つない好天にめぐまれることが成功の第一の条件で、梅雨があけてからも天候が安定するのを待ち、新聞の天気予報に毎日注意し、気象台に問いあわせたりして、やっと出発の日を決めたのだった。天気はよし、空気はよし、それに運動と日焼けのため赤味を帯びたいとの顔が若々しく美しく、利平は今すぐにでもいとを抱きたい気持になった。性欲があるかぎり人間は大丈夫だ、性欲こそは体の送ってくるメッセージのなかで最高の快楽であり最上の健康の指標である。

五合目に来た。井上小屋、佐藤小屋など沢山の小屋がある。ほんの掘建小屋もあれば旅館の体裁を備えたのもある。もっとも五合目の標識があってから小一時間登ったところにまた五合目とあって、そこにも山小屋が群がっていた。そのうちの一つに、一行の半分が泊るのだ。あらかじめ東京から手紙で問い合せて、南側に空地のある宿をえらんであった。その空地で紫外線の測定実験ができると考えたからだ。

山頂と五合目と時田病院露台の三箇所で、あす同時に測定と実験をおこなう計画である。午前十時、十一時、正午、午後一時、二時、三時の六回、三地点での紫外線の量を、それも直接曝露《ばくろ》・普通硝子・英国硝子・ドイツ硝子・セルロイド・障子紙を通過した量を測る。さらに直接曝露で殺菌力を実験するので、そのため大腸菌、チフス菌、赤痢菌、連鎖状球菌の培養基を多数持ってきた。

利平は、一同を宿の空地に整列させ、二グループに分けた。五合目の長は中林で、岡田と看護婦二人が下につく。頂上の長は利平で、いと、書生、浜田、それにガイドが従う。これから先の岩場で荷物を運びあげるのに、老いたりといえども頑健で体力のある岡田の手を借りたかったが、好き者の中林ひとりを若い看護婦と一緒にしておくのは心配で、岡田を目付け役として残すことにした。

利平たちが五合目を発したのは午後四時を回っていて、薄いガスを透《とお》した光は蒼《あお》ざめていた。登山者は一列になって黒っぽい石ころだらけの斜面を登っていく。樹林はずんずん足下に沈んでいき、やがて雲の上に出た。桃色に染った雲海が地平の彼方《かなた》まで続き、その先に戦艦のような山が浮いていた。「八ヶ岳でさ」とガイドが言った。

六合目、七合目、ますます暗く、ますます急である。日が暮れて大地のように引き締った雲海の上が赤く燃え立った。近景は雲が拭い去られて山々の起伏が深海底のようにぼんやり見分けられた。闇《やみ》が山裾《やますそ》から異常な速度で登ってきて一行を追い越した。人々は懐中電灯をつけ、光の列がうねうねと続く。岩場が始まり、荷物の重い一行は難儀な登攀となった。絶壁めいた所に鎖がついているが、それを握っても足を滑らしそうになる。「大丈夫ですか」と足をざざっと落した利平にいとが尋ねた。「何のこれしき」と答えたものの、実は脚が思うように動かず息切れもひどいのだった。病みあがりの上に、往診や外出に最近車ばかり運転している罰だと思う。それに齢《とし》の衰えも加わっている。書生や浜田が身軽に岩から岩へと飛んだり、突っ立った岩を腕の力だけで乗り越すのに、利平はへっぴり腰で今にも転落しそうな動作しかできなかった。しかし、見かねたガイドがリュックサックを持とうと言ったり、誰かが手を出して引きあげようとすると利平は怒るのだった。「おれひとりで登れる」「手助けはいらん」そのため利平の一行は道ふさぎで、広い場所にでると後続の人々を追いこさせてやる必要があった。目差す八合目の山宿に着いたのは予定より随分遅れた七時過ぎだった。利平は、すぐさま横になって休息をとりたいのを無理して、みんなを部屋に集め、「あすは四時起床、四時半出発、途中で御来光をおがむ。これからすぐ夕食。就寝は各自良識にしたがっておこなえ」と申し渡した。あらかじめ割増金を払って申し込んでおいたため、一つだけある個室に利平といとは案内された。部屋の戸を閉めると利平は床にぶっ倒れ、荒い息をした。海抜三〇〇〇メートルで空気が薄く、いくら深呼吸しても息苦しい。高山病の徴候としてコメカミが割れるように痛む。結晶アスピリンを一グラム飲んだ。

「もうお休みなさいませ」

「四時起床のためには十時に寝れば充分じゃ。それに腹が減った。酒も飲みたい」

利平が体の汗を拭いおえた頃合《ころあい》を見計らって、いとは宿の夕食を運んできた。銚子《ちょうし》も五本ついている。利平はヤマメの醬油煮《しょうゆに》に箸《はし》をつけて眉《まゆ》をひそめた。いつ煮たのやら冷え切っているし、どうも魚の生きがよくない。山菜の漬物《つけもの》もけったいな臭《にお》いがする。

「これは食えん、不潔じゃ」

「はいはい」いとは心得たもので、自分のリュックサックから、牛缶《ぎゅうかん》、イカの黒作り、チーズなどいろいろ取り出し、これも持参の皿に小綺麗《こぎれい》に盛り合せた。それで満足して利平は酒を飲みだした。燗《かん》はぬるいが、ま、酒なら不潔なこともあるまいと思う。お前も相伴しろと言うと、いとはわたしはこれで結構ですと宿の食事をうまそうに口に入れた。

アルコールとアスピリンの相乗作用で頭痛が消えた。利平はこのところ心中に沸騰《ふっとう》していた不機嫌が頭痛とともに治ってしまい、せいせいした気分でいとに話しかけた。あす一日が晴れさえすれば、いよいよ紫外線の研究は完成に近い。いや、あと高度五〇〇〇メートルの飛行機上での測定実験があるが、これも史郎の尽力で立川飛行聯隊《れんたい》で近々実現することになった。まったく長い間、いろいろな場所に出掛けて苦労したものだ。みんなお前と一緒に行ったな。軽井沢の見晴台、箱根強羅《ごうら》の早雲台、相馬岳山頂、筑波山の男体山山頂の筑波測候所、高尾山の薬王院の真上にある見晴台、大山の阿夫利《あふり》神社の前にある八方台、丸ビル、浅草の東武ビル、伊豆大島より十五海里の海上の発動機関船の上、いや面白かった。さすが利平は、いとといざこざをおこした赤倉温泉の名だけはあげなかった。

便所は宿の前の石室であった。外は風が強くやけに寒い。そのかわり満天の洗い磨《みが》かれた星の見事さは、今までどこで見たよりも完璧《かんぺき》な美しさだった。利平はたちまち寒さを忘れて風の中に立ち尽した。こんなに星がよく見えるのだったら五センチの携帯用望遠鏡を持ってくるのだったと後悔する。北東から天頂へと流れる天の川は際《きわ》やかで、北のカシオペイア座も東の白鳥座も今出来たばかりのように新鮮だ。利平は、武蔵新田《むさしにった》で望遠鏡でやっと見ていたアンドロメダ座の大星雲が肉眼ではっきり見分けられるのに驚いた。八十七万光年むこうの、銀河系に優に匹敵するだけの大宇宙だ。すばらしい星の集団だ。そこには地球と同じような星が何百とあって大文明をきずく生物がいるという夢想に飽きずふけったものだ。天の川は天頂から南へと流れていく。ここは東側の斜面で、夏の代表的星座さそりは尾のほうしか見えぬが、射手座《いてざ》は全部が天の川の上にきらめいている。この射手座こそは星雲や星団の宝庫なのだ。M8、M20、M23などが今この目でわかる。あそこは銀河系の中心で、銀河系の端にあるわが太陽系からは天の川がもっとも濃く見えるわけだ。利平は、無限の宇宙に囲まれて、太古の哲人の心を思った。「こんな小さな鼠《ねずみ》のどんな部分でも、神様は手抜きなさりません」という初江の言葉をもじれば、「こんな大きな宇宙のどんな星でも、神様は手ぬかりなくお作りになります」か。多分太古の哲人（それが誰かを利平は別に特定したわけではない）もそう考え、宇宙の法則を知ろうとして自然科学をおこした。そもそも紫外線という不可思議な光線の研究だって宇宙の法則を知ろうという試みだ。論文の〝緒言〟の文章が頭に浮びあがってきた。「生物ガ太陽ノ恩沢ヲ蒙《カウ》ムルコト甚大《ジンダイ》ナルハ既定ノ事実ニシテ、スデニ紀元前ニ於《オイ》テアリストテレスハ植物中ノ葉緑素ハ日光ニヨリテ成長スルト云《イ》ヘリ。又日光ガ吾人《ゴジン》生活上欠クベカラザルコトハ、太古ノ民モコレヲ知リ、医聖ヒポクラテスモツトニコレヲ唱シ、羅馬《ローマ》ノキケロモスデニ医治的効果ヲ唱説ス。埃及《エジプト》ニテハ晴天下ナイル河畔ノ砂中ニ患者ヲ入レ慢性疾患ヲ治療セリト云フ……」これは名文だぞ、これでいこう。忘れぬうち書き留めねばならぬ。

風音が繁く、石積みの穴が笛のように鳴った。利平は身震いした。いとが後に来ていた。

「どうなさいました」

「星を見ていたらな、論文の文章が天から降ってきよった。はよう書いておかにゃならん」

「お風邪をめしますよ」

「何時だ」

「九時半です」

「いかん、そろそろ寝んとな。しかし酒がさめてしもうた」

「お酒をまた二本ほどもらっておきました」

「ありがたい。それをぐっと飲んで寝よう」

　部屋に戻るとすぐ、利平は手帳に最前の文章を書き留め、ついでに紫外線の作用について思い付いたことを書き加えた。「芳香性植物ハ太陽ノ刺戟《シゲキ》ニヨリテ芳香ヲ増加シ、甘蔗《カンショ》ヲ紫外線ナシノ条件ニテ発育セシムルトキハ、糖ノ産出ヲ十分ノ一ニ減ズト云フ。蚕ノ飼育オヨビ鶏卵ノ孵化《フカ》ニ紫外線ヲ応用スルトキハ発育佳良トナリ、繭《マユ》ノ如《ゴト》キハ為《タ》メニ糸節ヲ減ジ品質ヲ美化スルト云フ」

「よし」と利平は手帳を閉じて、いとに笑いかけた。「論文の冒頭の部分じゃ。これさえできればな、あとは一気に書けるぞ」

　上機嫌で利平は杯を重ねた。酔った勢いでいとを抱こうとすると、「まわりに筒抜けですよ」と耳打ちされた。個室とはいえ、山小屋の造作は薄い板戸で仕切ってあるだけで、隣室の人の寝息や寝返りの音までよく聞える。しかし利平は「なあに、悪いことするわけじゃない」といとにからみつき、体をもとめた。いとが無言で抵抗するのが性欲をかきたてて存分に射精できた。そして麻酔薬を打たれたように、ころりと眠りに落ちた。いとに起されたときは午前四時で、宿中が客の出発の準備で騒がしかった。習慣の胃洗滌《いせんじよう》ができないのが気持わるいが仕方がない。（いままで旅先の旅館でも利平は几帳面《きちようめん》にこれを朝一番の行事としていた。）しかし熟睡したため気分爽快《そうかい》で大声で「出発」と号令した。各自懐中電灯を持ち、宿の裏手から鎖づたいに岩場を登り始めた。登山者は長い数珠《じゆず》になって続いていて、山頂のあたりまで光がのびている。しばらくして仄明《ほのあか》るくなり、岩が青く見えてきた。空は淡《うす》縹色《はなだいろ》に染まり星影はぼやけてきた。地平をうずめた黒い雲海は赤い帯を乗せ、それがオレンジ色にぼけて青空に移行している。やがて赤い帯の一点が破れて輝き、喨々《りようりよう》とラッパを吹き鳴らすように光を四周に放った。「ふーむ、海の日の出とそっくりじゃな」と利平はつぶやいた。艦上勤務で数えきれぬぐらい見た日出《につしゆつ》の光景が思い出され、若き軍医が艦橋に立つ心地である。太陽はぐんぐんのぼり、赤い光を振りまいた。ところで、心は勇み立つのだが、胸突き八丁にかかって利平の足は思うように進まなくなった。息切れと頭痛とめまいに加えて大腿筋《だいたいきん》の収縮がうまくいかない。気圧が下って酸素の供給が不足なのと性交で精力を失なったのが主たる原因だと気付いた。「頑張れ」「もうすぐ頂上だぞ」といとや書生を叱咤《しつた》していた手前、ばてた様子は見せたくないが、何としても体が動かないのだ。ガイドに続いて身軽に先を行く浜田が「おお先生、大丈夫ですか」と駆けおりてきた。「大丈夫じゃ」「荷物をお持ちしましょうか」「なに……」余計なお世話だと怒鳴ろうとしたが、口惜しげに背中のリュックサックを渡した。午前十時の測定実験開始に間に合せるために先を急がねばならず、午前十時の測定実八合目の標識を過ぎた所から、道は幾分ゆるやかになり、頂上の屏風《びようぶ》のような黒い岩廂《いわびさし》が大きな氷柱《つらら》を垂らして立ちはだかるのが見えた。右に赤い砂礫《されき》の〝須走《すばし》り〟と称する斜面がひろがっている。利平はアスピリンをのみ、カンフルを一筒皮下注射し、深呼吸を三分間ほどすると、すこし元気になり、足元の溶岩を観察する余裕が出てきた。軽石、玄武岩、鉄分を含んだ赤砂や黒石とさまざまな石が混っている。どろどろの地球の底から飛びだした奇妙な石ころだ。山小屋がつぎつぎと現れるが、みんな〝一万尺八合の下〟と記した看板を掲げている。九合目からふたたび溶岩流の岩場となり、えいえいと汗を吹き出しつつ登るうち、やっと久須志《くすし》神社の白い鳥居に来た。山頂である。利平は悲鳴のように「休憩」と叫び、へたりこんだ。

もう八時になっていた。普通二時間の行程に四時間近くもかかってしまった。空腹よりも疲労が強く、朝食の握飯が咽喉《のど》を通らない。おのれの体力の衰えを思う。何よりも腹膜炎の後遺症がある。老衰も加わっている。あと何年生きられるか。最低十年、七十歳までは生きていたい。死は間近に迫っている。いや、先のことは考えまい。利平は物事をよい方に考えることにした。病みあがりの六十歳が、ともかくも富士登山に成功したのだ。まだまだ自分には体力が残っている。遥《はる》か下に五合目の山小屋群が小石のようにへばりつき、さらに斜面は浅間神社の森へと落ちていく。あんな下界から自力でここまで登ってきた。「ふーむ、大したものだぞ」と利平はいとに言い、誇らしげに顎《あご》で景色を指した。

「本当に、おお先生の頑張りには驚きました」

「疲れたか」

「はい、すこし。でも、これからがお仕事ですから」

「そうだ。測定の場所をきめにゃならん。どうせなら内地の最高点、三角点のあたりがいいな」

地図をひろげた。現在地の久須志神社は、火口の東北に、三角点は南西にあり、そこまで剣ヶ峰を〝お鉢巡《はちめぐ》り〟せねばならぬ。三十分もあれば行き着けるでしょうと、ガイドは言った。

左側は切り下った絶壁である。頭上から氷のような風が吹きおろしてきて、黒い奈落へと引き込まれそうになる。いとが気をつかって利平の左を支えてくれたので幾分気持が落ち着いた。火口と言っても山々の連なりで、道は上下する。登り道で利平はたちまち息を切らした。何しろ標高三七〇〇メートル、空気が稀薄《きはく》なのだ。

岩が重なる間から湯気が吹き出ていた。〝荒巻〟の噴気であった。箱根の大涌谷《おおわくだに》に似ている。利平はガイドの制止を聞かずに急斜面を這《は》いおり、煙立つ岩に鼻を近付けた。戻ろうとして足元がすべり、ガイドに助けられてやっと道にあがった。得意げにいとに言う。

「硫黄の臭《にお》いじゃ。地球の体臭は同じもんだ」

丸い石ころが積み重なって、ゆるい勾配をなし、荒涼として風が渡っている。〝賽《さい》ノ河原〟だとガイドが言い、一同はなるほどと頷《うなず》いたが利平は別なことを考えていた。南側に面したこの斜面にサナトリウムを建てられぬか。石の堆積場で地盤が悪そうだし、風の吹き曝《さら》しが気になるが……。

「ちょっと、あんた」と利平はガイドに言った。「あの石ころは、どのくらいの厚さで重なってるのかね」

「さあ、掘ったことがないだから」

「しかし、あの石を全部どけた下には岩があるんだろうね」

「石を全部どける……そんなことはできませんや。大体、富士の山頂てのは石が重なってできてるんでさ」

「地盤は悪そうだな」

「吹雪のときは、あの賽ノ河原から沢山の石が下へ落ちて行きます。すると上から別な石が落ちてきて、あそこに溜《たま》るんです」

「そりゃいかんな」利平は残念そうに言った。

五つ、六つ山小屋が建っている。いずれも分厚い石垣《いしがき》で周囲を囲み、屋根も大石の重しで押えてある。石に埋れたような造りは強風に耐える設計らしいが、およそサナトリウム向きではない。利平は、気に入らぬとかぶりを振り、ガイドに尋ねた。

「ここらは風が強いのかね」

「強いってなもんじゃない。おっそろしいでさ。嵐《あらし》のときなんか大きな石がビュンビュン飛ぶ。だからどの家も窓がないんで。硝子《ガラス》なんかすぐ破られるからね」

「そうか。硝子窓は駄目《だめ》か」利平は落胆した。どうも富士山頂サナトリウムの夢は破られたようである。が、これしきのことでへこたれる利平ではない。何か打開策はないか、石を吹き飛ばす強風や絶え間のない落石に対して防壁を設けておいて、なお陽光を自在に取り入れうる建物ができぬか、と考え込んだ。どんな困難があろうとも、日本一の紫外線を医療に利用せぬ手はない。考えこんで歩度の落ちた利平をいとが心配した。

「どうなさいました」

「いや、発明じゃ。発明を考えよった」

「九時を過ぎました。お急ぎにならないと」

「そいつはいかん」利平はせかせかと大股《おおまた》に進み、すぐさま息が苦しくなり、立ち止って深呼吸をした。

浅間神社の奥ノ宮を過ぎると火口を見下す道となった。漏斗状にさがり、最後は断崖《だんがい》となった地底に雪が溜っている。蒸気の流出もなく、死んで凍結した火口である。漏斗の上部、ゆるやかな傾斜面に、石を並べて大学の登山部名、パーティー名、巡礼団の名などが読める。ひときわ新しくて大きいのは〝横須賀海洋少年団——昭和十年海軍記念日〟とあり、軍艦旗をかたどった石垣を備えていた。一番目立つ場所に〝時田病院富士山頂サナトリウム〟という派手なのを作れば宣伝になる、あそこの大学のやつを片付けてしまえ、と利平は考えた。

「あれを〝虎岩《とらいわ》〟と言いまさ」とガイドが指差した先に、なるほど虎とも見える黄色い大岩が火口の方角に前脚を踏んばっていた。

「あんた」と利平は言った。「この火口はなぜ水が溜らんのかね。箱根や赤城みたいな湖になってもいいのにな」

「はあ」ガイドは日焼けした顔を振った。「知らないです。そんなこと考えたこともない」

「つまり、この火口はうんと下の方まで岩と石と砂の堆積に過ぎんちゅうことじゃ。水が漏れよる。地盤が悪い。弱ったぞ」

余程巨大な岩の上にサナトリウムを建てねばならないが、どうもそんな大岩など無さそうだ。利平は鋭い目付きで道の左右を吟味しながら測候所に辿《たど》り着いた。まずは三角点を見る。三七七六・三メートル。台湾の新高山《にいたかやま》の三九五〇メートルについで、本邦第二の高所だ。晴朗なる穹窿《きゅうりゅう》のもと眺望《ちょうぼう》は絶佳である。平野の彼方に海が、箱根や丹沢の山塊を越えて東京が見える。紫外線の研究には上々の条件である。三角点のわきで測定実験をすることにきめた。つぎつぎに登ってくる登山者の邪魔にならぬよう、すこし下った南斜面を選んだのだが、かえって目立ち、登山者たちの物珍しげな目に囲まれることになった。

ガイドには午後三時まで暇をやった。残る四人は全員白衣に着替えた。医学的実験は白衣でおこなうべきものと利平は信じていた。

利平が考案した携帯机を二つ、組立てた。

第一の机に紫外線測定用の大型シャーレを六つ並べた。このシャーレの中に、ヨードカリ、硫酸、次亜硫酸ソーダ、澱粉《でんぷん》を混合した試薬を入れ、紫外線にさらすと、空気中の酸素がヨードカリに作用してヨードを遊離し、次亜硫酸ソーダに反応し終るまでの時間、すなわちヨード澱粉の青色反応が平等に発現するまでの時間を測定する。

この紫外線測定は、太陽光に直接曝露《ばくろ》した場合と物質を透過した間接照射とを比較するので、透過物質として普通硝子・ブイタ社製英国硝子・ウビオル社製ドイツ硝子・セルロイド板・障子紙を用いる。

シャーレに付属した硝子や障子紙、試薬作製用の広口瓶《ひろくちびん》やピペットが、測定を受持つ利平の手で並べられていくと、何かの奇術でも始まるのかと見物人たちは好奇心むきだしで見守った。

第二の机に紫外線による殺菌力実験用の硝子板を用意した。硝子板には北里研究所で純粋培養した黴菌《ばいきん》を塗布してある。硝子板を紫外線に直接曝露したり透過物質によって間接照射したりして、殺菌力を実験するのだ。何しろ生きた黴菌をあつかっているので、高度の衛生知識と細心の注意が必要で、この実験だけは医師でないとできない。利平は、〃危険、触るべからず〃と朱書した色付シャーレに分類した大腸菌、チフス菌、赤痢菌、コレラ菌、連鎖状球菌を、実験しやすいようにきちんと並べ、万が一の用意にクレゾール石鹼水《せっけんすい》を充《み》たした洗面器を脇《わき》に置いた。そのとき、取囲んでいた見物人が後から押され、利平の机に触れた。利平は声を張りあげた。

「さがってください。ここには猛毒の黴菌があるんだ。チフスやコレラに感染するぞ」

人々は魂消《たまげ》たと見え、三メートルぐらい後退した。利平は、あと五分で測定実験を開始すると告げた。太陽は無障碍《むしょうがい》の光線を送ってきて万事はうまくいきそうだ。一つ気がかりなのは西のほうに巨大な入道雲があり、その裾《すそ》のあたりにどす黒い雨雲が発生したことだ。雨雲がここまで飛来するまでに測定実験を終えねばならぬ。利平は黒眼鏡をかけ、「開始一分前」

と怒鳴った。耳の遠そうな巡礼装束の老婆《ろうば》がびくっとしたほどの大音声《だいおんじょう》である。すると、

「おいあんたら」とだみ声がした。

男は警官に似た制服制帽だが剣はさげていない。測候所の警備員だと利平は推測した。

「何ですか」と腕時計を見ながら言う。

「ここで何しとる」

「医学的実験をやっています」

男は、〃危険〃と書かれたシャーレを疑わしげに見た。

「これは何だ」

「おっと触ると危険だ。チフス、コレラ、赤痢の猛毒黴菌が入っている。よし、照射開始」

利平は黒い覆《おお》い布を取り去り、硝子板を陽光にさらした。五種類の黴菌について三十分おきに、それも直接曝露・普通硝子・英国硝子・ドイツ硝子・セルロイド板・障子紙と六通りの実験をする。つまり同時に三十の硝子板を操作するので多忙その極にある。それなのに男はなおもからんできた。

「許可証はあるか」

「何の許可証ですか」

「ここは測候所の敷地内だ。許可なしに、危険な実験はできない」

すべての硝子板が整然と並ぶのを確かめたうえで、利平は顔をあげた。三十前の、のっぺりした若い男だ。虎の威をかりるこの種の人間を利平は扱いなれていた。今まで、何回も憲

兵や警官や守衛などの制服に見咎《みとが》められてきたのだ。

「測候所の敷地内で医学的実験をするとき許可証がいると、どこの法律に書いてありますかな」

「それは……規則だ」

「じゃ、その規則を見せて下さい」

「見せる必要はない」

「それはおかしい。公的施設内において、国民を規則に従わせるときは規則を明示しなくてはいけない。電車の中だって規則を明示してある。それから我輩は帝国海軍軍医少監として大日本帝国に有用な医学実験をしちょる。貴様が文句を言うなら、帝国海軍に言え」

「海軍さんですか」男はひるんだ。きまり悪げに人々を横目で見ていたが、ふと利平に挙手の礼をした。「海軍さんなら特別に許可します」

利平も直立不動の姿勢をとって、海軍式の挙手の礼をした。

「測候所の御好意に感謝いたします。所長さんによろしくお伝え下さい」

男は虚勢を張った物腰でわざと示すように肩を怒らして去った。利平もことさらにきびしい顔付で机上の硝子板にむかった。内心の哄笑《こうしょう》がともすれば顔に出るのを抑えて、歯を嚙《か》みしめている。権柄尽《けんぺいずく》な人間を撃退するのに帝国海軍は絶大な力をあらわす。とくに五・一五事件以後はそうである。以前、軍縮会議の頃《ころ》は、帝国海軍など国費を乱費する厄介物《やっかいもの》あつかいであったのに、最近は風潮が一変した。

十時、十一時と測定実験は順調に進んだ。ところが正午前になって、雲が不意に頭上を覆ってしまった。白い円盤となった太陽を一同はうらめしげに見上げた。〝淡雲下ニオケル測定実験〟とすれば、結果を論文に引用できると考えて作業を続けるうち、青黒い雲が陽光をさえぎってしまった。零時半をすぎて、太陽が黒輪と白輪の二重の暈《かさ》をかぶった。日暈《ひがさ》という現象を初めて見た利平が「こいつは天下の奇観じゃ。晴れる吉兆だ、みんな安心せい」と言いも終らぬうちに、雨が一粒二粒、一陣の風とともに本降りと化した。黴菌を塗った硝子板から流出がおこっては大事である。全員を叱咤して硝子板をシャーレに入れ、ゴム布で二重三重にくるみ、リュックサックの底に仕舞いこんだ。紫電一閃《いっせん》、地鳴りとともに物凄《ものすご》い吹き降りになった。すでにしてずぶ濡《ぬ》れだが、ともかく雨合羽《あまがっぱ》に身を固め、見回すとあたりに、四人以外は誰もいない。登山客は測候所に逃げこんでしまったらしい。浜田は身軽に先に立ち「おお先生、はやく」と測候所目差して走ろうとした。利平は叱《しか》りつけた。

「莫迦《ばか》もん、さっきの男のいる所に、おめおめと頭を下げて行けるか」

「でも、この雨じゃ、風邪をひきますよ」と浜田が言ったとたん、近くで轟音《ごうおん》が立ち、彼は首をすくめた。

「今から奥ノ宮の方面に引き返す」あのあたりの山小屋のどれかに逃げこむと利平は腹積りした。

「でもさ、おお先生」いつもは従順な浜田が必死で反対した。「雷が落ちますよ。みんな金物を一杯持ってます」

「落ち着け。見ろ。雷は下界で鳴りよるわ。われわれは雷の上におる。だからわれわれに落ちるわけがない」

「そうでしょうか……」浜田は書生と不安げに顔を見合せた。

午後三時に約束したガイドはむろん来ていない。利平は、自分が先導する決意を固め、どしゃ降りの中へ進み出た。いとがすぐ後についてきた。「いと、行くぞ」「はい」女は健気《けなげ》な微笑を見せた。光線の具合か、浅黒いはずの顔がいやに青白かった。「怖くないか」「おお先生と御一緒なら怖くありません」「うむ」利平は満足して脚の動きに弾みをつけた。思い切り悪くぐずぐずしていた浜田と書生が駆け付けてきた。

風に背中を押され、下り道も手伝ってはかがいった。しかし山裾《やますそ》をまく登坂になると風が横なぐりとなり、加えて濃霧の目隠しで行きなやんだ。元々石まじりの砂を踏み慣らした道で、境界が曖昧《あいまい》なうえ、人々が気まぐれにつけた別れ道が多く、ほんの数メートル先しか見えぬ霧中では、どこを歩いているのか見当がつきにくい。みんなに固まって歩くよう指示し、頭に記憶している地図と羅針儀《らしんぎ》の針をたよりにのろのろ行くうち、往《い》きには通らなかった雪渓《せっけい》の上に出てしまった。迷ったなと気がついた瞬間、焼き付くような閃光が先方の岩を打った。落雷だ。「伏せ」と叫び、雪の上に腹這いになる。「リュックをおろしてなるべく低くせい」と叫ぶ声も風音に消され気味だ。浜田が哀れっぽい顔で近付き、耳元で言った。「あそこに大きな岩があります。あの下が安全だと思います」「かえって危険だ。このあたりじゃ雪渓が一番低い」と利平は言ったが自信はない。平かな雪面に人間が出っ張っていれば、雷の標的になりやすいとも考える。閃光と轟音に包まれた。今度は目と鼻の先の岩だ。いとが震えている。「しっかりせい」と励まそうとして、自分も震えが止らず小便を洩《も》らしているのに気付いた。雷はさらに二度、やや離れた場所に落ちてから、遠ざかっていった。青光りのなかに一つの岩の形がくっきり浮き出し、ガイドが教えた〝虎岩〟だとわかった。そうだとすると奥ノ宮は間近である。「道がわかったぞ」利平は元気よく立ちあがり、棒立ちのまま風に吹き倒された。体が凍えて固くなっていたのだ。無理やりに四肢《しし》を動かして関節をほぐした。いとが一所懸命にさすってくれた。

山小屋は避難客でごったがえしていた。体を割り込む隙《すき》もないくらい人が詰っている。三軒でことわられ、四軒目、利平を年寄と見た主人が何とか大部屋に押しこんでくれた。濡れたものを脱ぎ体を拭《ぬぐ》う。予備の下着にも水は滲《し》みていた。浜田のシャツが乾いていたので不潔な感じがいやだったが仕方なく借りた。暖まりたいと思っても囲炉裏端《いろりばた》や石炭ストーブの回りは先客に占領されている。「なあに、戦争を思えば平気じゃ」利平は人と人との間に体を差し入れ、ありたけの衣類を引っ掛けて目をつむった。寒さと疲労は何とか我慢できるが、無念でならぬのは測定実験の中断である。あの雲と嵐の具合では五合目も同じ始末だったろう。あらかじめの打合せで、天候悪化で中断の場合は、あきらめて下山し、八月中旬にもう一度登山する予定にしていた。しかし、この富士登山が思いのほかの辛苦で、もう一度登るのが億劫《おっくう》でならない。あの雲の速い移動ぶりでは明日は晴れるかも知れぬ。一晩ここで泊れぬか。利平はいとに宿の交渉をさせた。予約客で満員の上、怪我人《けがにん》がいるので余裕がないという返事だった。

「怪我人……どこの怪我だ」

「強力《ごうりき》が火口に落ちて脚を折ったそうです」

「医者はいるのか」

「いないそうです。天気の回復を待って下へ担架で運ぶと言ってました」

「診療箱を出せ」と利平は起きあがった。彼が考案した診療箱は、小さなアルミ箱に外科医として診察治療に必要な器具と薬品を手際《てぎわ》よく詰め合せたもので、不断は往診鞄《おうしんかばん》に入れてあり、旅先にもかならず持ち歩いている。いずれは製品化して医家用に売り出そうと考えているほどの自信作であった。


　人込みを掻《か》き分けて行った奥に、若い男が臥《ふせ》って呻《うめ》いていた。仲間らしい山男たちが取り囲み、「しっかりしろや」「辛抱せい」と口々に励ましている。利平は「わたしは医者なんです」と断り、蒲団《ふとん》をのけて診察を始めた。右大腿骨《だいたいこつ》の骨折だと一目で分った。大腿の上部が外側に開き、下部が逆に内側にねじれている。そっと触れただけで激痛が男を貫き、悲鳴があがった。モルフィウム・スコポラミンのアンプル一筒を打って疼痛《とうつう》を取ってやり、注意深く骨折の具合を調べた。火口の底からここまで運びあげるために大分動かされたと見え、腫《しゅ》脹《ちょう》と皮下溢血《いっけつ》がひどい。骨折端の一部は皮膚を破って露出している。これでは鋼鉄線で脚を伸ばす、牽引《けんいん》法による整復は無理で、即刻、観血法によって骨と骨とを継ぎ合せ、不銹鋼《ふしゅうこう》のプレートで固定してやらねばならぬ。さいわい、最近ドイツで開発された伸縮釘《スライディング・ネエル》を持ってきてある。あれを使って手術による固定をここでできぬものか。利平は宿の主人にむかって言った。

「脚の骨が折れてます。大腿の骨で大きいから、なかなか治療がむつかしいが」

「雨があがったら下におろし、御殿場《ごてんば》の病院に運ぼうと思っています」

「かなり複雑な骨折で、これ以上動かさんほうがいい。運ぶ途中で神経や血管を傷つけるおそれもある」

「どうしたらいいでしょう」

「ここで手術してやるのが最良の方法だ」

「しかし、こんな所で……」

「工夫してやればできますよ。ほかにこの人を救う方法はない。さいわい、必要な道具は持ってきています」

「先生がおやりになるんで……」主人は疑わしげだ。利平は「わたしでよかったら」と名刺を渡した。外科病院院長の肩書が主人の心を決めたらしく、改まって平伏した。「何とか助けてやって下さい。この男はわたしの甥《おい》なんです」利平は、「交換条件と言うわけではないが……」と今晩ここに泊めて欲しいこと、五合目の宿にいる病院の連中に手紙を届けることを承知させた。しばらくして明日の測定実験の予定を告げる手紙を持って、強力が雨の中へ出て行った。

納屋《なや》を片付け、手術室として使うことにした。山小屋には電気が来ていないので、ランプ四台と懐中電灯を数個並べ、何とか無影灯に似た照明効果を作りだした。大釜《おおがま》や鍋《なべ》に湯を沸かして手術器具を消毒した。主人の作業机を二つ並べて手術台とした。

病院における手術の場合、術者のほかに、最低、鉤引《かぎひ》きの助手と術具を管理する介添看護婦の二人がいるが、今はいと一人しか頼みにできない。いろいろ考えたすえ、術者と鉤引きを利平ひとりで兼ねるため、手をそえずとも切開創を固定できる自在鉤を工夫して作りあげた。

浜田を照明係、書生を脈搏《みゃくはく》係として手術を開始した。納屋は隙間だらけで、ランプの焔《ほのお》は揺らめき、雨は吹きこむ有様だったが、切開手術のほうは順調に進んだ。折れた骨端には四つの細片が複雑な形で散在していた。細片を一つ一つ合せて針金で結びつけ、大きな骨は伸縮釘で固定した。さいわい神経や大血管の損傷はなく、予後は良好だと判断した。皮膚の縫合を終え、外側から副木で脚を固定し、手術完了である。

納屋を出ると、主人と強力たちが飛んできた。利平のガイドも来ていた。手術は成功で、完全に元の体に戻るだろう、六箇月後にネジ釘《くぎ》をとる簡単な手術をするから東京のわたしの病院によこしなさいと言うと、面々喜びをあらわに礼を述べた。

俄然《がぜん》待遇が変った。利平たちは主人の居間の八畳間に通され、風呂《ふろ》にさそわれた。ドラム缶《かん》の風呂で暖まって戻ると、ヤマメの塩焼に鯉濃《こいこく》に山菜と盛沢山の料理に熱燗《あつかん》が並んでいた。浜田は最初遠慮しながら飲んでいたが、酔うにつれ「さすが、おお先生は人間が違う」と利平と肩を組んで気焔《きえん》をあげた。小用に立ったとき見ると大部屋は前にも増して超満員でみんなオイル・サーディンよろしく重なって寝ている。気の毒には思ったが、明日の測定実験のため英気を養う必要があると自分に言い聞かせ、洗われた星空を見ながら小気味よく小便をした。

翌日は予想どおりの快晴で、測定実験は上々の成果をあげることができた。利平は成功の喜びで、〝須走り〟の斜面を一気に下山した。腹膜炎の後遺症も老衰もどこかに飛び散ってしまったようで、日焼けしてすっかり上機嫌《じょうきげん》の彼は、迎えに出た菊江に、酔ったような饒舌《じょうぜつ》ぶりで話した。

「雷がドンと落ちよってな、ビリビリッと電気が脳天を貫いてな、おかげで元気一杯じゃ。おてんとさまが暈《かさ》をかぶってな、仏さんになって現れ、お前の博士論文は間違いなく審査を通ると言った。人助けもしたぞ。噴火口に落ちて五体滅茶苦茶の男を一晩かかって手術して治してやった。その男がなんと、富士一番の山小屋の息子じゃった。これからは富士ではおれは神さんじゃ。今度みんなで登ろう。な、お前も早く元気になって登る。せっかく日本人に生れて日本一の富士山に登りもせんでおるのは、もったいないぞ……」

10

フライパンで油炒《あぶらい》めをしていると、「奥さま」となみやが邪魔だてし、「うるさいわね」と叱りつけた。「奥さま」とまた呼ばれて初江は目覚めた。蟬《せみ》の声が隙間もなく空中に詰って、真昼のめくるめく光の渦《うず》から熱気が舞い昇る。午後一時すぎ、東京から悠次が来るには早すぎる。駿次と研三を昼寝させようと添い寝しているうち、自分もつい眠ってしまった。

「何だえ」とつっけんどんに言う。体中がだるく、もっと寝ていたい。

「脇さまの、おふたりのかたが、来ていらっしゃいますです」

初江は驚いて起きあがった。着物の褄先《つまさき》を合せる間もないうち、明るい庭先を背に二人の男が立っていた。敬助と晋助が揃《そろ》いの浴衣《ゆかた》に麦藁帽《むぎわらぼう》で笑っている。

「美人の寝顔っていいもんですね」と晋助は感心しきった様子でしきりと頷《うなず》き、縁側に腰掛けた。

「まあ失礼ね。見てらしたの」

「ええ、ずっと」晋助はにやっと笑った。

「嘘《うそ》ですよ」と敬助は打消し、麦藁を脱いだ。日焼けした顔の上に青い坊主頭《ぼうずあたま》が現れ、まるで別な帽子にかぶり替えたようだった。

座敷にあがると敬助は改まって挨拶《あいさつ》した。

「御無沙汰《ごぶさた》しています」

「いいえ、こちらこそ」と初江も両手をついた。

「お盆の賜暇《しか》で逗子に来ております。きょうは三人で葉山に出てきました」

「おねえさまも……」初江は不安そうに外を窺《うかが》った。

「母は風間家のほうに行っています」

「そうでしたか……」

初江は口を噤《つぐ》んで相手の話を待った。しかし敬助は押黙ったままだ。夏江との縁談の取持ちについて何らかの挨拶があると思った初江は意外に思い、内心すこし苛立《いらだ》った。

「夏江は今出掛けておりますの」と言ってみる。「悠太を連れて写生に行ったんです。そろそろ帰ってくるでしょう」

夏江の名に敬助は何の刺戟《しげき》も受けなかったかのように、無表情に坐《すわ》っていた。何か魂胆があるのか、それとも鈍感なのか、初江には判じかねた。敬助の結婚申込みに対して、夏江は〝考えさせてほしい〟と言った。この返事を初江が美津にしたのは利平が盲腸炎の手術をした翌日である。「父があんな具合で取込んでおりますので、いずれ落ち着きましたときに御返事したいと、先方は申しております」と初江が報告すると、美津は、「おや、そうですか」と不審顔であった。実はきのう利平を見舞ったときに、縁談を持ちだしたところ、利平があまり乗気でなかったというのだ。「結局、おとうさまが反対なすってるわけですね」と言われ、初江はあわてて打消した。「いいえ、そんなことはないのです。父は夏江の気持をまだよく知りませんのです。夏江は敬助さんが……好きなようなのです。でも、しばらく考えさせてほしいと申しています」「どういうことですの。わかりません。好きなら、お受けになればいいのに」と美津に迫られ、初江はほとほと返事に窮した。夏江が敬助を〝好き〟だなどとまだ美津に言うべき段階でなかったと後悔し、夏江の〝考えさせてほしい〟という言葉をそのまま伝えれば美津があらぬ誤解をするのも当然だと反省し、気まずい思いで帰ってきた。

爾来《じらい》、脇家から足が遠ざかって現在に到《いた》っている。今葉山に来ている美津に会わねばならぬと思うだけで、初江は気が重いのだ。しかも、敬助がその後も夏江に手紙を送っているのか、それとも二人がどこかで会っているのか、初江は全く関知していない。と言うのも、夏江が敬助とのことをピタリと話さなくなったからで、それも、初江が夏江の〝ここだけの話〟を菊江に洩らしたのを夏江が怒っているからだった。そうなったのは菊江のせいだと恨みがましくも思う。何かの折に、敬助さんからお手紙を頂いてるそうだねと、うっかり菊江が夏江に言ってしまったのだ。話はこじれて、もつれて、どうほぐしたらよいものやら、初江は途方に暮れるばかりだが、当の敬助が目の前でまるで局外者のようにそ知らぬ顔でいるのを見ると、何か自分の心配や努力が無駄《むだ》で莫迦げたものにも思えるのだった。

「夏江さん、去年と同じ所ですか」と晋助が尋ねた。

「いいえ、今年は、わたしたちと一緒にいますの。母の喘息《ぜんそく》が思わしくなく、史郎が軍隊にいるので、家を一軒借りるまでもないだろうと、夏江ひとりわたしたちと合流しました」

実は夏場に毎年時田家が借りている家に今年は夏江一人になるので、未婚の女が一人暮しは危険だと、菊江の希望で小暮家に一緒にいることにしたのだ。

「この家、なつかしいな」と晋助はあがって奥へ行き、部屋から部屋へと歩き回り、台所の出口で、さっきから冷し麦茶の盆を持って躊躇《ちゅうちょ》していたなみやと鉢合《はちあわ》せした。

「史郎さんはどこの隊ですか」と敬助が言った。

「立川の……飛行第五聯隊《れんたい》です」

「ああ……」と敬助は心得顔に頷いた。もっとも、この〝ああ〟の内容は初江にはよく摑《つか》めなかった。

「現役兵入隊で最初は二等兵でしたが、今は上等兵です。士官学校出の中尉《ちゅうい》さまには頭があがりませんけど」

「はは……」この〝はは〟も意味が不分明だった。どうもこの敬助とは話しにくい。何を話していいか見当がつかず、戸惑うのだ。

「叔母さん」と晋助がなみやの卓袱《ちゃぶ》台《だい》に並べた麦茶を早速飲みほして言った。「今晩泊めてくださいね。逗子へ帰るのは面倒だから」

「いいですわよ」と答えたものの、初江は困った。泊める部屋はあるけれども、夏江と敬助が一つ家に寝ることが憚《はばか》られたし、美津が一緒では気骨が折れる。

「嘘ですよ」とまた敬助が訂正した。「わたしたちは風間の別荘に呼ばれてるんです。今晩あそこでパーティーをやるんです」

「そうでしたわね。わたしどももお呼ばれでした」風間家の人たちはパーティーが好きで、何かにかこつけては人を集める。今晩は盂蘭盆《うらぼん》のパーティーだと言っていた。しかし脇家の人々まで招かれているとは知らなかった。

「海へ行きましょうよ」と晋助が言った。「ぼくたち海水着、もう着てるんです。もっとも兄貴のは赤褌《あかふん》ですけど」

「ええ、行きましょう。子供たち起しますわね。でも夏江と悠太、おそいわねえ」

毎日午後二時には浜へ出ることにしており、それまでに帰るという約束で二人は出掛けたのだ。八畳間の障子を閉めきり、駿次と研三に海水着を着せていると、悠太の声がした。夏江と脇兄弟とが挨拶を交している。

「おかあさん」と悠太が駆けこんできた。「ぼくね、お巡《まわ》りさんにおこられた。絵を描くと牢屋《ろうや》に入れるって」

初江が驚いていると、夏江が来た。

「森戸神社で海を写生してたら、巡査が来て、ここは要塞《ようさい》地帯だから写生はまかりならぬ、スパイ行為だと言うの。それで、二人ともスケッチ帳没収されたの」

「へえ、あの辺要塞なのかしら」

「いいえ、あそこは要塞地帯じゃありません」と敬助が言った。

「最近おかしなお巡りが多いよ」と晋助。

「何も子供の絵まで取りあげなくてもいいのにねえ」と初江。

「それがね、悠ちゃんの絵なかなか上手なのよ。江ノ島だの逗子だの正確なのね。軍艦の形なんかそっくり」と夏江。

「あ、軍艦だ。それでお巡りがおこったんだ」と晋助。「どんな軍艦だった」

「あれは軽巡洋艦だよ。煙突が四つだったから〝那珂《なか》〟か〝神通〟」

「妙な子なの」と初江は幾分得意げに夏江に言った。「写真集を見てね、軍艦の名をみんな言えるの。漢字なんか読めないくせにね。一度教えるとすぐ覚えるの」

「ますます、お巡りがあやしいと思うわけだ。こらっ」と晋助は悠太を睨《にら》みつけた。子供がびっくりして泣きそうになると、晋助は、「ごめん、ごめん」と笑顔で悠太の頭を撫《な》でた。「えらいぞ。軍艦の名前を全部覚えるなんて、えらいぞ。今度、お巡りに会ったら、教えてやれ」

部屋を締めきって、初江と夏江は身支度をした。夏江はいつもの水色の水着をつけたが、初江は、一度着た紺のを脱いで、結婚当初に買った萌黄色《もえぎいろ》の派手なのにした。肩先と脚にフリルのついた旧型だが、日焼けした茶の肌《はだ》に明るい色が映えて、若々しく見えるのだった。

サンダルの音を響かせて一同は出発した。地面に陽《ひ》が白く燃え、炎のように砂埃《すなぼこり》が立った。御用邸沿いの道に来ると、高塀《たかべい》からはみだす緑から蟬時雨《せみしぐれ》が降った。橋を渡る。清流に蟹《かに》が見え隠れした。晋助は川におりて蟹を捕えて子供たちの持つバケツに一匹ずつ入れてやった。

松林を抜けると風が耳をこすり、サンダルに乗った熱い砂が足背を撫でた。濃い海はあざやかに開いて、水平線の彼方《かなた》にぼんやりとした富士が浮いていた。新旧の和船が引きあげられた浜辺は、葦簀《よしず》張りの浜茶屋とパラソルの海水浴場へと移り、波音に人々の歓声がまざって、心を浮々とさせた。初江は子供のときからこの海で泳いできた。渚《なぎさ》にある三つの小岩も、沖合のエビ島という大岩も、自分の所有物のように思える。エビ島は以前ずっと遠くにあったのが関東大震災のとき、突然近付いてきた。あのときの津波の話を敬助にしようかと考えて、初江はためらった。彼にとって別に面白くもない話だという気がしたのだ。すると敬助は、なみやの持っていたビーチ・パラソルを取り、ひょいと肩にかついだ。なみやはびっくりして何か言ったが敬助はそ知らぬ顔で先に行った。なみやは千葉の海辺育ちのくせに泳げないと言い、せっかく買ってやった水着も着ようとせず、いつも着物姿で海岸に出てパラソル番をするのだった。

赤白のピエロ模様のテントが、浜の左端、人影まばらな場所に張ってあり、風間家の四人姉妹が手を振っていた。すらりとした百合子、肉付のよい松子と梅子、ほっそりとした桜子が遠目にもすぐ見分けられた。敬助と晋助が手を振り返した。父親が友人同士だったため、彼らは子供の時からの知り合いだった。

「敬助さん、すぐわかったわ」と梅子が言った。「だって赤い……ですもの」

「赤い……何だって」と晋助がからかい気味に目を丸くした。「はっきり言ってごらん」

「赤フン」と桜子が言った。

「はしたないじゃないの」と松子がたしなめた。

「はしたないと思ってる人のほうが、はしたないわよ」と桜子が言い返した。

姉妹の笑いに照れたのか、敬助は赤い水泳帽に赤い褌《ふんどし》の姿で体操を始めた。女たちは最初拍子抜けした形で男を見ていたが、その視線は次第に羨望《せんぼう》に彩《いろど》られてきた。無駄な脂肪をこそげ落し、彫りあげたような男の肢体《したい》は、陽にたくましく輝き陰影はしなやかに伸びて美しい。この夏、女たちは毎日を愉《たの》しく賑《にぎ》やかに過してきたけれど、不意に自分たちに欠けていたものを敬助に見出《みいだ》した。それを見詰めるのがまばゆく気恥かしく、初江は目のやり場に困った。

ふと、一人が敬助の真似《まね》をするとみんなが同調し、女たちは敬助と向き合って体操を始めた。子供たちも加わった。残ったのは晋助と夏江である。晋助は腕組みして海を眺《なが》め、夏江はなみやの立てたパラソルの陰に入って俯《うつむ》いていた。二人とも瘦《や》せていて、どこか体型が似ている。ともに色白で、日焼けして赤く火照《ほて》った肌《はだ》になったのも似ている。違うところは晋助がお喋《しゃべ》りなのに夏江が無口なことだ。今も晋助は何やらしきりに夏江へ話しかけていた。

やがて夏江の表情がほころび白い歯がキラキラ光った。めったに笑わない彼女を笑わせるすべを晋助は心得ている。初江は、〝夏っちゃんと似合いなのは晋助みたいな人かも知れないわ〟と思った。目の前の敬助は謹厳一方で冗談の一つも言わない。こちらが話し掛けなければ、いつまでも沈黙している。何度も考えたこと、〝敬助と夏江が夫婦になったらひっそりとした家庭になるだろう〟を、もう一度考えてみる。むろん敬助は悪い人ではない。女たちがみんな自分の真似をし出すと、「では、士官学校の準備体操を初めからやります」と一、二、三と掛け声をかけつつ体操を熱心に指導するのだった。

みんなは水しぶきをあげて波間を進む。いつもだと夏江は子供たちと水際《みぎわ》で遊ぶことが多かったが、きょうは敬助も来ていることだし、沖のエビ島まで行かせたい。研三をなみやに預け、悠太と駿次を浮袋に入れ、「夏っちゃん、行こうよ」と誘うと素直についてきた。背が立たなくなると泳ぎだす。この、体が重力の束縛をのがれて浮きあがり、魚に変身する瞬間が初江は大好きだ。姉妹はともに平泳ぎだが、子供時代から海に親しんだおかげで上手である。とくに初江は、小学生の時、葉山から逗子までの遠泳大会に参加して完泳した経験があって、持続力には自信があった。いい気分でぐいぐい進むと、遅れた子供たちが呼んだ。夏江が二人を誘導しようとするが、横波が子供たちを離すので苦労している。と、晋助が助けに出た。子供たちをたのむわよと叫び、初江は前へむいた。風間四姉妹のゴム帽が浮き沈むむこうに、敬助が波を蹴《け》立《た》てて、先頭を切っている。よし、負けるものかと初江は力一杯に水を掻《か》いた。まず桜子を追い抜く。松子と梅子が並ぶ真ん中を押し分ける。百合子との競争になった。技倆《ぎりょう》は互角だが、体力は初江が優《まさ》り、じりじりと引き離した。白い波に洗われるエビ島の岩々が迫ってきた。敬助の赤い帽子が島に取っ付いた。肩や腰から光を散らして、すっくと立った。島には何人もの人がいたが敬助の所だけが照明されたように明るい。見とれていると、岩間にすぼまり急流となった波をかぶって水を飲んだ。鼻に詰った塩水にむせ、うろたえて波を叩《たた》くと、また水を飲んだ。「大丈夫ですか」と手が差出され、強い力で岩に引きあげられた。思考を波が流し出したようで何も考えられず、血がジンジン鳴るのを聞いていた。

「本当に大丈夫ですか」と敬助がまた尋ねた。

「ええ」とやっと初江は答えた。「大丈夫です。久し振りに大力泳したものだから」

「水泳がうまいですね。大したものだ」

「いつもはゆっくりなんですが、きょうはちょっと、張切りすぎました」

「でも大したものだ。初江さんの泳法は正則です」

〝初江さん〟と呼ばれて少し変な感じがしたのは、弟の晋助から常々〝叔母さん〟と呼ばれるからだ。しかし、年は一つ下でも敬助には年長者の風格があり、彼から〝叔母さん〟と呼ばれたら、もっと変な感じかも知れぬ。

百合子に続いて、つぎつぎに女たちが到着した。最後に子供たちを連れた夏江と晋助があがった。

エビ島は平板な大岩を中心に大小の岩が海面に突き出、岩礁《がんしょう》には魚がキラめき藻《も》が黒く茂って、泳ぐによし潜るによし、恰好《かっこう》の遊泳場になっていた。岩から岩へと飛石づたいに泳ぐ人、銛《もり》と水中眼鏡で魚をねらう人とさまざまだ。が、海浜の混雑はなくて、人々はのびのびとたわむれていた。

敬助が模範的な飛び込みをした。そのまま深く潜ってしまい、いっかな現れない。初江が百合子と顔を見合せ、どうしたのかしらと不安がっていると、反対側の波間に不意に赤い頭が出た。四十メートルの余は潜水したことになる。敬助が手を振ると風間の四姉妹はつぎつぎに水に入って、そちらへ近付いていった。

悠太と駿次は窪《くぼ》みの溜《たま》り水に、小魚や小海老《こえび》やヤドカリを見付けて追い回していた。夏江は、ヤドカリを並べて競走させることを教えてやり、子供たちはこの遊びに夢中になった。

初江は、夏江がずっと敬助と口もきいていないのが気掛りだった。二人が他人行儀を通しているのは何か理由があるのかと考えてみるが見当がつかない。

「夏っちゃん」と初江は言った。「敬助さんと泳ぎなさいよ」

「どうして」夏江は、四姉妹と一緒に波に浮いている敬助のほうを、つまらなそうに見やった。

「だって、せっかく敬助さん、いらっしゃったのに。いい機会だわ、いろいろお話する」

「誘われないんですもの」

「そうね」そう言われればその通りだった。男から誘うのが当然の順序だと思う。「何かあったの、敬助さんとの間に」

「何もないわ。あれからお手紙も来ないの」

「そうだったの……」初江は意外に思うと同時に、そうなったのは自分の責任だと胸を衝《つ》かれた。あの、美津への返事の仕方が何と拙劣だったことか。初江は自分を納得させるよう、強く言った。「敬助さんは、あなたの返事を待ってらっしゃるのよ。だってこっちが〝考えさせてほしい〟とお返事をしたわけでしょう。先方としてはそれ以上どうしようもないじゃない。あなたが、自分の考えがどうなったか、先方に伝えてあげなくちゃ」

「そうかしら」

「そうよ」自分だったらそうすると初江は頷いた。第一、〝考えさせてほしい〟などという曖昧模糊《あいまいもこ》とした返事などしないし、それに、もしそういう種類の返事をしたら、二、三日中には結論を先方に伝えるだろう。「しっかりしてよ、夏っちゃん」初江はじれったそうに言った。「あれから三箇月以上も経《た》ってるのよ」

「ナ・ツ・エ」と松子と梅子が揃って呼んだ。「とっても綺麗《きれい》な魚がいるの。いらっしゃいよ」

「行きなさい」初江は夏江の背中を押した。妹は海に落ちた。落されたようではなく、自分で飛び入った形だった。浮きあがった顔がこちらを睨《にら》んでいる。が、すぐ笑顔になって敬助のほうへ泳いでいった。妹のか細い腕や脚が頼りなげに水をこぐのを見ながら、初江は、今の笑顔は随分淋《さび》しげだったたと思い起していた。

子供たちは流入した波を石で堰止《せきと》め、池を作っていた。晋助は沖を眺めていた。艪漕《ろこ》ぎの漁船が三杯沖で揺れている。水平線のあたりに白い帆をふくらませた大きな帆掛船が悠々《ゆうゆう》と移動していく。入道雲と太陽の反映で青い海の一部が銀色に泡立《あわだ》って見えた。

「何を見てたかわかりますか」と晋助が尋ねた。

「帆掛船でしょう」

「いいえ」

「海」

「そう、まあ海の果て、フランスです。心眼でフランスを見ている。〝雲か山か呉《ご》か越《えつ》か、水天髣髴《すいてんほうふつ》青一髪〟頼山陽《らいさんよう》は海のむこうに支那《しな》を見た。ぼくはフランスだ」

「あなたフランスに行きたいの」

「もちろん。こんな焦臭《きなくさ》い日本は嫌《いや》になった。満洲《まんしゆう》事変、上海《シャンハイ》事変、血盟団事件、五・一五事件……事変と事件の繰り返し。そのたんびに軍人が威張り出し、文士は小さくなる」

「脇中尉の弟がそんなこと言っていいの」

「いけませんね。親父《おやじ》が生きてたら勘当ものだ。もっとも脇中尉のほうも勘当切られになるかも知れん。兄貴は極端な理想主義者だから」

「それどういう意味」

「親父の忠実すぎる弟子だと言うことですよ。弟子は師の思想を極端にする。親父の現実主義は息子の理想主義となる。実に危険です」

「何だかさっぱりわからないわ」

「今にわかりますよ。今にまた、事変と事件がおこり、大日本帝国は地獄の底にまっさかさま……」

「あなた、声が大きいわよ」

「巡査も憲兵も、ここまでは泳いで来ませんよ。全く、やつらと来たら、やけに頭《ず》が高くて鼻持がならない」

悠太は自分の作った池に小魚を追いこんでいた。駿次が見えなかった。狼狽《ろうばい》して探すと沖から波が打ち寄せて砕け散るしぶきを浴びて面白がっていた。大波が来たら攫《さら》われるところだった。駿次は、ちょこまか動き回り、大胆なのか不注意なのか、失敗を繰り返している。庭の池に落ち、鶏小屋の金網に顔をつけて瞼《まぶた》を突っつかれ、立木の穴に人差指を突っこんで取れなくなり、沸騰中の鍋《なべ》を引っくり返して大火傷《おおやけど》をし……そう、左腕の火傷痕《あと》がそれだった。初江は駿次を抱きあげ、悠太と一緒にした。そして「ああ、わたしもフランスへ行きたい」と晋助に溜息《ためいき》をついた。「家事、子育て、夫と親戚《しんせき》、狭い井戸の中でポチャポチャしてるうちに年をとる。あなたはフランスを相手にできるから羨《うらや》ましいわ。わたしなんか、日本の東京の西大久保の小さな家の何の権限もない主婦よ」

「ぼくと一緒にフランスに行きましょう」

「また冗談を」

「本気ですよ。アンナ・カレーニナになりなさい。恋の逃避行」

「お金がないわよ」

「お金があったら行きますか」

晋助は真剣な面持《おももち》を寄せてきた。男の眼差《まなざし》は初江の唇《くちびる》から乳房へ、腰へ、太股《ふともも》へと厚かましい緩慢さで下っていった。男は、まだ少年のひ弱さを残す肩を垂れ、「美しい」と言った。初江は男の態度に、冗談ではない真剣味を感じ取り、恐《こわ》くなった。

「泳いでらっしゃい」と、立ち上った初江に晋助が言った。

「あなたは泳がないの」

「ぼくはここで小説の筋でも考えてるほうがいい。悠ちゃんと駿ちゃんはぼくが見ててあげるから」

四姉妹と夏江は五人の人魚のように敬助の回りに散っていた。女たちの笑い声を耳にしつつ初江は、自分は人妻で、もう彼女たちのように気楽には振舞えないと思った。

水平線は刺立《とげだ》ち、沖はかなりの波らしい。白いものが見え隠れしている。初め船かと思ったが、丸いブイのようだ。長者ヶ崎の鼻よりは外で、およそ一キロはあるだろう。しかし逗子までの五キロを泳いだ初江には大した距離ではない。行って見ようかと考えた途端、初江は頭から飛びこんでいた。鼓膜に触れた水がコリコリと気持よく唱《うた》っている。頭を出したとき、「初っちゃん」と誰かに呼ばれた気がしたが、構わず沖を目差した。

手足が柔かい水の球の上を滑っていくようで、楽々と動く。うねりがあって、丘に登ると水平線とブイを望見し、窪地の底に来ると水のなめらかな表面と無数の小波《さざなみ》に囲まれた。時々茶目な小波が目つぶしを加えてくる。すると塩辛い水を口に含んで、プッと吐き出してやる。どのくらい来たかと振り向くと赤い帽子が追ってくるのが見えた。エビ島は遠くで小舟のように波にもまれている。赤い帽子はぐんぐん迫ってきた。敬助が手を振った。

「一人じゃ危いですよ」

「平気です、あのくらいの距離」

「どこまで行くんです」

「あそこの白いブイ」

「じゃ一緒に行きましょう」

「ゆっくりですわよ」

「あなたの速度に合せます」

敬助も平泳ぎで並んだ。もう長者ヶ崎の鼻を遥《はる》かに抜け出た。尖《とが》った波頭が頬《ほお》に痛く、黒い冷たい水が脚を引き、目的のブイは横へ横へとずれて、かえって遠ざかっていくかに見える。

「崎とブイの中間を目標にしなさい」と敬助が忠告してくれた。

速い流れが巨人の手のように初江を引きずり、いくら手足に力をこめても及ばない。ようやく初江は焦《あせ》ってきた。すると敬助が言った。

「焦らずに。もうすぐですよ」

ブイは球形を明らかにして近付いてきた。直径は一メートルはあり、脇《わき》に一直線に並ぶ赤い浮きを従えている。何かの定置網の標識らしかった。ブイにつかまり、見回すとエビ島は点、葉山の海岸は線であった。初江は、たった一人でこんな沖まで遠出した自分の無鉄砲に気付いた。何度か危い場面があった。敬助がいなかったら、無事ではおれなかったとぞっとする。

「しばらく休んでいきましょう」

「はい」

「崎を出ると、急に海流が複雑になるんです」

「ありがとうございました。敬助さんのおかげで無事でした。一人じゃ無理でしたわ」

「そんなことありませんよ。初江さんの泳法なら無駄《むだ》がないから、大丈夫ここまで来られましたよ。せっかく一人のところ、わたしが来てお邪魔でしたか」

「いいえ、とんでもない……」

「疲れてますか」

「いいえ、疲れてはいません」

「それなら帰りも平気ですよ。さあてのんびり青空でも見るか」敬助は、たくましい両腕をのばして浮身になった。「いい気持だなあ」と厚い胸をそらすと、胸毛を波が梳《くしけず》った。褌の膨《ふく》らみがなまめかしい。冷たい水の中で、男の暖い肉体を初江はまざまざと感じた。男の胸にすがり、体の芯《しん》がとろけるほど抱かれていたい欲望が熱くなって、首が震え出した。

「寒いですか」

「いいえ」と初江はどきりとして、大きく息を吐き出した。体の隅々《すみずみ》に充《み》ちていた緊張が解けて力が抜け、ずぶずぶと沈んでしまった。

敬助は浮身をやめ、立泳ぎで接吻《せっぷん》するほどの間近まできた。初江は思わず後退してしまい、すぐ後悔した。そんな女の動揺に気がつかぬらしく、男は水上で慇懃《いんぎん》に頭をさげて言った。

「こんな所で失礼ですが、結婚申込の際は、御尽力くださって有難うございます。あれから軍務繁忙で御礼も申しあげず、申し訳なく思っています」

「いいえ……その節は到《いた》りませず……」

「あれから、わたしもいろいろ考えました。つまり……」

小山のようなうねりが来た。かなりの高みに持ちあげられ、見渡すと後続の波は崖《がけ》の連なりのように襲ってきた。

「風が出ましたね」と敬助はつぶやいた。「丁度いい。この波に乗って帰りましょう」

二人は並んで進んだ。何か大切な——初江にとっても夏江にとっても大切な——機会が逃れ去った気がした。初江は敬助の言葉の先を聞きたかったが、高波に巻きこまれぬよう用心するのが精一杯で話を交す余裕はなかった。頂点で波は崩れ始め、内部に人を吸いこもうとする。その手前にうまく乗ると馬の背にまたがったように突進する。その微妙な呼吸を初江は敬助から教わり、段々に楽に泳げるようになった。エビ島に近付くと、こちらに手を振る人々が見えた。手強《てごわ》い男波に叩きつけられぬよう苦心して、どうにか上にあがると、体が重くて立っておれず、まるで陸上で融《と》けた海月《くらげ》のように横になって、肩で息をした。

「まあ無事でよかった」と晋助が言った。「あのブイのあたりに二人がいるのは見えたんだけどさ、帰りは波が出てきて、時々見えなくなるんで、はらはらした」

「でも勇気あるわねえ」と百合子が言った。「あんな遠くまで一人で出掛けるなんて。敬助さん、一人じゃ危いなって飛びこまれたの」

「お一人で大丈夫でしたよ」と敬助が言った。「初江さんの泳ぎは完璧《かんぺき》だもの。わたしも遠泳をたのしませて頂いた。今度はみんなであそこまで泳ぎましょう」

「いやだ」「できっこないわよ」と声が飛び交った。

悠太と駿次が身を寄せてきた。

「おかあさん、だいじょぶ」

「大丈夫よ」と子供たちを抱きかかえると、太い白い毛脛《けずね》が見えた。はっとして見上げると悠次だった。初江は疲れた足腰を無理無体に励まして立ちあがった。

「いらっしゃい。いついらしたの」

「さっきだよ」悠次は眼鏡のシブキをタオルで拭《ぬぐ》ったが、すぐまた波シブキを浴びて後じさりした。肌《はだ》の白さが日焼けした人々のなかで病人じみて見え、突き出た腹が不恰好で、初江は目をそらした。

「おかあさん、ボートに乗ろうよ。ボートがあるんだよ」悠太は岩に繋《つな》がれてもがいている舟を示した。悠次が乗ってきたに違いない。彼は全くの金槌《かなづち》で葉山ではいつもボートを借りて乗り回すのだった。

　悠次はボートから黒いカメラを大事そうに取出した。それまで使っていた十六ミリ映画の撮影機にかえて、最近買ったコダック社製で小型軽量の、自慢の八ミリ映画の撮影機だ。高波を気にしつつ、岩から岩へと恐る恐る移動して、風間姉妹や脇兄弟をねらい、悠太と駿次と初江にポーズをとらせた。土地っ子らしい少年たちが、カメラを珍しがって悠次の後を追った。あまり夢中になりすぎて波をかぶり、うろたえた彼はカメラの濡《ぬ》れを必死で拭った。

「大変だ。こういう高級品は塩水に弱い」しかし、トリガーボタンを押してみると動くので彼はまた元気になった。

「おれを撮ってくれ」と初江はカメラを渡された。彼女は子供たちを両側にかかえている夫にカメラをむけた。左の海で始め、三人を撮り、右の海へ抜け、ふたたび三人を撮ると、「駄目だ」と悠次が言った。「そんなふうにカメラを左右に振るもんじゃない。パンというのは一方向だけに流すもんだ」

　そのままボタンを押し続けていると、ふたたび文句が出た。

「ワン・ショットは五秒以内だ。フィルムがもったいない」

「はいはい」初江はボタンの指を離した。「これちょっとお借りしますわよ」と言うと岩の切れ目に滑りこみ、敬助にレンズを向けて、その美しい肢体《したい》を思う存分に撮った。それから夏江と親しげに話している晋助を撮った。

「おい、濡らすなよ」と悠次が心配そうに言った。そのときカメラの音がしなくなった。悠次に渡すと、「もうフィルム切れだ。お前のせいだぞ。全くもったいない撮り方だ」と怒った。

「すみません」と初江は事もなげに言い、晋助にウインクをした。何だか心が浮々していて夫の叱責《しっせき》が一向に苦にならない。西大久保の湿った暗い家では、夫の刺のある一言一言に一々気が立ったが、この風と光のなかでは平気なのだ。

「もう疲れは治りましたか」と晋助が尋ねた。

「疲れてなんかいませんわ」

「だってさっきは、息も絶え絶えだった」

「あれはお芝居。みんなをびっくりさせたの」

「なぜ、あんな遠くに行ったんです」

「フランスに行こうと思ったの。でも、フランスは遠すぎたわ」

晋助は朗らかに笑った。それを不審そうに夏江が見ていた。初江は悠次が子供たちを乗せたボートを荒波に押し出そうとしているのを助けに走った。晋助が素早く来て手伝ってくれた。ボートが波に浮いて悠次が乗った。初江は一瞬ためらったのち飛び乗った。この波風でボートが転覆でもしたら子供たちが危いと思ったのだ。

11

海は気だるげに岸を舐《な》めていた。密度を増して油のように滑らかになった水面の彼方《かなた》に紫の富士が白い光背を背負って坐《すわ》っている。午後元気一杯に飛びまわっていた風はすっかりくたびれてしまい、重い体をよたよた引き摺《ず》っている。油蟬《あぶらぜみ》の暑苦しい鳴き声が跡切《とぎ》れがちとなった反面、蜩《ひぐらし》の歌声が涼しげに山からおりてきた。

籐椅子《とういす》によりかかって松林越しの海を眺《なが》めていた夏江は、庭を歩きながら親しげに話している敬助と初江と百合子が気になってならず、何とか聴き取ろうとして耳を傾けるのだが、子供たちの甲高い声に遮《さえぎ》られた。悠太と駿次は、悠次が浜辺で飛ばす紙飛行機にはしゃいでいた。落ちた飛行機を子供たちは争って拾いに行く。受取った飛行機を悠次は、パチンコのゴムに引っ掛け、ヤッという掛声もろとも空中に飛ばすのだった。夕空を小さな飛行機は快活に巧みに泳ぎ回った。

敬助に百合子が何やらしきりに話していた。初江の麻の黒っぽい帯に、百合子の絽《ろ》の赤い帯が対照の妙でなまめかしく映えている。わたしも絽の名古屋にすればよかったと夏江は自分の麻帯を悔しげに撫《な》でた。

「夏江、ビール飲まない」と松子が盆を持った女中を従えてやって来た。

「もう沢山。わたしあんまり飲めないの」

「わたしは飲みすぎちゃった」と梅子が千鳥足で歩いてみせた。

「わたしは食べすぎ」と松子は溜息《ためいき》をついた。「空気がいいからつい食べちゃうのよねえ。また一キロ増えたみたい」

「やめて。肥《ふと》るのだけはやめて」と梅子が言った。「わたしたちっておかしいのよ。松子が肥るとわたしも肥る。二人をいつも同じ体重にするよう神様が調節してるみたい。わたし瘦《や》せたいのよ。だから松子の体重増えるの恐怖だわ」

女中が焼鳥とおでんをテーブルに運んできた。松子と梅子は「やれやれ」と吹きだした。夏江も誘われて笑い、「まるで神様が意地悪してるみたいね」と言った。

松子が焼鳥を齧《かじ》りだすと梅子も手を出し、結局二人は競争で食べ始めた。「ああ、困った、止らない、たすけて」

「だけど夏江って感心ね」梅子は脂《あぶら》で唇を光らせた。「飲まない、食べない。まるで荒野《あらの》のキリスト様みたいに意志堅固なんだもの。あなたみたいにすらっとした体になりたいわ」

「わたしだって飲むわよ。食べるわよ。でも肥らないのよ」

「得な体質なのね」と松子と梅子は両側から夏江をはさんでじろじろと見た。二人とも見分けがつかないほど似ている。松子の左唇脇に小さい黒子《ほくろ》があるのと、松子のほうがすこし背が低いぐらいの差しかない。

坊主頭《ぼうずあたま》の敬助は黒っぽい浴衣《ゆかた》も手伝って僧侶《そうりょ》のようだ。彼は初江と百合子と連れ立って浜へ出ていった。

「夏江、敬助さんとのお話どうなったの」と松子が不意に言った。

「どうして、そんなこと……」と夏江は目をしばたたきながら、秘密が風間家まで筒抜けになっていることにびっくりした。

「母から聞いたの」梅子は急いで弁解した。「伯母さまが敬助さんの人柄《ひとがら》について母にお尋ねになり、そんなら娘たちのほうが詳しいからって、母からわたしたちに〝御下問〟あったので分ったの」

「そう……」夏江は眉《まゆ》をひそめた。菊江はまったく秘密を守らない。自分の縁談を風間家の人々が知っていて、あれこれ取沙汰《とりざた》していると想像すると不愉快だ。初江だって同罪だ。敬助の手紙の件を簡単に菊江に洩《も》らしてしまった。もしも手紙の件まで菊江が藤江に伝えたとしたら、それを藤江は美津に話すだろう。息子の行為が風間家にまで聞えてしまったと知った美津の怒りは、まっさきに夏江にむけられる。それにも増して堪えがたいのは、自分が二人の間の秘めごとを人に洩らすような女だと敬助に思われることだ。

「いいお話だとわたしたち思ったのよ」と松子は言った。「だから、一所懸命、敬助さんのよい所を母に話したの。でも、幼年学校に入学してからは、あんまり会えなくなってよく分らないの。わたしたちの知ってるのは子供の頃《ころ》の彼」

「夏江と敬助さんとは、お似合いよ」と梅子が言った。「わたしたち、とてもいいお話だと思ったのよ。ところが困ったことに……」

梅子が〝ところが〟と言った瞬間、松子がそっと目まぜを送ったのを夏江は見逃さなかった。「何が困ったの」と夏江は梅子に迫った。梅子が困惑の体で答えないので今度は松子に尋ねた。お喋《しゃべ》りな二人がにわかに口を噤《つぐ》んだのが夏江の心を逆撫でした。

「何よ。あなたたち何か隠してるわね。言いかけて黙るなんて、水臭くて嫌《きら》いよ」

「ごめん、そういうつもりじゃないの」と松子が頭を下げた。「だって、言いにくいんだもん」

「わたしに関係したこと」

「そうね、関係あるわね」

「じゃ、言って。何を聞いてもわたし怒らないから」

松子は梅子と顔を見合せた。双子がよくやるこの仕種《しぐさ》は、あいだに一枚の鏡があって、一方が他方の反映となっているように見える。そして、この二人は同時に同じ事柄を考える不思議な共感能力をそなえているのだった。

「仕方がないわ」と松子が言った。「どうせわかることだし、それに夏江に関係があるんだし、話しておくわ。実はね、敬助さんと百合子ねえさんとの結婚を父が望んでいるの」

「叔父さまが……」

「そうなの。意外でしょう。わたしたちもね、まさかと思ったけど、父は近頃になってそう考え始めたらしいの。母も今度初めて聞いたのよ。夏江と敬助さんの縁談を父に伝えたら、いきなり父がそう言いだしたんですって」

「家は女の子ばかりでしょう」と梅子が補足した。「だから、養子をとって家を継がせるのかと思ったら、父の意中の人が脇家の長男だというので、意外や意外なの」

「ほんとに、おかしいわよ」と言いたげに松子と梅子は頷《うなず》き合い、家の奥で談笑している風間振一郎と藤江と美津のほうにチラと視線だけを走らせた。この二人とは聖心女子学院の初等科から高等女学校卒業まで十一年間一緒だったので、彼女たちの微細な心の動きが夏江にはわかるのだった。

「母は父に反対なの」と松子は言い、団扇《うちわ》で焼鳥にたかる蠅《はえ》をパタパタ払い、それから足を刺した蚊をやけに派手に叩《たた》いた。ヴェランダにつるした提灯《ちょうちん》にカナブンが突き当ってテーブルに落ちた。松子は手をあげて女中を呼んだ。「そこの蚊《か》遣《や》りちっともききやしない。もう一つ持っておいで」梅子が叱《しか》りつけた。「ビールの冷たいの持っておいで。泡《あわ》が立たなくなったら取替えるよう言ってあるでしょ。気がきかないったらありゃしない」

「もともと、脇のおばさまにあなたをすすめたのは母なのよ」松子は続けた。「おばさまが誰かいい人いないかって母に相談なさって、夏っちゃんなんかどうかしら、って答えたところから話が始まったの」

「ねえさんは」梅子は浜のほうを窺《うかが》ったが、闇《やみ》にまぎれた人々は定《さだ》かではない。「敬助さんと年が近すぎるし、わたしたちは、あなたみたいに美人じゃないし……」

「何を言うのよ」夏江は二人を睨《にら》みつけた。

「だから、夏江、あなたが一番の候補者だってのが母の考えだったの。それを父ときたら……」「おとうさま、何を考えてらっしゃるのかしらねえ」

「百合ちゃんはどう思ってるのかしら」夏江は最も知りたいことを口に出した。

「おねえさんはね……」松子は言いさした。晋助と桜子が姿を見せたのだ。彼は買物籠《かいものかご》一杯の花火をさげている。

「近所の店は売切でね。逗子まで行ってきた」「バスがすごく込んでて大変だったのよ」

晋助は丁度浜辺から帰ってきた子供たちを「花火をやろう」と手招きした。「やりましょう」と応じたのは夏江だった。何だか、思い切り景気よく花火でもあげてみたくなった。


桜子が花火をするからと呼びに来たので、敬助と初江と百合子は風間邸に引き返した。裏門前の浜で晋助と夏江が準備に精出しており、まわりを一同が取巻いていた。女中や書生たちや近所の子供たちも集ってきている。初江は「坐りましょう」と敬助を松林の取っ掛りにいざなった。ひとときをひそめていた風がまた動きだし、涼しい。

ずっと付き纏《まつ》わっていた百合子がやっと離れて、敬助と二人だけの会話ができると初江はほっとしたところで、さて話し掛けようと構えるとにわかに気詰りを覚えた。百合子は宝塚と松竹の少女歌劇を比較し、葦原《あしわら》邦子と水の江滝子の優劣を論じというたぐいの小娘じみた話を蜿蜒《えんえん》とつづけたのだが、敬助はけっこう愛想よく相槌《あいづち》を打ち、たのしげに聞いていたのだ。初江は、われながら平凡だと思う発言から始めた。

「きょうは助けていただいて有難うございました」

「はは……」〝はは〟だけでは、自分の意を通じえたかどうか不安だ。

「本当を言うと、わたし途中で溺《おぼ》れかかったんです。冷たい水の中で手足が動かず、水を呑《の》んで、あぶなかった。ほら、敬助さんが〝焦《あせ》らずに〟と言って下さったときです」

「そうですか。初江さん、平気に見えましたけどね」

「それが、そうじゃなかったんです。わたしって、何も考えずに突進しちゃう悪い癖があるんです」

「はは……」

この〝はは〟に続く気まずい沈黙を埋めようと、初江は気ぜわしく言った。

「家庭の主婦なんてつまらない、結婚、子育て、家事、狭い所で息が詰ると思ったら、どこか遠くにいきたくなって、飛びこんじゃったんです」

敬助は黙っていた。初江は激しい後悔にとらえられた──晋助に言ったことをつい敬助に言ってしまった、晋助と敬助がまるで違った人間であることを忘れていた、敬助は夏江と家庭を持ちたいと思った人だ、その人にむかって〝家庭の主婦なんてつまらない〟などと口走った自分は何とおろかであったろう。

敬助の、男らしく鼻筋の通った横顔が青白く染まり、それは赤から黄に、さらに白に変った。子供たちも、夏江も四人姉妹も、色とりどりの光を手元から発散して、煙の中に立っていた。ひとしきり光の饗宴《きようえん》がおわって、敬助の顔は闇に融けた。闇の中から喘《あえ》ぐような、しかし明瞭《めいりよう》な声が聞えてきた。

「家庭の幸福についてわたしも考えました。いろいろと考えて悩みました。結論を言うと、わたしは女を幸福にする、すなわち家庭の幸福を保つ能力はないんです」

「待ってください。さっきわたしが言ったの、本心じゃないんです。そんな気がすることがあるってえだけなんです。だから……いいえ……ぜんぜん、敬助さんとは、夏江とは関係がない、ほんの思い付きなんです」

「安心してください。初江さんのおっしゃったことと無関係に、あれから、この三箇月間、考えてきたことなんです」

「どういうことでしょうか」

五色の光が点滅した。桜子が来て、一緒に花火をやりましょうと誘った。立ちあがりながら敬助は捨台詞《すてぜりふ》を残した。

「わたしには家庭を持つ資格がないんです」

初江は闇の中に取り残された。敬助の口調には、初江も、そして夏江をも拒否する断乎《だんこ》とした調子があった。それは無論敬助の以前からの考えなのだろうが、そういう口調の言葉を引き出したのは自分の咎《とが》のような気がして、彼女は憂鬱《ゆううつ》だった。

「ねえさんもやらないか」と悠次が花火を一本差し出した。

「嫌《いや》だよ」美津は子供のように手を背に引っ込めた。「わたしゃ火薬が怖いんだから」

「今夜は風間に泊るんか」

「ああ、逗子までのバスは無くなるからそのつもりだけど、もしも悠ちゃんとこに泊めてもられれば、そのほうが気楽なんだけどね」

「泊りゃいいじゃない。ここにゃ明いてる部屋がどっさりあるんだから」

「そうしたいのは山々だけど、あんたの奥さんが駄目《だめ》だと言うよ」

「初江は大喜びだよ。賑《にぎ》やかなのが大好きなんだから」

「何にもわかってないんだね、悠ちゃんてのは。全く鈍いんだから。あ、驚いた」

ポンと音がして空中で菊の花が咲いた。晋助がつぎの打揚花火に蠟燭《ろうそく》の火を近付けている。

美津は両の人差指で耳栓《みみせん》をした。青い尾を曳《ひ》いた玉は数個の桜の花となり、落下傘《らっかさん》がおりてきた。

「ちょっと来て」と悠次は美津に庭へと誘われた。松林には人気がなく、奥まった広間で風間振一郎が来客二人に会っているのが見えた。

「夏江さん、何か言ってなかったかい」

「先週言ったろう、何も新しいことは起きていないって」

「今日の午後、ずっと夏江さんは敬助と一緒にいたんだから、何か二人のあいだに進展でもあったんじゃない。あんたの観察で夏江さんに変ったところなかったかい」

「気付かなかったな。あの子は無口だから何も言わないし」

「初江さんは何か言ってたかい」

「いいや」

「あんたも気がきかないね。今日は、若い二人が会ういい機会だと思ったから、わたしも敬助について逗子から出て来たのよ。あんただって当然、そこへ気を回してもいいじゃないか」

「おれは駄目だ。女心なんて、てんでわかりゃしない。それよりさ、ねえさんが敬助から直接聞けばいいじゃないか。何があったか、すぐわかるだろう」

「それがまた駄目なんだよ。あの子は何も言わない。聞いたって答えない」

「母親でありながら息子の男心がてんでわからないってわけか。つまり兄でありながら義妹の女心がわからないおれと同類じゃないか」

「違うよ。あんたはのんきだけど、わたしは焦《あせ》ってるの。実は風間が（かつて亡夫脇礼助の政治資金の調達係であった風間振一郎を、美津は陰では風間と呼び捨てにしていた）、百合子さんをもらって欲しいって頼んできてる。そう頼まれても、夏江さんの話がきちんと整理されなくっちゃ受けられないし、それで困って、焦ってるの」

「百合子には婿養子《むこようし》をとるって聞いていたが」

「そうしなければ風間の家は絶えてしまうからねえ。ところが風間の風向き（〝風間の風向き〟は脇礼助の好んで使った言葉だった）が変ったのよ。大急ぎで脇礼助の息子と縁戚《えんせき》になる必要が生じたってわけ。もともと風間は、脇が政友会の幹事長になったとき、その推輓《すいばん》で石炭会社の社長になった人でしょう。脇が死んだあと、ずっと政界に食い入って隠然とした勢力を持てたのも、脇の威光のせいなの。それがね、最近は自分も政治家を志して脇の地盤の栃木から衆議院選挙に立候補したいらしい。わたしは、今の政治のことなんて全然わからないんだけど、天皇機関説問題で政情は不安定らしいね。風間が言うには、政友会が内閣不信任を出せば、いつでも議会解散と総選挙がおこりかねない有様なんだって。風間はその機会に代議士に打って出たい、ついては脇礼助の縁戚になっていれば選挙戦の大義名分も立つってえわけなの」

「ずいぶん虫のいい話じゃない。まったく自分の利益のためじゃない」

「自分のためだけじゃないの。これは最高の機密なんだから誰にも洩《も》らさないでね。悠ちゃんだから何もかも正直に言うんだから……」

「ワッ、蚊が多いね。ここは」悠次は袖口《そでぐち》や褄先《つまさき》を払った。「中に入ろうか」

「ちょっと我慢して聞いて」美津は声を励ました。「誰かに聞かれたら困るんだから。いいかえ、敬助が風間振一郎の縁戚になるってのは、敬助にとってもいい具合なの。なぜなら、風間は石炭をにぎっていて軍部に絶大な勢力を持ってるからね。敬助はあんな子だから、軍人としての出世なんか念頭にないらしいけど、親としてはそうはいかない」

「分った。ねえさんのほうも敬助を夏江とじゃなく、百合子と結婚させたいんだな」

「そうなの。せっかく初江さんにお願いして、いまさら話はなかったことにしてくれと言えた義理じゃないんだけども、夏江さんの態度が曖昧《あいまい》で事がちっとも進まないし、それに時田の院長さんは海軍御出身で陸軍を嫌《きら》っていなさるようだし、話を振り出しに戻しても仕方がないと、わたしは思うんだよ」

「待ってくれよ。敬助はどう思ってるんだい。そもそも夏江を欲しいと言い出したのは敬助なんだろう」

「敬助はわたしが説得するよ」と美津はきっぱり言った。こういう自信たっぷりの断言を姉は時々した。悠次が幼い頃、美津はこういう鼻柱の強い言葉づかいで母の千賀《ちか》（つまり美津には継母にあたる）と口喧嘩《くちげんか》をしたものだった。美津が何か言い出したら、反対したり疑ったりはできない、もしそうすれば徹底的な反撃をくうと悠次はよく弁《わきま》えていた。美津は家計が苦しくなると金の工面を迫ってくるし、ふとした気まぐれで家に伝わる古文書を貸せと要求してくるが、悠次が一度も断ったことがないのはそのせいだった。

「敬助を説得するためには」と美津は続けた。「夏江さんが断ってくれる必要があるの。どうだろう、悠ちゃん、初江さんを通じてでも、そのへんの工作できないかしら。敬助を夏江さんが嫌うような具合に、敬助の悪い所を数えたてるとか、何なら嘘《うそ》を言ってもいい――敬助が夏江さんに関心を持たなくなったとか」

「おれにはどうも、そういう政治家みたいな操作は苦手だな」

「やっておくれよ。恩に着るよ」

「弱ったな……」全く身勝手な姉だと思いながら、腹を立てるよりも困惑しきって悠次は嘆息した。

花火が終って、子供たちが駆け込んできた。砂地を擦《す》っていく下駄《げた》やサンダルの音がして人々が庭に入ってきた。美津と悠次は何食わぬ顔で人々に混った。

高櫓《たかやぐら》のてっぺんで太鼓を叩《たた》く二人の若者がいた。ドンドンと腰を震動させて歓喜に全身を貫かせて、力一杯に叩いていた。背中の児雷也《じらいや》の顔が汗で濡《ぬ》れ、腹の雷神の臍《へそ》が男の臍と重なって跳ねている。ドンドンと若者二人は精液をふりまくように腰を振っている。

女たちが渦《うず》を巻く。町会の定めたものか赤と黄の横縞《よこじま》の揃《そろ》いを振り振り、ドンドン、震動に答えて身をくねらす、一斉《いっせい》に、同じ動作で、渦を巻く。男たちが外側を取り巻く。こちらは紺と白の横縞の揃いで女たちを追うように渦を作っている。女・男・女の幾重もの渦だ。

晋助がまず人々の渦に潜り込んだ。最初後込《しりご》みしていた四姉妹は、松子を先頭につぎつぎと飛び込んで、流れていく。

初江は、踊ってみたいのに悠次の手前ためらっていた。毎年盆踊りを見物はするが、まだ踊ったことはない。むろん踊り方も曲の名も知らなかった。地元の日《ひ》焼けした娘たちが、日頃《ごろ》の練習の成果を誇るように、見事な呼吸で踊るのに心おくれてもいた。しかし面白そうだ、踊ってみたいと思う。

「おれはこういうの駄目だ」と悠次が言った。「むこうの射的場に行こう」

「行こう、行こう」と子供たちが言った。

敬助が夏江に何か話しかけていた。おやっと思い、よく見定めようとしているうちに、悠次も子供たちも姿を消していた。そして敬助と夏江も人波にまぎれてしまった。太鼓がドンドンと鼓膜を刺戟《しげき》し、ビールの酔も手伝って、頭の中の粘液が揺れ動くようだ。後から横から押されて初江は自分の意に反して、あちらこちらに移動した。漁師らしい背の高い若者が声をかけてきた。

「別嬪《べっぴん》さん、一杯やっか」と熟柿《じゅくし》臭い息がかかってきた。びっくりしてかぶりを振ると、いきなり尻《しり》を撫《な》でられた。若者はあつかましく初江を抱こうとする。見物人たちの前へ逃げた。

「オバサーン」と晋助の声がした。見るとしきりに手招きしている。初江は無我夢中で晋助の隣に飛びこんだ。見様《みよう》見真似《まね》で、ともかく踊っている振りをした。若者は追ってはこなかった。

「大丈夫」と晋助が尋ねた。

「ええ、まあ」と答えたものの動悸《どうき》はおさまらずかすれ声になった。

「あの男誰ですか」

「知らない人よ」

「非力なぼくの手にあまる恰幅《かっぷく》だったから、撃退するにはオバサーンという言論しかなかった」

「ありがとう」やっと落ち着いた初江は、きっと睨《ね》めつけ、「でも、オバサーンはひどいわ。余程の婆《ばあ》さんだと思われちゃう」

「あんな危急存亡の機にも見栄《みえ》が残ってるとは御立派。初江って呼べばよかったかな。初江って呼んでみたいな。おおわが初恋の初江よ。はつかに見ゆる肌《はだ》の映えるかな。はちにちの月のもと、お初の張着《はっき》のハラリと端のはかなきかな」

「あなた酔ってるの」

「酔ってますよ。今晩はやけ酒でしたから」

「何のやけ酒」

「初江に振られたやけ酒ですよ。だって、初江は大日本帝国陸軍中尉《ちゅうい》とばかり話していて、あわれな一介の一高生なぞ振り返りもしない」

「莫迦《ばか》なこと言わないで」

「恋は莫迦なものですよ」

「もうこういう話やめましょう」

「休戦ですか。ただし、ほんの一時の休戦ですよ。ヴェルサイユ条約はかならず破棄せらるべし」


晋助はおおぎょうな身振りで初江に摩《す》り寄ってきた。背の高い色白な美青年は女たちの視線を浴びていた。初江は恥かしくて晋助から体を離したが、彼と一緒にいるのも得意でまた寄り添っていった。風間姉妹も夏江も渦に没して見当らない。人々は歓喜の汗を吹き、男も女も何だか裸になったように体形をむきだしにしていた。初江の体の芯《しん》に火が燃えて、そこが輝くような感じで、人いきれのなかではもう我慢ができず、渦を抜け出した。晋助が追ってきた。

八日か九日ぐらいの月が頭上に高く、波が白かった。江ノ島の灯火が水平線下に散り、灯台の光が夜を薙《な》いだ。晋助は裾《すそ》をからげ下駄を脱いで波に足を洗わせた。いかにも涼しそうだ。初江も真似た。

「人に疲れたわ。人、人、人、じつに暑っ苦しい」

「ぼくもですよ。人間って面倒で厄介《やっかい》でおせっかいで執念深くって、やりきれない」

「フランスに逃げていきたいの」

「フランスも人の国だから、面倒な点は同じでしょうね。ただし、ぼくなんか行けば外国人としての自由は多少ある。しかし、その自由を買う金はない」

「脇家はお金持でしょう」

「とんでもない。親父《おやじ》が死んだとき借金だらけだった。〝児孫の為《ため》に美田を買わず〟なんてイキだけど、政治家は実際のところ美田なんて買う余裕はない。政治家の後家のお袋なんぞ、長い爪《つめ》に火をともしている」

「それじゃフランスに行けそうもないわね」

「残念ながら……フランス政府給費留学生の試験にでも受かれば別だけど、あれは難関だし」

「頑張《がんば》ってお受けなさいな。男はいいわよ。頑張れば何とか道が開けるんだから。女はみじめ。高等学校にも帝国大学にも入れないのよ。仕方がないから男に養われる妻になる。そして妻は、夫以外の男を愛すると罰せられるの。もしも、わたしがあなたと恋愛したとすると、わたしは姦通《かんつう》罪で懲役二年の犯罪者になるのに、夫がほかの女を愛しても無罪放免なの。こんな不公平ってあるかしら」

晋助にしては珍しく沈黙が続いた。すこし大きな波が寄せて来て、初江は逃げ出したのに彼はじっと立って裾《すそ》を濡《ぬ》らすにまかせていた。ゆっくりと歩いていき、砂に影が短く映った。

「晋助さん、何を考えてるの」初江は不安になって声で追いかけた。晋助は青白い顔を中空に浮せて待っていた。初江は近付いて男を見あげた。

「今の小暮夫人の言葉について考えていたんです。姦通罪だけどね、夫が妻以外の女と通じても罰せられないのはたしかに不平等だ。しかし、妻が夫以外の男と通じた場合、その間男も同じく罰せられる。つまり有夫の女と間男とは平等なんだ。そこに救いがある。ボヴァリー夫人、アルヌー夫人、サンセヴェリナ公爵《こうしやく》夫人、レナール夫人、アンナ・カレーニナは日本にだって存在しうるはずだ、そういう小説が書けるはずだと考えていたんです」

「あなた、小説を書くため、わたしを愛してるなんて言うの」

「いや、小説のように愛して、初江さんと一緒に罪に堕《お》ちたいのです」晋助はいきなり初江を抱きしめ、素早く唇《くちびる》を合せた。男が全身を小刻みに震わして差しこまれた舌が自分の歯を打つのを、初江は瞬時にして全身に沁《し》みわたった甘美な陶酔のさなかで感じた。自分の体も震えだした。二人は震えたまま抱擁していた。遥《はる》かむこうで盆踊りの大群衆が明るく陽気に動いていたが、この水際《みぎわ》は二人きりで暗くて淋《さび》しかった。誰かの足音がしたので二人は離れたが、波音だったらしく誰もいなかった。砂が光っているのは夜光虫らしい。乾いた砂をもとめて斜面を登ると漁船が木枠《きわく》の上に引き揚げられてあった。攀《よ》じのぼって幌《ほろ》をあげると中はかなりの広さがある。二人は入り込むと、ひしと抱き合った。

長い接吻《せっぷん》のあと男は女の帯を解きにかかった。「駄目」と制止する手を何度か撥《は》ねのけられた。男は女性の帯について無知らしく、はかばかしく解き進めない。ついに女は手伝って体を回転させた。引き締った、しかし柔かな若い肌《はだ》で、夫の感触とまるで違った。体を開きながら女は月を見た。幌の隙間《すきま》にはさまれた卵形の月の熟した肌を波音が洗っていた。「好きだ」と男があえいだとき女はかつて経験したことのない喜悦に燃えて全身を震わせた。

「散歩しましょう」と敬助に誘われたのは踊りの喧騒と混乱の真ったただなかだった。耳を聾《ろう》する太鼓の音や人込みを嫌《きら》っていた夏江は喜んでついて行った。人々が群れ集っていた浜には、葦簀《よしず》張《ば》りの店が祭りの夜店のように肩を並べ、アイスクリームや氷や玩具《おもちゃ》や風船などを売っていた。何かの話があるかと思ったが敬助は黙っていた。店が切れて砂浜が尽き、草が疎生《そせい》しているあたりで、敬助は立ち止った。月が波に白い縞を作り、虫が鳴いている。涼しい風が吹き渡って夏江はやっと落ち着いて息ができる気がした。

夏江は敬助が何かを言いだすのを待った。しかし敬助は黙っていた。そして、こういう沈黙は、夏江にとってお馴染《なじ》みのものだった。これは敬助の美点なのだが、彼の寡黙《かもく》は不機嫌《ふきげん》のため押し黙ったり、何かを言い出せずに気詰りに黙り込むのではなくて、沈黙そのものを楽しむという独得の気風《きっぷ》があった。去年の夏、敬助と散歩したときも大した話はしなかったのだ。もっとも、去年は、夕方の海岸をほんの二十分ほど一緒に歩いて帰ってきただけだった。夏江は、敬助という人物をよく知らなかったし、軍人、ことに陸軍の軍人の生活や関心がどんなものか見当もつかず、何かを尋ねようにも切掛けがつかめなかった。敬助のほうも、夏江の趣味や日常について何も聞こうとせず、二人は黙って松風に吹かれ富士の左に沈む夕陽《ひ》を眺《なが》めていた。ところが今年は、敬助からもらった沢山の手紙で、歩兵将校の勤務の内容や彼の時局認識（日本と支那を中心とする東洋繁栄の方策で、あんまり細密に長々と書かれていたため夏江は読み通せず、したがってよくは理解できなかったが、そういう問題への男の熱意は感得できた）など大体のことを知っていた。しかし、なまじ知っているために、それ以上質問することがないような気がしたし、またあれだけ熱心に男が書き送ってきた事柄《ことがら》について、それ以上何か尋ねるのは男に対して失礼だという気もした。ただし夏江はたった一つのこと、松子と梅子から聞いた百合子との縁談について当の敬助がどう思っているかを聞き出したくて、その機会を待っていた。

盆踊りの群衆が遠くにうごめくのを見つつ二人は黙っていた。夏江がいよいよ決心して口を開こうとしたとき、敬助は「行きますか」と歩き始めてしまった。

町のとば口に釣具《つりぐ》屋や雑貨屋が軒を並べ、裸電球の光の中に客の影が泳いでいた。「ラムネを飲みますか」と敬助に言われたのを夏江は断った。若い女が人前で飲食するのを恥じる気持があったが、本当は咽喉《のど》がからからだった。敬助は「それでは」と言い、瓶《びん》の首の球を涼しげに鳴らして一本を飲んだ。汗で坊主頭《ぼうずあたま》が光っている。軍人というより雲水に見え、眉間《みけん》の縦皺《たてじわ》が何やら強い信念を示すように思われた。

「行きましょうか」と敬助に言われ、二人は並んで矮小《わいしょう》な藁屋《わらや》が連なる人気《ひとけ》のない道に入った。明け放たれた窓越しに蚊帳《かや》の中の子供や庭先に干した海藻《かいそう》が見えた。軒端《のきば》にかけた魚網や釣竿《つりざお》やタモがいかにも漁師町らしい様子で、総じて浜辺よりもこの町内のほうに、濃い磯《いそ》の香が漂っていた。屋並が尽きると、森々と樹木が茂る別荘や保養所が続き、人通りも跡絶《とだ》えて、頭上からの月明りのみとなった。敬助は懐《ふところ》から懐中電灯を取り出して道を照らした。びっくりするほど明るい光で不思議に思っていると、「夜戦用の特殊照明灯です」と説明された。

「どうぞ」

「敬助さん」と、夏江はやっと言った。「ちょっとお尋ねしたいことがあるのですけれど」

「やっぱり、上手に言えませんわ。敬助さんから先におっしゃって。わたしをお誘いになったのは何かお話がおありになるからでしょう」

「はいそうです。では、あそこに行きましょう」

松林を抜けると浜辺が広がった。見覚えがあると思ったら風間の別荘のすぐそばだった。広間で振一郎や藤江や美津が話している姿も見分けられた。

「なあんだ」と夏江は言った。「随分遠くに来てしまって、ちょっと心細いなと思っていたんです」

「はは……午後、このあたりの地理を偵察《ていさつ》しておいたんです。よかったら坐《すわ》りましょう」

松の太い幹が具合よく椅子《いす》の背となった。前の広場はさきほど花火をした砂浜である。丁度今坐っているあたりで、敬助と初江が話しこんでいたのを夏江は思い出した。

「花火のとき、初江ねえさんと話してらしたわね、ここで」

「そうです。あなたのことを話していました。わたしにはあなたを幸福にする能力はないと告白していたんです」

いきなりそう切り出されて夏江は頭を殴られたような気がして息が詰った。優しく端然とした人と思いこんでいたのが突如猛々《たけだけ》しい本性をあらわしたようで怖かった。

「すみません」と敬助は急いで言った。「こんなふうに始めるつもりじゃなかったんです。つい妙なことを言ってしまいました」と狼狽《ろうばい》して声が上擦《うわず》っている。

猛々しかった男がたちまち弱々しい人間になってしまい、夏江は戸惑った。

「どういうことですの。よくわかりませんわ」

「去年から勝手に書信申しあげて相済まなく思っています。さぞ御迷惑だったでしょう」

「いいえ。ただ一度も御返事差上げなくて申し訳無く思っています」

「それは構わないのです。初めに、読んでも読まなくても結構です、また御返信の御心遣い無用と書いたのですから」

「全部読ませていただきましたわ」

「そうですか」敬助は、折れたようにがくんと頭をさげた。「ありがとう。それは感激です。読むの大変だったでしょう」

「正直に申しあげて、よくは理解できない所もありました。〝時局への発言〟は、どうも……。でも、敬助さんというお方はよくわかりました」

「わたしの気持も汲《く》んでいただけましたか」

「はい」夏江は先生に指された生徒のように返事した。

「そして、この五月、母を介して一応申し込みをさせていただきました。そうしたら、〝考えさせてほしい〟という御返事でした」

「はい」

「その際、わたしを好きだとも言われた。その通りでしょうか」

「はい」夏江は顔を赤らめた。さいわい暗闇《くらやみ》が羞恥《しゅうち》の色を隠してくれた。

「そして、この三箇月間お考えになった。その結果は、いかが相成りましたのでしょうか」

「それにお答えする前に、さっきおっしゃった——幸福にする能力がないとか——あれ、どういうことでしょうか」

「わたしもこの三箇月間考えました。そうして、自分のような軍人は家庭の幸福は望めない、妻となる女性を不幸にするだけだと考えたのです。わたしには妻よりも家庭よりも、もっと大事なものがある。そのために命を捧《ささ》げてもいいと思っています」夏江は、ラムネを飲んでいる敬助に見た眉間の深い縦皺《たてじわ》を、今、目の前の彼にも見たと思った。

「その〝もっと大事なもの〟って何ですか」

「今は言えません」

「それでは、わたしのほうは、何も考えようがありません」

「すみません」

「一つうかがっていいかしら。敬助さん、風間の百合子さんとの結婚を考えてらっしゃるの」

「何ですか、それは」敬助の声にはそれを初めて聞いた驚きとも、そんな秘密を逸早《いちはや》く知った夏江への警戒ともとれる不得要領な響きがあった。夏江はその点を分明にしたくてなおも言った。

「風間の叔父さまが、あなたと百合子さんとの結婚を強く望んでらっしゃるとか……」家の中では振一郎の姿は消え、美津と藤江が茶を飲んでいた。

「まさか、そんなことありえません」

「あなた、本当にこの話、御存知ないの」

「知りません。初耳です。そして驚きいった話です」

「敬助さん、百合子さんと結婚なさる意思がおありになる」

「ありません」

「つまり風間からこの話が来ても、きっぱりお断りになります」

「断ります。わたしにその気は全くありません」

「それをお聞きして安心しました。では、わたしの気持を申します。わたし、敬助さんとのお話があったとき、正直に申しあげて迷いました。もちろんわたしみたいな女が望まれて嬉《うれ》しいという心がありました。あなたの所に行ってもいいと思ったんです。でも、女の幸福って結婚して家庭を持つことにはないという気も他方ではしました。わたしのまわりの人々を見ても幸福な結婚生活を送っている人はすくないのです。今の日本の家庭では、女は男の言いなりになって忍従しなくてはならない……だからためらう気持があって、〝しばらく考えさせてほしい〟なんて失礼な御返事したんです」

「あなたもわたしと結婚して幸福になれない予感を持ってらっしゃる。そしてわたしもあなたを幸福にできる自信を持っていない」

「そうなりますわね」夏江は、話全体に明確な整理がついた気がしたが、なおも正確に整理しようと落ち着いた口調で言った。「そうなったのは、ただ今ここでですわよ。わたしが〝考えさせてほしい〟と言ったのは、敬助さんと御一緒になれば幸福になれる保証がほしかったからなんです」

「今、その保証がないことがはっきりしたわけ……」

「そうです。理由はわたしにはわかりませんが、あなたがそうおっしゃるなら、御縁がなかったとあきらめるより仕方がありません」

夏江は立ちあがった。落ち着いていると思ったが、足に力が無くてよろけて片膝《かたひざ》つきそうになった。敬助に腕を支えられてどうにか立った。男の胸にそのまま倒れこみたい衝動が体全体を融《と》かすように熱くひろがった。が、何とか持ち堪《こた》えて夏江は男に背を向けて歩み出た。涙が溢《あふ》れ出てきた。

「待ってください」と男が呼び止めた。「これだけは信じてください。わたしはあなたが好きで結婚したいと思い、今もその気持にいささかの変化もないのです。ただ〝もっと大事なもの〟のために、今すぐはそれができないのです。もしかするとわたしは近いうちに死ぬかも知れない。死なねばならぬ時が来る公算は大きいのです。そんな男が無責任に、あなたを幸福にできるなどと言うのはおこがましい、それがわたしの気持なのです」

「わかってます」男の言葉が熱風のように背に吹きつけてくるのを受けて夏江は悲鳴のように言った。「もう何もおっしゃらないで」

「お宅までお送りします」

「いいえ結構です。あなたはそこの風間にお泊りになるのでしょう。すぐそこですわ。わたし一人で帰ります」

そのとき、月が暗くなった。黒い不安な叢雲《むらくも》が海の彼方《かなた》から押し寄せてきている。

「こんな時刻、女の方の一人歩きは危険です。大丈夫、無事にお宅までお送りします」敬助は懐中電灯で夏江の足元を照らし先導してくれた。夏江は袖《そで》で急いで涙を拭《ぬぐ》うと、素直に従った。

〝ヱビスビヤホール〟と看板の出た葦簀《よしず》張りの食堂の端に悠次が二人の子供と坐《すわ》っていた。食べ終えた氷小豆《こおりあずき》のグラスを前に、悠太と駿次は、買ってもらった小型のコリントゲームに興じ、悠次は枝豆を肴《さかな》に冷酒を飲んでいた。初江と晋助が近付くと、悠次はいきなり憤懣《ふんまん》を妻に爆発させた。

「どこへ行ってたんだ、子供をおれに押しつけやがったまま。おかげで何もできやしねえ」

「すみません。人込みで迷ってしまって」

「射的場に行くと分ってんだから、ちゃんと探せば見付かったはずだ」

「ずっと探してたんですよ」と晋助が助太刀に出た。「射的場がいくつもあるでしょう。鉄砲もあるし弓もあるんで、あちこち覗《のぞ》いてるうち行き違いになったらしいです。そこで盆踊りのほうを探してたんです」

「まあ仕方がない」外面《そとづら》のよい悠次は甥《おい》にむかって苦笑した。「こっちは射的と球投げをやったら子供たちが疲れちまい、氷を食べさせて休んでいるとこだ。子供たちを連れて帰ってくれ。おれはもう一度風間に顔を出しておく」

元来酒に弱い悠次はコップ半分の酒ですっかり酔ったらしく赤い顔でよろよろと立った。晋助が透かさず「叔父さん、一緒に行きましょう」と連れ添った。近眼の太り肉《じし》の悠次と並ぶと晋助の整った顔立ちとすらっとした体付は際《きわ》立って、初江を魅了した。結婚して初めて夫を裏切った痛みが心を刺してはいたが、それよりもこの美しい体に抱かれた喜びのほうが強かった。そして、自分がフランスの小説の中の女主人公の一人になったようで、これからの冒険と生活の変化が愉《たの》しみであった。ともかく帰宅して入浴し、晋助の体の感触をゆっくり思い出したく、子供二人をうながして夜道を辿《たど》った。

庭の入口をふさぐように黒い自動車が停《と》まっていた。利平のフォードだ。おやと驚いていると、縁側のデッキチェアーにいた利平が「おう、帰ってきよったか」と大声を出した。座敷には菊江と史郎が坐っていた。

「まあ、よくいらっしゃったわね」初江は大喜びで両親と弟に笑いかけた。

「御自分で運転なすったの」

「いや、浜田だ」初江が見回すと、「今、宿を交渉に行った」

「あら、お泊りになればいいのに、部屋はありますわよ」

「いいえねえ」と菊江が言った。「女中の……なみやというのかえ、聞いたら悠次さんが来なさってると言うから、それじゃわたしたちがいると窮屈だろうと、浜田に探させたの」

そうしてくれてよかった。悠次は人見知りが強く、他人を泊めるのを嫌《いや》がり、西大久保でもめったに人を泊めない。とくに日頃《ひごろ》煙たがっている利平と一緒だと極度に気が立って後が恐ろしい。

「横浜から道が悪くてねえ」と史郎が言った。「まるで砂漠《さばく》の探検隊みたいだった。お袋の入れ歯がすっ飛んで毀《こわ》れた」

「まあ、どうしましょう」

「ちゃんと替えを持ってきたから大丈夫」と菊江は頷《うなず》いた。利平は一本も入れ歯などないのに菊江は総入れ歯で、何かの拍子に落したり毀したりするので旅先には替えを用意する習慣がついていた。

「お風呂《ふろ》お入りになったら」

「もう入れてもらったよ。あのなみやというのはよく気がつくね。よい子をやとったよ」

奥の間の母衣蚊帳《ほろがや》の中に研三が寝かせてあった。台所でなみやが菜を切っていた。

「あ、奥さま。お風呂をわかして、ビールと刺身をお出ししときましたです。魚屋は休みでしたけど隣に頼んだらスズキがあったんで、おらが……わたくしが作りましたんでございます」

「あんた、よくやってくれたわ。その漬物《つけもの》わたしが切るから、子供たちを入浴させて寝かせておくれ。それから風呂の水は全部抜いて、新しいのにして沸かし直しておくれ。あとで旦那《だんな》さまがお入りになるからね」悠次は他人の入った風呂をきたながり、かならず新しい湯にせねばならぬ。まして利平や菊江の入ったあとなど不浄の極みときめつけられるのは明らかだった。胡瓜《きゅうり》と茄子《なす》の漬物を皿に盛り、井戸に沈めてあった西瓜《すいか》をあげて切った。忙しく立ち働くうち、汗とともに晋助の体臭が体の奥から這《は》いあがってきた。はやく風呂に入りたい。きれいな湯を望んだのはおのれを清めたいためだったと気付いた。

利平は駿次を膝の上にのせ、悠太と何か話していた。機嫌がよいときの張りのある大声だ。肌《はだ》がすっかり日焼けして黒光りし、別人のようだ。

「海水浴でもなすったの。まっくろ」

「富士山に登ったんじゃ。頂上で医学実験をやってな、大成功じゃ。もっとも最初の日は雨に降られて、おまけに雷に感電してひどいめにおうた」

「感電ですって」初江は、また父の大袈裟《おおげさ》かと思い、からかい気味に言った。「雷ってビリッと来ますか」

「莫迦《ばか》、雷は何万ボルトじゃから、ドカーンとものすごい勢いでぶっ飛ばされるわ。そう、三メートルはぶっ飛んで気を失のうた。ところが背負っていた携帯机が鉄製でな、こいつが避雷針の役目をしてくれて、助かった」

「へえ」初江は、話の原理がわからないまま感心して、「でも御無事でよかったわ」と言った。

「それからがおかしいんじゃ。雷の電気が脳髄をドンと貫いたせいか、頭がすっきりしてな。思考がえろう速くなりよった。何でもパッとわかっちまう。雷のエネルギーが脳細胞を活溌《かっぱつ》にしたらしい」

「何だか素晴しいですわね」

「海軍軍医殿は来週、いよいよ、陸軍航空隊の一員として飛行機に乗り込み、大実験をする」と史郎が言った。「立川飛行場で練習機に搭乗《とうじょう》して、高度五千メートルまで舞いあがる」

「すごいわね、史郎ちゃんが操縦するの」

「まさか、おれは整備だからね。日本飛行学校の教官が操縦する」

「飛行機なんて危いわ。落っこちたら大変」

「練習機ってのは安全にできとるんだ」

「おとうさま、怖くありませんか」

「なあに飛行機ごとき、恐るるに足らん」利平は初江の注いだビールをぐっと飲みほし、胡瓜を若者のようにカリカリ噛《か》んだ。

「夏江は遅いねえ」と菊江が言った。

「風間のパーティーに呼ばれて、あとみんなで浜の盆踊りに行ったの。そうそう、叔父さまも叔母さまもいらっしゃるし、脇の方々も逗子から見えてました」

「じゃ敬助さんも……そうかい。じゃ夏江と会いなさったわけね」

「多分……」初江は、敬助が夏江に他人行儀なのを思って胸が塞《ふさ》がれ、すると敬助の言った奇妙な言葉が冷たい鉄槌《てっつい》のように心を打った。「さっき敬助さんが変なことをおっしゃったの――自分には女を幸福にする能力はない、なんて……」

「そりゃどういうことだ」利平が聞き咎《とが》めた。機嫌《きげん》のよい穏やかだった声が急に金槌でたたくような調子に変った。

「一般的な話としておっしゃったんです」初江は敬助を弁護した。「男には結婚よりも大事なことがある……」

「失礼な話じゃ。夏江を望んでおきながら、女を幸福にできん、女より大事なものがあるちゅうのは、心変りか」

「いいえ、そうでは……」

「はっきりせん男だな。煮えきらんぞ」

「敬助さんはそんな方じゃないと思いますけど」

「本人の口から直接聞いてみたい。まだ、風間におるかな」

「今夜は風間に泊ってらっしゃる。だから明日にでもお会いになれるわ」

その時、浜田が帰ってきて、船宿の二階に部屋がとれ、明日の釣船《つりぶね》の手配もできたと報告した。

「浜田、今から風間へ行くから運転せい。史郎も一緒に来い。菊江、お前は疲れちょるから宿でおろす」利平は下駄《げた》を突っ掛けて、もう外に出ていた。

風間邸の玄関横のガレージには大型のキャデラックがでんとおさまっていた。利平のフォードが四気筒なのに、こちらは十六気筒、排気量も倍以上だ。利平は気のなさそうな様子でそばに行き、感心せぬと言わんばかりに「フン」と鼻先で笑ってみせたが、内心は羨望《せんぼう》と嫉《しっ》妬《と》で狂いそうで、引っ掻《か》いて傷をつけるような具合に視線を動かしていた。

黒い満洲服の書生が迎えに出た。風間振一郎は満洲事変後頻繁《ひんぱん》に彼の地《か》に渡って、炭鉱を視察し、家には何人も満洲人の留学生を住まわせていた。

いくつもの、無駄に広い部屋を後目《しりめ》に、夏場だけの別荘にしては不必要に贅沢《ぜいたく》な柾目《まさめ》の檜《ひのき》廊下《ろうか》がようやく行き止りとなり、さてドアを開くと俄然《がぜん》騒音としかいいようのない洋楽が広間から溢《あふ》れ出てきた。利平はまた「フン」と鼻風を吹いた。こういう騒々しく軽薄な洋楽を彼は好まない。幽玄な謡曲は上、勇壮活潑《かっぱつ》な軍歌が中、騒々しい洋楽を下と彼はきめていた。もっと気に入らないのは娘たちの野放図な談笑ぶりだった。自分の娘だったら、怒鳴りつけるところだ。彼は松子と晋助が組んで頰《ほお》を寄せながらダンスに興じているのを、けがらわしげに睨《にら》んだ。まったく、この風間の家の中のすべてが彼には気にくわず、娘たちが挨拶《あいさつ》するのに、むっつり顔を軽く下げただけで答えた。しかし、不意に彼は〝時田式電動蓄音機〟を発見して相好を崩した。

「伯父さま、これ素晴しくよく動きますわ」と梅子がこびるように言った。

「そりゃそうだ。日本一の発明じゃからな。ところでこの曲は何だ」

「会議は踊る」

「何だと」

「ドイツ映画ですわ。曲の名は〝新しい酒の歌〟。伯父さま、ドイツ語おできになるんでしょう。お酒のこと歌ってるんです」

「そうじゃな、フン」

利平はヴェランダに集っていた大人たち、風間夫妻や脇美津や小暮悠次にまとめて会釈《えしやく》し、振一郎の隣に腰を下した。史郎は百合子と組んでダンスを始めた。敬助がいない。敬助から直接真意を聞き出したいが、手始めに美津からにするか。待て待て、作戦をよく練ろう。利平は、腰を下した直後から落ち着き払った気持になった。振一郎にすすめられたコニャックをことわり、日本酒をひやで所望する。しばらくして女中が盆に刺身、煮物、膾《なます》とコップ酒を運んできた。扇風機が二台、蚊を追い払っているが、なお蠅《はえ》や羽虫が飛んでくるのを、もう一人の女中がつきっきりで団扇《うちわ》で追った。数日前の関西地方の風水害やこの夏の気候不順が話題になったすえ、振一郎が突如気がついたという驚きをこめて言った。

「おや、すっかり日焼けしましたな」

「富士山に登ったんじゃ」と利平は得意げに言った。

「そいつはすごい。ぼくみたいな病人にはとてもそんな元気はない。大変だったでしょう」

「なあにチョロイもんじゃ。日頃から脚を鍛えておけば、あんな単純明快な山、なんでもない」利平は、自分が若いもんに負けずにぐいぐい登り、紫外線の測定実験に大成功し、骨折した強力のために蠟燭《ろうそく》の光の下で大手術をしたと話したが、〝落雷感電〟の件は振一郎に嘘《うそ》を見破られると推測して伏せた。

「それでは、いよいよ博士論文の完成ですか」

「おお九割九分まで完成した。来年の初めには慶応大学の審査を通る予定ですわ」

「医学博士か」と振一郎が言ったが、その口調と嘲笑《ちようしよう》めいた微笑が利平を不快にした。博士論文のための研究を始めたとき、利平がいとを妾《めかけ》としたことを菊江は藤江にこぼし、藤江から情報を伝えられた振一郎が、利平に忠告めいた口を利《き》き、一時二人の仲が険悪になったことがある。また、「そんな齢《とし》になってからいまさら博士になっても仕方がない」とか「そもそも博士なんてえ称号には、大した価値はないものだ」という類《たぐい》の発言を彼はしたり、気振《けぶ》りにみせたりして、利平を尖《とが》らせた。

「医学博士で悪いか」とつい利平は言ってしまった。ビールに重ねた冷酒の酔いが舌の束縛をとったらしい。

「いやいや、そんなこと言ってませんよ」と振一郎は快活に肥《ふと》った腹を波うたせた。「永年の苦心がみのって、おめでたいことだと思ったんです」

「おめでたい……」利平は聞き咎《とが》めた。どうもいかんと思いながら相手を曲げて取ってしまう。

「先々週でしたかしら」と藤江が話題を変えた。「葉山沖に聯合《れんごう》艦隊が勢揃《せいぞろ》いしましてね、それは大変な威勢でした。突然沖に黒い島ができたみたいでびっくりしました。何でも御用邸の陛下に敬意を表し奉《たてまつ》りに来たらしいんですの。乗組員が白服で整列して、軍歌を演奏して、いっせいに敬礼しましたとありました」

「新聞に出てました」と悠次が言った。「〝登舷礼式《とうげんれいしき》〟で聖寿の万歳を奉唱したとありました」

「この節の海軍はなかなか活潑でございますね」と藤江が言った。

「いや、海軍は昔から活潑ですぞ。日露戦争以来一貫しちょる。それに加えて今年は日本海大海戦三十周年で、いろいろ祝賀行事がある。登舷礼式は観艦式や出征の時にする最高礼です」

利平は軍人会館や水交社での三十周年祝典に大礼服で参加したと述べ、次第に自分の発言に熱中して、「それに比べると最近の陸軍はちょっとたるんでるようですな」と口を滑らしてから、美津の存在に気付いた。が、言うべきことは言ってしまおうと美津にむかって続けた。

「何ですか、現役の中佐が軍務局長を切り殺すっていう乱れようは。いったい、何がどうなってるんです」

「存じません」と美津はそっけなく言った。「わたくし、女でございますから」

「しかし息子さんは陸軍中尉《ちゅうい》で事件の真相を何か……」

「いえいえ」と美津は子をかばう母の勢いで言った。「中尉なんて下っぱに何がわかりましょう。それにあの子は元来口が重く、わたくしに何も申しませんの」

「しかし例のお話……」利平は、縁談を持ち出し、しかとした返事をもらおうとしたが、この時、ヴェランダへの出口に当の敬助が姿を現わしたので口を噤《つぐ》んだ。振一郎が敬助を呼んで坐《すわ》らせた。

「今、永田事件について話してたんだ」と振一郎が説明した。「何とも不可解な事件だね。君、あんな変事がなぜおこったんですか」

「知りません」敬助は頭を振った。きっぱりとした言い方は美津に似ている。細いけれども鋭い目付きも似ている。利平は、この青年に突っ掛って行きたくなった。診断するとき指で叩《たた》いたり消息子《ゾンデ》を挿入《そうにゅう》したりして病巣を確定していく、あの気持が今彼の胸に充《み》ちてきた。

「敬助君、現役の中佐が上官である少将を切るっての、許せることじゃない。陸軍の軍紀はたるみきっちょる。陸軍大臣は、あわてて粛軍なんて言い出したが、おそすぎるわ」

「あの相沢《あいざわ》中佐ってのは何者なんだ」と振一郎が言った。「相当変った人間らしいが」

「新聞によれば熱狂的な性格」と悠次が言った。「仙台幼年学校出身、剣道四段で元戸山学校教官、禅に凝っている。怪文書を妄信《もうしん》して悲憤慷慨《こうがい》する巷説《こうせつ》妄信の徒」

「そう、その怪文書ってやつが今の陸軍部内にはさかんに出まわってるらしいね。ぼくも多少軍人に知合いがいるんで二、三見せてもらったが、相当過激で一方的な主張だね。この七月にも〝教育総監更迭《こうてつ》事情要点〟というのが出た。敬助君知ってますか」

「……知ってます」敬助にしては珍しく歯切れの悪い小声だった。

「それによると、真崎《まざき》大将をやめさせ渡辺錠太郎を教育総監にした林陸相の人事に対して猛烈な反対を表明している。教育総監は大元帥《だいげんすい》陛下に直隷《ちょくれい》する親補職だから、軍の輿論《よろん》でやめさせることはできん、陸相が単独で決裁したのはけしからんというんだね」

「どうしてその文書を入手されたのですか」と敬助が疑わしげな目付きをむけた。

「だから、知合いの軍人が見せてくれたんです」と振一郎は愉快そうに笑い、茶色いコニャックをうまそうに舐《な》めた。「これで、ぼくは陸軍内部の事情には詳しいんでね。ただし、今度の相沢中佐ってのは知らない。どうなんだろうね、青年将校に名の知られた人物なのかしら」

「知りません。わたしは一介の陸軍中尉にすぎませんから」

「そう、それは残念。ぼく自身は相沢中佐が永田軍務局長を殺した事実に非常に関心を持ってるんで、その動機の詳細を知りたいんだ。永田鉄山といえば渡辺錠太郎と並ぶ林陸相の親友で陸軍の最高責任者の一人、真崎総監の更迭の推進役だ。つまり怪文書で言う重臣財閥と通じている連中の一人で、青年将校たちの目の敵だ。だから、今度の事件で一番喜んだのは青年将校たちじゃないか」

「ちょっと待てや。その青年将校ちゅうのは何なんじゃろ」と利平が尋ねた。振一郎の訳知りだての態度に不快を覚え、自分が会話から弾《はじ》き出されているのが癪《しゃく》だった。

「それを説明するのは大変だな。何しろ陸軍内部の派閥抗争や人脈をさぐらにゃならない。とくに最近の下剋上《げこくじょう》の雰囲気《ふんいき》を知らにゃならない。東方会議というのを御存知ですか」

「知らん」利平は怒鳴った。怒鳴ってしまってから、それをやわらげるように弁解した。

「おれは医者で、政治のことはわからんのです。それに根が海軍じゃから陸軍内部の人事やら派閥やらはさっぱり見当もつかん。ただ、部下が上官の軍務局長を真っ昼間に切り殺すような紀律の紊乱《びんらん》は許せん。こんな事態がなぜおこったか、一つ敬助君に教えてもらいたいんじゃ。そうして、この問題についてどう考えるか聞きたい。あんたも陸軍の軍人なら、何も知らん、何も考えんとは言わせん。もしそう言うなら、あんたは卑怯者《ひきょうもの》じゃ」

「はい」敬助は居住いを正した。竹刀《しない》であしらっているうち、いきなり真剣を突きつけられて身構えたといった様子だった。「今陸軍の部内では若手の将校たちのあいだに粛軍をもとめようという空気がございます。大元帥陛下（と口にしたとき敬助はピンと背を伸ばし、振一郎もそれにならった）御親率のもと、粛軍の実をあげようとする空気です。一方、これに反対する勢力も陸軍内上層部に強く、主として元老、重臣、財閥とむすんで、私利私欲で軍を動かそうとしています。真崎総監更迭はその一例で、完全なる統帥権干犯《かんぱん》であります。今度の相沢中佐殿の一閃《いっせん》はそういう上層部の動きに対する抗議だと考えられます」

「するとあんたはあの中佐の行為を肯定するのか」

「いいえ、理解できると申しているのです。中佐殿の行為それ自体は、あまりにも独断専行に過ぎ、かえって粛軍の実行を阻害します」

「理解できる……おれは、あんな野蛮な行為は理解できんな。同情も共感もできん。それじゃ聞くけど敬助君は、若手の一人として粛軍派の運動に参加しちょるのか」

「いいえ」敬助はきっぱりと答えた。

「ほんとうか」

「はい。わたし一個としては何も運動には参加しておりません。第一軍務繁忙でそんな暇はありません。今わたしの申したのは一般論です。そういう若手の粛軍への希望があり、上層部の無理解があり、その軋轢《あつれき》の相間に相沢事件がおこったと絵解きしただけです」美津が息子に顔を傾けて頷《うなず》き、藤江の同意を得るように顔を見合せた。

「青年将校が粛軍を主張し、陸相も今度の事件を契機にして粛軍をとなえだした」と悠次が言った。

「まったく」と振一郎が笑った。「若手も老人も両方で粛軍を言う」

「困った事態ではありますよ」と敬助も苦笑いした。「両方で言う粛軍の意味が正反対なのですから。若手は陛下が軍を御親率したまうことを願い、老人は陛下の名をお借りして自分たちが軍を左右しようとする」

「そこで聞きたいのじゃが」と利平は敬助を切りつけるように身構えた。「君は、自分には女を幸福にする能力はないと初江に言ったな。あれはどういう意味じゃ」

美津と藤江がはっとした様子でふたたび顔を見合せ、振一郎の笑顔は吹き消され、敬助の坊主頭《ぼうずあたま》に汗が光った。利平は周囲の人々の反応を鋭敏に見て取ったうえでなおも言った。

「そして君は男には結婚より大事なものがあると言った。その大事なものとは何じゃ。さっき君の言った粛軍か。そして、そのためには夏江との結婚をあきらめるというのか」

「おにいさま」と藤江が制した。「何も敬助さんは言ってないんですよ」

「わかりました。わたしがはっきり申します」敬助は懐《ふところ》から手拭《てぬぐい》を出して汗を拭った。「さっき、わたしは夏江さんとお話しして、二人は結婚しない、縁談はなかったことにしようと合意しました」藤江が「まあ」と叫んだが敬助は続けた。「その理由は二人の間の秘事ですから、ここでは申しあげられません。わたしは誓ったのです。夏江さんと結婚しないならば、ほかの誰とも結婚しないと」

美津が何か言いたげに「あの」と口を開いた瞬間、敬助は「それではこれで失礼します」と席を立ち、広間に姿を消した。若い人たちはいつの間にか去って、暗い広間はしんと静まり返っていた。

舳《へ》先《さき》に立った利平は、両手にさげた網をぶん回した。「ホーッ」と気合をかけ、腰を一ひねりするや網は宙空にパッと傘《かさ》をひろげた。沈子《いわ》が波の上に大きな輪を描くと、網はじわじわ傘をとじていった。重く濡《ぬ》れたものをたぐっていく。水玉を散らす中に銀色の獲物がうごめいていた。飛びはねる魚たちをつぎつぎに板子に投げた。投げ終えると「オーッ」と叫んで利平は両拳《りょうこぶし》をかざして万歳をした。

「大したもんだ」と八ミリで撮影していた悠次が言った。〝そうでしょう〟としたり顔で初江は頷いた。投網《とあみ》をたくみに打つ利平を子供のときから何度も見てきた。診療の手隙《てす》きに「おい、魚をとってくるぞ」と網をかついで出掛け、品川海岸の第四台場あたりで、網を打った。院長の特技を見せるため医師や看護婦たちが招集された。菊江と子供たちもよくお供をさせられた。

「誰かやってみんか」と利平は船頭に二枚目の網を用意させた。悠次が辞退したので史郎が挑戦《ちょうせん》した。大体の要領を利平に教わる。体の重心を中心に腰を正確に回転させる、網の先に遠心力を集中させる、まず網の周辺部をはなし、それから左手に集めておいた中心部をはなす。史郎は「ホーッ」という掛声もろとも網をなげた。が、棒のように延びただけで傘のようには開かない。運動神経抜群の史郎でも、利平の熟練にはまるで及ばない。

中年の船頭が利平の獲《と》った魚を魚倉に入れた。一匹一匹名前を呪文《じゅもん》のように称《とな》えた。カワハギ、メバル、イシモチ……。

「さて沖へ行くぞ」と利平は言い、艫《とも》へ移って艪《ろ》を漕《こ》ぎだした。褌《ふんどし》一つの裸身が鍛えぬかれた筋肉の束を一つ一つ際立《きわだ》てて伸縮した。船は波を蹴《け》立《た》てて進み出した。船頭が利平の腕前を感嘆して見ていた。十五、六で上京し苦学するまで利平は須佐で漁師をしていた。投網も艪漕ぎも昔取った杵柄《きねづか》であった。船頭が頭を振って感嘆を示すたんび、初江はわがことのように誇らしく思った。

日はようやく高く、夏の熱気を帯びてきた。水平線をぼかしていた朝靄《あさもや》が消えて、鎌倉の海岸や江ノ島がきっかりと望まれた。長者ヶ崎は白く煮え立つ波の上に浮いていた。きのう懸命に泳ぎついたブイが、目の前にあっけなく現われ、たちまち遠ざかっていった。初江は敬助のたくましい顔を思い出した。が、その顔はふと晋助に変った。晋助がここにいないのを残念に思う。けさ釣船《つりぶね》を出すことを風間邸に告げたところ、四姉妹は喜んで参加してきたが、敬助と晋助は一番のバスで逗子に帰ったあとだった。それを聞いたとき、初江は船に乗らず逗子に駆けつけたいと思った。しかし、口実が見付からぬままいやいや船に乗ったのだ。うねりが出て船が上下しだした。初江は吐き気を覚え、しまった、船に酔うからという口実があったのにと悔しがった。舷《ふなべり》から顔を出すと、噴水のように吐瀉物《としゃぶつ》が飛び出した。きのうは大変なことをしてしまった。罪を吐き出す。全部吐いてしまいたい。やっぱりあんなことをすべきでなかった。もし子供ができたらどうするのだ。妊娠を思って初江はぞっとなった。吐き終えても、なお吐きたい。額の汗を風が洗い流す。「おねえさん。大丈夫」と夏江が背中をさすってくれていた。「なんだお前は……」と悠次が不愉快をあらわにして言った。悠次の口調には、人がせっかく愉《たの》しんでいるのを、お前というやつはいつもぶち毀《こわ》すという非難がこもっていた。一昨年夏、初江は悠次と満洲に旅をした。初江にとっては初めての海外旅行で何もかもめずらしく、大陸の原野やチチハル、ハルピン、新京などの都市を巡って愉しんだのだが、困ったのは新京から大連までの飛行機で、思いのほかのひどい揺れに初江は酔い、リュックサックの中にあげてしまった。その時の悠次の言葉を初江は忘れられない。「みっともない。せっかく大金を出して飛行機に乗せてやったのに、お前は駄目《だめ》なやつだ」もしも晋助だったら何と言っただろう、と初江は考えた。きっと抱きかかえてあれこれ介抱してくれただろう。すくなくとも嫌悪《けんお》をあらわにして叱《しか》り付けはしなかっただろう。「横になりなさいな」と夏江に言われて、初江は仰向けになった。板子に染《し》みついた生臭さが鼻を突いたが、青空と雲を眺《なが》めて、ゆらゆら揺れているうち、すこし気分がよくなった。

「さあ、ここだ」と利平が言い、錨《いかり》が投げこまれた。船頭がミミズを針につけ、女たちは釣糸を垂れ始めた。初江はミミズのぬるぬる這《は》うのを見て顔をそむけた。蛇《へび》にしろナマコにしろ、足のない細長い動物は苦手だが、とくにこのミミズは、その赤黒い肌《はだ》が気味悪くて正視できない。ところが、夏江ときたら平気でミミズをちぎって、子供たちの針に刺してやる。姉妹で彼女は蛇だって恐《こわ》がらず尾を持って振り回し、頭を石にたたきつけて殺してしまう。姉妹でありながらこうも感性が違うのかとあきれてしまう。

敬助との縁談が破れたと夏江から聞いたのは昨夜おそくである。敬助が妹を門口まで送ってきたので、てっきり二人の間に合意ができたと思った初江は本当にびっくりした。そうなった理由を問うと、結婚して家庭を持っても幸福になれないと二人がともども見極めたからだと言う。さらに問い詰めてみたが、それ以上の答は出てこなかった。ともあれ、そんなふうにテキパキと一人で事を決めてしまう夏江に羨望《せんぼう》を覚えつつ、同時に、敬助のような男を失なったのを妹のために惜しいと思った。すると夏江は言った。「脇のおばさまは本当は敬助さんと百合子さんを結婚させたがっていらっしゃるらしいの。わたしなんか初めから何とも思ってらっしゃらなかったのよ」もってのほかのことと思い、聞き質《ただ》すと、それはもう確実な事実だという返事、さらに夏江は自信たっぷり、「でも、敬助さんは絶対に百合子さんと結婚なさらないことよ」と付け加えた。

鍔広《つばびろ》の麦藁《むぎわら》をかぶった百合子は長い睫毛《まつげ》をのばして海面を見詰めている。四姉妹随一の美人で、二十三歳、ちょっと婚期をのがし気味なのは、あまり美人のため、とっくに決った男がいると見られ、縁談が持ちこまれぬためと噂《うわさ》されている。二十六歳の敬助とは年がくっつきすぎている点をのぞけば、似合いの相手ではある。もし、美津が強引に話をすすめれば二人の結婚は成立してしまうかも知れない。初江の胸中に美津に対する怒りが燃えあがった。「敬助の嫁に夏江さんをほしい。よろしゅうお願いします」なんて頭をさげられて、大真面目《おおまじめ》で動き回った自分は、何とおろかな道化だったろう。

松子が一匹釣りあげた。大振りのクロダイで、彼女の手におえない。船頭が来て針をはずしているところに梅子のにかかり、「大きいわ、重いわ」と糸を巻き寄せるうち、悲鳴をあげた。タコだった。やっと引きあげたものの、板上を這いだし初江のそばに来た。初江も逃げだす。騒ぎになって船がぐらぐら傾《かし》ぎ、利平が一同を叱りつけ、タコの針をとって魚倉にポンとほうりこんだ。それからみんなの掛りがよくなり、つぎつぎに釣りあげた。駿次もサバとモロアジを釣って、得意げであった。が、どうしたことか悠太にはさっぱり掛らない。駿次が三匹目をあげたとき、悠太の糸にはまだ何の手答えもなく、泣きべそをかいていた。「どれ」と初江は悠太の糸巻リールを取った。自分も釣は初めてだが、要領の悪いわが子を見ておれなかった。「大丈夫よ。見ていてごらん。今に釣れるから」と言いながら熱心に浮きの上下を見守った。船酔いはいつのまにか治っていた。

「さて、刺身を作ってやるぞ」利平は爼板《まないた》の上にハマチを引きあげ、庖丁《ほうちょう》を鮮かに使いだした。魚料理にいささか心得のあるなみやが、小さな目をまん丸に開いて利平の手並に見惚《みと》れていた。

12

悠次が家を新築すると言いだしたのは、九月初旬、初江と子供たちが葉山を引揚げてきた直後であった。今の家は明治時代の造作で、まだまだ使えはするが古びて修繕費が嵩《かさ》むし、家族五人が生活するには広すぎて不便だし、新宿の発展とともに付近に犯罪が増えて不用心、それなら小ぢんまりした家を今の庭に建てて引移り、旧家を人に貸せば収入もあがるという話だった。初江は一も二も無く賛成した。今の家は主婦泣かせだった。隙間が多くて埃《ほこり》が侵入するので掃除に手間がかかり、台所は北側で陰気で寒く、広い家の中に散った子供たちには目がとどかなかった。

悠次は間取の検討を始めた。方眼紙にあれこれ図を引いてみる。ボール紙を切り抜いて並べてみる。その結果できあがるのはきまって完全にデコボコのない長方形の家だった。三田の実家の出入りの激しい、ツギハギだらけの家に育った初江にとっては、何だかきちんとしすぎて味気なく思えたが、批判めいた言辞にあうとすぐ機嫌を損じる人とて、黙って見過した。主婦として要求したのは台所を東側の明るい場所に置くことと、独立した子供部屋を作ることだった。新しもの好きの悠次は台所に、オーブンつきのガスレンジを入れ、子供部屋の床をコルク貼《ば》りにしようと言った。

九月中旬建前があり、普請《ふしん》が始まった。大工が何人も来て槌音《つちおと》繁《しげ》く木の香が漂った。お天気にも恵まれ、仕事は順調に進み、十一月に入って屋根葺《やねふ》きがはじまった。二階屋の輪廓《りんかく》ができてみると、新しい家が建つという実感がして初江は気持が浮き浮きし、その気持が子供たちにも伝わって、何となくはしゃぎまわる様子があった。悠太と駿次は木屑《きくず》をもらって積木遊びすることを覚えた。とくに悠太は家の木組の様子や、材木の加工法などに興味があるらしく、幼稚園から帰ると夕方まで大工たちの作業ぶりをじっと観察していた。

大工、左官、建具師、瓦《かわら》職人が出入りし初江は家を離れられなかった。日曜日も、それまで麻雀《マージャン》やゴルフで出ずっぱりだった悠次が、普請の進捗《しんちょく》具合を気にして在宅するので、また出られず、初江は夏以来、自宅に監禁されているかのようだった。里にも帰らず、友人にも会わず、そして一番会いたい人、晋助にも会えなかった。

十一月半ば、底冷えのする秋風が黄ばんだ葉を震わせている午後、初江は庭で遊ぶ子供たちをぼんやり見ていた。悠太と駿次はペダル漕ぎの豆自動車に乗って庭の端から走ってきては赤い実の鈴《すずな》生りの柿《かき》の木をめぐって、また元の場所にもどっていった。砂場にべったり坐《すわ》った研三は、木屑をなげて砂が散るのを嬉《うれ》しがっていた。あらかた瓦を葺き終えた屋根の下で左官屋が壁を塗っていた。そろそろお八つの時間だ。大福と茶を職人たちに、シュークリームと牛乳を子供らに出そうと思ったとき、門のあたりが騒がしくなり、なみやが駆けこんできた。兵隊さんが大勢来て水を欲しがってると言う。「あげなさい。いつだってあげてるでしょう」と初江は、その程度のことを聞きに来るまでもないのにと眉《まゆ》をひそめた。すると、なみやは、「でしょうけれども奥さま、脇のお坊っちゃまが会いたい……お目にかかりたいと言ってますでございます」と言った。その言葉の終らぬうち背戸を押して黒い影がぬっと入ってきた。軍服姿の脇敬助だった。初江はあわてた。在宅慣れで、粗末な不断着のうえ化粧もいい加減である。風に乱れた髪を撫《な》でつけるのがせいぜいであった。敬助は革脚絆《かわきやはん》をかち合わせて敬礼した。腰の軍刀が下緒《さげお》を鳴らした。中尉《ちゆうい》の肩章と赤い襟《えり》の3の金文字が軍服にきっかりとした彩《いろど》りを与えていた。

「突然うかがって失礼いたします。戸山ヶ原に演習の帰りでありますが、お宅の前で小休止、水をいただきたくてまいりました」

「水ならどうぞ御自由に。冷たいのがよければ井戸水がよろしいわ」

「はい。なみさんから、もう頂いております」敬助はにっこり笑うと、肩の力を抜き、軍帽をとった。汗が散った。見れば軍服も革帯も汗で濡れそぼち、泥《どろ》まみれであった。

「まあ、それ全部お脱ぎになってお体お拭《ふ》きあそばせ」

「御心配なく。慣れておりますから、このままで大丈夫。ちょっと風に当るだけで結構、いい気持だ。おや、家は大分できましたな」

左官は鏝《こて》を、大工は金槌を休めてこちらを見ていた。陸軍将校の突然の出現が珍しいのだ。敬助が会釈《えしやく》をすると、みんな恐縮してペコペコ頭をさげ、作業を再開した。柿の木の下から悠太と駿次が走ってきた。

「ねえ、この刀、ほんとに切れるの」「このピストル、弾入ってるの」

「むこうに兵隊さんが大勢いらっしゃるわ」と初江が言うと、二人は「見てこよう」とまた走り去った。「ぼくも行くう」と研三がよちよち兄たちを追うのを、なみやにお守を頼んだ。敬助と二人きりになると初江は、何かを話さなくてはならぬ、話さないと気まずい沈黙が来ると怖《おそ》れ始めた。

「お久し振りですわね」と言ってみる。

「はい、一別以来です」

それで話が跡切《とぎ》れた。男の汗の臭《にお》いが鼻をついた。革と鉄の臭いも混っている。兵隊の臭いだ。家の前の改正道路は代々木の練兵場と戸山の練兵場を結ぶ〝軍用道路〟で、兵隊の行進は日常茶飯事だ。初江は兵隊たちの汗の臭いが痛ましくてならず、それを嗅《か》ぐと息の詰まる思いがするのだった。が、今、敬助の臭いは嫌《いや》ではなかった。それどころか、その懐に飛びこんで行きたいようなあやしい誘惑を秘めていて初江をたじろがせた。彼女は下駄《げた》を擦《す》って心持ち男から離れようとした。

「……」と二人は同時に何かを言い、同時に絶句すると、同時に吹き出した。

「敬助さん、何をおっしゃったの」

「初江さんこそ、何をおっしゃったんです」

「大したことじゃありませんの。このところ取込み事で外出できませんでしょう。おねえさまにもお会いしてないし……みなさまお元気ですかって言ったんです」

「母は相変らずです。晋助は、この九月、一高が本郷から駒場に移転したのを機に、寮に入るのを嫌がって自宅から通学してます」

「なぜ寮がおいやなんでしょう」

「わがままなやつですよ。他人と一緒だと本が集中して読めない、ヴァイオリンも自由に弾けないというんです」

「晋助さんヴァイオリンをおやりになっていたの」

「一高に入って始めたらしいんです。本郷の赤門前の先生に教わっていた。寮の間近には先生の家があってそこで練習もできた。それが今度は駒場になって、気軽に練習する場所がなくなったというわけです。この夏逗子でも弾いてましたが、まだ始めたばかしなのに結構上手に弾ける。おかしなやつですよ」

「全然知りませんでした」初江は悔しげに言った。考えてみれば、自分は晋助の趣味も思想もほとんど知らない。それはまあ、小説本を借りるとき文学についてすこしは話をした。しかし立入った文学論などしたことはない。ところで、晋助はすぐ近くに住んでいたのだ。ほんの五分も歩けば会える所にいたのだ。初江は、風にひるがえる銀杏《いちょう》の黄葉が斜陽に光るさまを見つつ、胸をときめかした。

「晋助が家にもどったので、わたしは聯隊《れんたい》の将校寄宿舎に押し出されました。家に帰るとヴァイオリンではたまりませんからな」敬助は朗かに笑った。

「失礼します」と声があって三十年輩の下士官が入ってきた。年下の敬助に敬礼して言う。

「小隊長殿、出発の時刻であります」「よし今いく」と敬助は上官らしい威風を言葉にこめた。

初江が門の外へ出てみると、兵隊たちが出発の準備をしていた。各自重そうな背嚢《はいのう》を背負い、銃を持っている。鉄の触れ合う音、靴《くつ》の鋲《びょう》の音、男の低いぞめきがカーキ色の大集団から立ちのぼった。

脇中尉が進み出て、「集れ」の号令を下した。不規則に散っていた七、八十人の兵士どもは、磁石に吸い寄せられた砂鉄のようにさっと集合し、四列縦隊になった。路上の切石のように、集団が一つに凝固した。

「目標、歩兵第三聯隊舎前、前へ進め」

スイッチを入れられた電動人形のように、兵隊たちは行進を始めた。脇中尉は初江につと会釈すると、行進に歩度を合せて歩み去った。初めて見た敬助の颯爽《さっそう》とした隊長ぶりに初江はすっかり魅了されて、隊列が新宿方面に去るのをじっと見送った。見物に出た近所の人々は、若い隊長が初江と話し、出発に際して会釈をしたのを羨《うらやま》しげに見ていた。初江はそれが大いに得意で、隊列が見えなくなるまで家の中に入ろうとしなかった。

「ぼく軍人になる」と悠太が言った。初江は苦笑した。悠太の運動神経は鈍くて、とても軍人向きではない。しかし記憶力はよいから学者か医者か、何か知的な職業に向くかも知れない。

「ぼくも軍人になる」と駿次も張合った。今度は真顔になった。駿次はすばしこくて大胆で軍人向きかも知れない。敬助のように幼年学校から士官学校へ進ませるのが見合っているか。研三はまだ小さすぎて見当もつかぬが、おのれ一人の世界に閉じ籠《こも》り、いつまでも一人遊びするところは、変った子だと思う。

ああ、しかし、と初江は嘆いた。どうして三人とも男の子なのだろう。男は職業に就き、妻子を養わねばならぬ。三人の息子は将来その苦労を負わねばならぬ。気の毒だ。娘なら男に養ってもらえ気楽なのだが。女に生れた不幸を男には言いながら、初江は女に生れてよかったとも思っている。それにしても女の子が一人ほしい。しかしもし四人目も男だったらどうしよう。悠次はきのうも初江を抱きながら、女の子を作れよと迫った。そして夫が妻の体を貫いたとき、妻は晋助に犯されていると想像して、いつになく激しい頂点を経験した。何だか急に晋助が恋しくなり、困ったわ、どうしようと落ち着かぬ気持で家に入った。晋助を忘れようと、台所に行き、なみやにあれこれ用を言いつけた。そう……夏の出来事のあと、別に身籠《みごも》った兆《きざ》しもなく安心したのに、今、彼の子が欲しい気もする。女って本当に矛盾している。

遅れたお八つを職人と子供に出した頃《ころ》から御用聞きが続けさまに来た。天秤棒《てんびんぼう》で桶《おけ》をかつぎ経木《きょうぎ》に記した品書を示す魚屋、重ね籠《かご》を背負った八百屋、リヤカーをひいて角笛を吹く豆腐屋……。ただ肉屋だけは来ない。肉を食べるのは週に一、二回だが、夕食は鋤焼《すきやき》にしようと不意に思った。いや、豆腐屋が来たとき焼豆腐を買ったのは鋤焼にするためだったと思い当った。しらたき、焼き麩《ふ》、春菊、それに牛ロース肉など足りないものを買い出しにいかねばならぬ。入念に化粧して着物を着替え外へ出た。商店街は大通りを北へ行き、坂下のミルクホールから西に伸びる小路にある。ところが足が向ったのは南で、大通りをふわふわ浮遊するような気持で行き、細い坂道を登りだした。丁度西日が正面から眩《まぶ》しく差し込んできて、木々の梢《こずえ》には薔薇《ばら》色《いろ》の花が咲いた。旧脇礼助邸の大屋根は黄金の輝きを帯びて、どこかで見た支那《しな》の宮殿のようだった。何だか夢の中にいる気がして枝折戸《しおりど》を押した。間道の闇《やみ》の中でヴァイオリンの音に立ち止った。練習曲らしい単調な調べを繰り返している。時々つっかえるが、おおむねは滑らかに進み、音色もなかなか美しい。その音に吸い寄せられて玄関前に立ったとき、はっと我に返った。誰かが出てくる……美津かも知れない……ヴァイオリンは鳴りやんでいた……晋助だった、目の前にいた。若い背の高い青年はセーターを着て岩波文庫を二、三冊手に持っていた。

「いらっしゃい」と満面に明るい笑みがこぼれ落ちた。「お袋は奥にいるよ」

「いえ、あの……」初江は上気して言葉を失なった。乳房の脹《ふく》らみにつるっと汗が流れ落ちた。

「お袋に用じゃないというと、つまりぼくに会いに来てくれたわけだ。嬉《うれ》しいな」

「さっき敬助さんが見えたのよ。兵隊さんを大勢引連れて家の前で休憩。そしたら、あなたが寮を引き払ってこちらにおられると聞いたものだから……」

「すぐ会いに来た。いいね、その気持。まあおあがりなさい。まず戦術上、お袋に面通ししておいたほうがいい」晋助は廊下をどんどん奥へ行き、「おかあさん」と呼んだ。

美津は庭に出て花壇にかがみこんで鋏《はさみ》を使っていた。白・黄・紫・臙脂《えんじ》、大小の菊が咲き揃《そろ》っている。赤・紫・緋《ひ》、サルヴィアが満開だ。赤・黄、カンナだ。秋にこれだけ多彩な花を咲かす美津の丹誠に、初江は感じ入った。「みごとでございますねえ」と言った。

「きょうは何か御用ですか」と美津は縁先に来て坐った。

「はい……」とあわてる初江を援《たす》けて晋助が脇から口を出した。

「本を返しに来られたの」と手にしていた岩波文庫を振った。「叔母さんはなかなか勉強家なんです」

「それに、あまり御無沙汰《ごぶさた》いたしておりますものですから、……家の普請が始まりまして、何やら気ぜわしく過しておりまして……」

「そうですってね。今どき新築なんて、悠ちゃんとこはお金があっていいわね。でも、家を建てるなら一言ぐらい相談あってしかるべきだったと思いますよ。こっちは何も知らずにいたら、はるやが小暮様に家が建ってるっていうもんで見に行ってびっくりした始末です」美津は頭を下げた初江に一層声を高めた。「いいですか、あそこは小暮家のもので、それは悠ちゃんやあなたがどうしようと勝手だけれども、今家を建てている庭はわたしの幼い頃《ころ》からの遊び場でね。そこで沢山の時を過したのよ。栗《くり》と銀杏《いちょう》を切ってしまったけど、あの栗はわたしが植えたんですよ。切ると知ってたら、こちらに移植したものを、何の相談もなしに勝手に処分するなんて、ひどすぎます」

「すみません。存じませんものですから」初江は悠次を恨んだ。姉の手植木なら姉の納得をえたうえで事を運んでくれればいいのに。

「家は毀《こわ》さないんでしょうね」

「はっ……」

「古いほうの家ですよ」

「毀しません。人に貸す予定です」

「他人に貸すなんて。あの家は小暮家の人間が住むべきだわ。両親も、わたしの母も悠ちゃんの母も、あの家で死にました。わたしたちの幼年時代の思い出が、柱一本、天井の染《し》み一つにだってこびりついているんですよ。それを他人に貸すなんて」

「わたしどもの家族には広すぎるのです」

「広いほうがいいでしょう。子供たちも大きくなることだし、使い道があるでしょう」

「はい……でも」初江は困惑した。美津を納得させうるのは悠次だが、そういう労を極端に厭《いと》うのも彼の性質だった。そして姉に文句を言われて窮すると、初江のせいにして逃げるのも毎度のことだった。

「ともかくさ」と晋助が言った。「家を建ててるのは叔父さんなんだから、叔父さんに聞けばいいじゃない、叔母さん、つぎの本用意してあるからいらっしゃい。『ソーニャ・コヴァレフスカヤ』に『従兄《いとこ》ポンス』」

初江は美津に丁寧にお辞儀をして立った。二階の彼の部屋は綺麗《きれい》に片付けられ、蓄音機と譜面台とヴァイオリンが具合よく置かれてあった。

「本は全部兄貴の部屋に移しちゃって、ここは音楽室。ぼくね何だかこの頃、音楽に夢中なの。文学よりも学校よりも素晴しい」

「わたしよりも音楽がいいんでしょう」

「いや、初江さんは別だ。この世で一番素晴しい。ぼくあなたが来てくれるって待ってたんだよ。この部屋は監視所なの。ほら窓の上から来訪客がまる見えだろう」

磨硝子《すりガラス》の上に素通し硝子があって枝折戸まで見通せた。さっき初江が来たとき逸早《いちはや》く晋助がおりてきたのも頷《うなず》けた。

「さあ、わが書斎に行こう」と彼は突き当りの敬助の部屋に入った。書棚《しょだな》も床の間も晋助のらしい書物に充《み》ち、畳の上にもいくつもの堆積があった。寮にあった本を持ち帰ったらこの体たらくだと彼は笑った。敬助の痕跡《こんせき》は見当らない。〝至誠一如〟の扁額《へんがく》も刀掛も消えていた。

「まあ、お坐りなさい」と言われて腰を折ったところ、いきなり畳の上に押し倒された。唇《くちびる》を吸われて息が出来ずもがいていると、衿元《えりもと》から手が滑り込み乳房をもみたてられた。男の荒々しさになすすべもなく身をまかしていた女は、このとき恐《こわ》くなって「駄目《だめ》よ」と身をよじり、男を撥《は》ね除《の》けようとした。が、その両手は磔《はりつけ》の形に押えこまれてしまった。女は薄目をあけた。この前は暗かったが今は昼の明るみに男の秀《ひい》でた顔と断乎《だんこ》とした眼差《まなざし》があった。手に力を入れると男にあらがわれ、それを繰り返すうち男に征服される喜びが腕から胸へ、下半身へと伝わっていった。ふたたび男に唇を吸われたとき、くすぶっていた火が一時に燃えたつように全身が熱と化した。が、しばらくして女が恐いと思っていたことがおこった——足音がして、襖《ふすま》のむこうで美津の声がしたのだ。

「晋助さん、お茶よ」

二人は飛びおきて身繕いした。美津はドアを叩《たた》いた。むこうの部屋である。この錯覚が二人を救った。初江は晋助の唇や頬《ほお》の口紅を拭《ぬぐ》い、自分の化粧の乱れを直し、晋助は初江の着物にひっついたセーターの毛を拾い集めた。美津が二度目に叩いたときに晋助は「こっちにいますよ」と叫んだ。美津が来た。晋助は岩波文庫の『ソーニャ・コヴァレフスカヤ』を開いてしかつめらしく読んでいた。初江の前には『ベーコン随筆集』と『ノア・ノア』があった。美津は茶と花林糖《かりんとう》を卓袱台《ちゃぶだい》に置き、恐縮する初江に両手をついて頭を下げ、「さっきは、すみませんでした。わたし、何やかや言いすぎました。家の新築は悠ちゃんの責任で、初江さんには関係ないんですものね」と言った。

「いいえ、わたしがいたりませんで」と初江もお辞儀を返した。「何かとお気に障ったと存じます」

「それに、敬助についでは、いろいろ本当にお世話になりました。こちらからお願いしておいて、今度はお断りするなんてまことに失礼でございました」

「御縁がなかったんでございます。仕方ございません」

「夏江さん、どうしてらっしゃる」

「相変らずのようです。もっとも、このところ会っておりませんが」

「どうかよろしくお伝え下さい」

美津は、なおも額を畳にすりつけた。さっきのツンケンした態度と打って変った莫迦《ばか》丁寧で、何だか滑稽《こっけい》である。美津が去ると自然に笑いが面《おもて》に出た。その笑いを見詰めていた晋助に初江は恨みがましく言った。

「ずっと来て下さらなかったのね」

「何度か行ったんだ。でも昼間は大工、夜は御主人、とても中に入れない。初江さんのほうが来てくれればよかったのに」

「昼間は大工、子供、夜は夫。主婦には自由なんかないの」

「そうなんだね。ぼくも驚いた。主婦というのは一人でいる時間がほとんどない。これじゃ恋愛はできない」

〝恋愛〟と聞いたとき初江の胸に甘美な思いが充ち、それはすぐ息苦しい不安に変った。

「晋助さん」彼女は喘《あえ》いだ。「わたし、あなたに会わないほうがいいみたい。会わないでいると辛《つら》くて、きょうは来てしまったけれど、これで別れるともっと辛いでしょう。二度と会わないと決心してしまえば、それであきらめもつくような気がするの」

「そんなのいやだ。ぼくは何度でも会いたい」

「わたしには夫が子供が家があるのよ。自由ではないのよ」

「そんなの全部捨てて自由になりなさい」

「それができればねえ。事がばれれば二人とも姦通罪《かんつうざい》で二年もの懲役に行くのよ。それに……わたし、すくなくとも子供は捨てられないわ」

晋助は嘆息した。不断の自信満々の彼には見られぬ、気弱な嘆息だった。

「わたし帰ります」と初江は立った。晋助が抱きすくめようとするのを払い、「駄目よ。さっきみたいな羽目になるから」

「そうなんだ」晋助は額に青筋を立てた。

「この日本の家、紙と木の空間は秘密を守らない。襖には鍵《かぎ》がかからず、障子は声を素通りさせる。こういう家では恋愛は不可能なんだ」

初江は玄関へ出た。晋助は岩波文庫を手渡そうとしながら、低く「今度いつ会える」と尋ねた。

「駄目よ」と襖や障子のむこうに美津の耳を意識して初江はささやいた。そのまま振り向きもせずに小走りとなった。岩波文庫は晋助の手に残った。

日は暮れていた。大急ぎで買物をすませて帰宅してみると悠次はもう帰っていて、窓から外を電灯で照らしながらゴルフのクラブを振っていた。紐《ひも》をつけた球を鉄のクラブで打つのだが、いつもと違って乱暴な打ち方である。機嫌《きげん》が悪いなと直観して、「おかえりなさい」とこわごわ声を掛けると、とたんに怒鳴りつけられた。

「何時だと思ってるんだ。亭主が一日働いて、腹を空《す》かして帰ってきたのに、女房がうかうか遊び歩いていやがる」

「すみません」

「どこへ行ってたんだ」

「買物です。鋤焼をやろうと思ったら肉としらたきなど材料が足りないので買いに行ってたんです」

「脇に寄ったろう」

「あら……」初江は狼狽《ろうばい》した。

「ねえさんから電話があったよ。晋助に小説本を借りに行ったそうだな。小説なんかのために亭主をほっぽっとくわけか」

「いいえ……」初江は俯《うつむ》いた。涙が溢《あふ》れてきた。告げ口された悔しさと晋助に会った後ろめたさが混り合って、冷たい涙の傷が頰にできた。

「ねえさんがおれに会いたいとさ。庭を潰《つぶ》して家を建てるとはけしからんというんだ。お前が余計なこと言うから面倒になる。この家を人に貸して金をもうけるなんて、何でそんな家庭内の秘密を喋《しゃべ》ったんだ。ねえさんはな、金もうけのために、自分の思い出の家を他人に明け渡すなんて我慢できないって言うんだ。畜生」悠次は力一杯クラブを振った。球は今にも切れそうな勢いで紐を張り詰め、猛烈な速度で戻ってきた。悠次の不機嫌の原因が、美津を説得せねばならぬ厄介《やっかい》にあったと知った初江はいくぶん安心した。

「いそいで御飯にしますから」と初江は涙を拭うと台所に走った。

事故はその瞬間におきたのである。「おお」と吼《ほ》えるような叫びを悠次が立て、「初江、大変だ、早く来てくれ」と騒いだ。初江が飛んでいくと、悠次の腕の中に血まみれの悠太が倒れていた。左の額から血がどくどくと出ている。額に穴があき内部の液が吹き出してくる感じだ。悠次はおろおろ声でしきりと弁解した。「この子が窓から覗《のぞ》いてたのに気がつかなかったんだ。アイアンの先にグシャッと音がしたんで驚いちまった。どうしよう」初江は茶の間の棚から薬箱をおろしてき、ガーゼで傷口を押えた。あまりきつく押えると、そのまま頭《ず》蓋骨《がいこつ》がつぶれてしまうようで恐かったが、何とかして血を止めるのが先決だと考えた。しかし、骨は頼りなく窪《くぼ》み、初江はぞっとして手の力をゆるめた。ともかく傷口を消毒しようとヨーチンを塗り、脱脂綿をあてた。たちまち脱脂綿は真っ赤になった。神様……と初江は祈って、二枚目を当てた。すこし血が染みてきたが、さいわい出血はそれで止った様子だった。頬や口に飛び散った血を清めると、初江は「悠太」と呼んだ。子供は気を失なったまま動かない。初江は足元から崩れ落ちるような心持で、「悠太」とまた呼んだ。「しっかりしろ、悠太」と悠次が子供を揺すぶったとき、初江は鋭く言った。「あなた、頭の傷の場合、動かしてはいけませんのよ」「そうか」悠次は震える手で子供をそっと畳に横たえた。初江は座蒲《ざぶ》団《とん》を枕《まくら》にしてやると脈をとった。細い血管は規則正しく搏《う》っている。悠次が「医者を呼ばねばならんな。どこがいいだろう」一番近い病院は坂上の精神病院だ。たしか神経科、レントゲン科、内科の看板も出ていた。そのとき、子供がうっすらと目を開いた。「おかあさん」と言ったきり、「痛いよう」と体を折って泣きだした。子供の痛みが初江の額に乗り移った。金槌《かなづち》でガンガン骨をたたく痛みだ。「悠太、がまんしてね。今すぐ楽にしてあげるから」と言い、電話機に立った。具合よくすぐ利平につながった。事故がおきた事情、傷の具合を説明すると、冷静な口調で質問された。

「意識がもどるまで何秒ぐらいかかった」

「脱脂綿を取りに行き、傷の消毒と止血をし、しばらくしてからですから、二分か三分ですかしら」

「痛がっちょるんじゃな」

「はい。転がるようにして痛がってます」

「転がれるなら運動神経の麻痺《まひ》はない。よし、心配ないぞ。痛み止めにアスピリンを小匙《こさじ》四分の一のませろ。すぐタクシーでつれてこい」

「車に揺られて大丈夫でしょうか」

「膝《ひざ》の上に抱いてやれば大丈夫だ。つまりお前の柔かいクッションの上に乗せてやるんじゃ」

初江が「悠太は三田へ連れていきます」と言うと、悠次は即座に反対した。

「遠すぎるよ。もっと近くの医者がいい」

「近くにいい医者がいますか」

「知らない。探してみよう」

「ぐずぐずできません。今から医者を探すくらいなら、すぐ三田へ行ったほうが安全です」

初江は夫を押し除け、子供にアスピリンを飲ませ、着替えをさせた。

「だって、お前……」悠次はなおも反対した。その理由はわかっていた。子供を傷つけた失策を利平に叱責《しっせき》されるのが嫌《いや》なのだ。

「あなた」初江はきっぱりと命令した。「タクシーをつかまえて下さい」

彼が出て行くと、彼女は子供を抱きあげた。歩かせてもいいのだが、大袈裟《おおげさ》に抱いたほうが父親へのみせしめになると考えた。ところが七つの子は重い。玄関まで来たら腕が痺《しび》れてきた。するとなみやが「奥さま、おらが」と悠太を抱いた。軽々と抱いて石段をおりていく。初江はタクシーに乗ると膝の上に子供を受け取った。前の補助席を倒して悠次を招くと、「いや、おれは血を見るのが耐えられんから」と後じさりした。

待ち構えていた利平は、テキパキと事を処理した。頭部外科を得意とする唐山博士も来ていて、二人で協同して診察にかかった。レントゲン室、診察室、手術室と、初江は付きっきりでいた。注射のせいで眠っているのか、子供は安らかな顔付で目を瞑《つぶ》っていた。子供はタクシーの中で泣き通しで、涙が長襦袢《ながじゆばん》の胸まで染み通っていた。初江はその染みが心の傷を滲《にじ》ますようで、不安になった。ひょっとすると悠太はこのまま低脳になってしまうのではないか。もし、そうなったら、すべての責任はこの母親にある。晋助を訪ねたのがいけなかった。晋助の所に長居したばかりに悠次をおこらせ、滅茶《めちゃ》にクラブを振らせてしまった。晋助を訪ねるなど気違いじみた行為の罰が子供の大怪我《おおけが》だ。神様、お許し下さい。どうか悠太をおたすけ下さい。

利平と唐山博士が相談していた。ドイツ語が飛び交って初江にはわからない。一応の結論が出たらしい気配を察して、利平に聞いた。

「どうなんでしょう」

「それがな……」利平は真剣そのものの表情に目を光らせた。それを見ただけで初江は打ちのめされた。

「ぼくが説明しましょう」唐山博士の白髪がやけに白々しく見えた。「頭蓋骨の左前頭部に陥没があるんです。さいわい、子供の骨は柔かくて骨折はまぬがれていますし、今のところ脳内出血もないらしい。ところで、この陥没をどう治療するかが問題なのです。そのまま放置すれば変形が残るし、開頭して整復するとなると大手術になるし……。もう一つの問題は、脳の内部の組織、たとえば脳を包んでいる蜘蛛膜《くもまく》に異常がおきていて二次出血をするかどうかです。その可能性はまだわからない。ひと月経《た》って何ともなければ大丈夫ですが」

「ひと月ですって」初江は絶望した。ひと月ものあいだ不安でいるなど、とても堪えられない。「あのう、悠太は莫迦になるのでしょうか」

唐山博士は、今度は立派な体格に自信をみなぎらせて答えた。

「大丈夫です。言語障害も神経麻痺も来ていないから、二次出血さえおこさなければ、知能には影響ないでしょう。ただ、陥没した骨が脳を圧迫しているのでその影響はあるかも知れない」

「どういう影響でしょう」初江はますます心配になった。泣きださんばかりである。

「初江、もうやめろ」と利平が言った。「傷の治療は、おれたち医者にまかせるんじゃ。お前が心配しても傷は治らん。唐山、おれは決心したぞ。開頭手術はやらん。裂創の縫合だけをやり、あとは運を天にまかす」

「きみがそう言うなら、そうしよう」唐山博士は同意した。二人の医師は手を洗い始め、間島婦長と鶴丸看護婦が介添になって手術の準備をした。

手術室の外には菊江と夏江がいた。
「おかあさま」初江は菊江の厚い胸に顔を埋め、幼い子のように泣きじゃくった。

13

悠太の恢復《かいふく》は順調だった。一週間目には抜糸し、額の生えぎわに残った五センチの傷跡も髪が伸びるにつれて目立たなくなった。心配した知能障碍《しょうがい》もあらわれず、話し方も記憶力も以前と変りなかった。本人は事故の瞬間を覚えていず、なぜこんな怪我をしたかと尋ね、初江が父親のゴルフ練習が原因だとは答えかねているうち、夏江が歯に衣《きぬ》着せず真相を話してしまった。「おとうさんのゴルフ棒が、ゴーンと頭に当ったのよ。だからね悠ちゃん。おとうさんがゴルフしてたら近寄っちゃ駄目よ」初江が「息子が父親を恐がるようになったらどうするの」と抗議すると、夏江は、「だって、またゴルフ棒でなぐられたら大変よ。ゴルフは危険だと教えてやるのが子を守る道でしょ」と恬《てん》としていた。しかし夏江の言種《いいぐさ》は利平にくらべればまだしも穏やかであって、利平ときたら激怒のあまり口髭《くちひげ》を震わせ、「毛唐の真似《まね》してあんな棒振り遊びをするからわが子を傷つけるんじゃ。あんなもの、絶対にやめさせにゃならん。悠坊にもよく教えこんでおけよ」と言い、悠次が来たら怒鳴りつけんものと待ち受けているので、初江は、「悪いのはわたしなんです。毎晩、悠次さんがゴルフ練習するのに、子供に危険だと教えとかなかったわたしが悪いんです」と必死で利平をなだめた。当の悠次は事故当日はとうとう三田に現れず、翌日、しかも夜になってから来て、恐る恐る子供の容体を尋ね手術の礼を言ったが、そのときには利平の興奮もおさまっていて、「まあ、気をつけなさい」と一言注意されたに止《とど》まった。

悠太の病室に定められたのは〝お居間〟で、窓側に蒲団《ふとん》を敷き、枕元に電動蓄音機やレコードや絵本や折紙が並び、棚《たな》に飾られたさまざまな人形と相俟《あいま》って、何だか幼稚園の保育室めいた様子となった。看病を口実にして、初江は駿次と研三を連れて三田に泊りっきりだったから、悠太は弟たちと遊ぶことが多かった。一箇月間は後遺症、とくに蜘蛛膜下出血のおそれがあって横臥《おうが》安静を原則とされてはいたが、傷が癒《い》えてしまうと子供のこととて退屈してしまい、弟たちを相手に走り回ったりするので初江は神経質に注意した。さいわい悠太はそう腕白でもなく、レコードを掛けさせれば、ある限りのものを取っ替え引っ替え聴いていたし、絵本を与えれば、読み終るまで夢中であった。問題はレコードや絵本も繰り返すうちに飽きてくることで、これは菊江が孫可愛《かわい》さでつぎつぎに新しい物を買い与えることで解決した。母親の目から見れば甘やかし過ぎで気に入らないのだけれども、沢山の童謡を聴かせ、いろいろな物語を読ませるのは教育上よい効果があるとも思えて初江は黙っていた。しかも悠太は聴いた童謡を空で唱《うた》い、読んだ物語を母親に話してみせ、これが脳に障碍をおこさなかった証《あか》しと見えて嬉《うれ》しかった。

時々、菊江は、「西大久保に帰らなくていいのかい」と気を回した。「いいの」と初江は答え、「悠太が完全に治るまではここを離れません」と口をきゅっと結んだ。もっとも、それは表向きの理由であって、本心は、子を傷つけた悠次をどこかで許せず、その顔を見たくなかったのと、一番の原因である晋助に会いたくない、すくなくとも近くに住みたくなかったのだ。悠次は自分の過ちが身に沁《し》みたようで、妻の長い不在にも文句一つこぼさず、週末に姿を見せるとむしろ愛想よく、看病疲れをいたわる態度を示した。時として初江は弁解がましく言った。「心配なんです——頭を強く打ったとき、ひと月ぐらい経って急に後遺症が出ることがあるんですって。ですから……」「いいよ。その後遺症が出ないと分るまで看《み》てやりなさい」「家はどうですか」「大分出来上った。年内には完成だろう。しかし壁が乾くのに間があるから、引越しは春になるだろうね」「おねえさま、何かおっしゃって」「いろいろ言ってきた。しかし毎度のことだから、適当にあしらっておいたよ」「お手植えの栗《くり》の木を切ったのを、怒ってらっしゃらなかった?」「え……」悠次は何の話やら通じぬ顔を横に振った。

その美津が敬助をともなって見舞いに来たのは十二月半ば、悠太の入院もかれこれひと月になろうとする時だった。丁度部屋中を散らかして、悠太と駿次は紙相撲をしていた。ボール紙の土俵の上で、横綱玉錦《たまにしき》や武蔵山《むさしやま》、大関男女《みな》ノ川などを活躍させるので、関取の顔を写真にそっくりに作るのが菊江の特技であった。大急ぎで片付けさせ、菊江に駿次と研三を連れ出してもらい、さてよく言い含めて悠太を蒲団に横にならせると、二人を通した。美津は窓明りで目立つ額の傷跡を見て、「可哀相《かわいそう》に」と何だかわざとらしくすすりあげ、中村屋の花林糖《かりんとう》の箱包を差出した。軍服姿の敬助は、「はやく元気になれよな。元気になったら聯隊《れんたい》の中を見せてやるから」と言った。「ほんとお」と悠太は目を輝かした。初江が、「あら、わたくしも見せていただきたいわ」と言うと、敬助は、「それでは、みなさんで見にいらっしゃい」とうべなった。初江は晋助の近況を聞きたかったが言い出せずにいた。そして、美津がなぜ晋助を連れてこなかったのかと内心残念がった。帰りぎわに美津は、唐突に額を畳にこすりつけて言った。「実はこのたび、敬助と風間の百合子さんとが婚約しました。あなたには、かつて夏江さんとのお話をお願いした関係上、まっさきにお知らせしておかなくてはと、きょう出向いてまいりました」「さようでございますか……」初江は呆気《あっけ》に取られ、それ以上の言葉を出せず、悠太に微笑をむけている敬助の横顔を焼きつくような眼差《まなざし》で見詰めた。あなたってそんな男だったの。あなたが〝わたしには家庭を持つ資格がないんです〟とか〝結婚して家庭を持っても幸福になれない〟とか言ったとき、その〝家庭〟とは夏江との家庭しか意味しなかったの。百合子との家庭だったら持って幸福になれたってわけ。夏江はあなたを信じていたのに〝敬助さんは絶対百合子さんと結婚なさらないことよ〟と信じていたのに……。と、美津が言った。「この婚約は、悠ちゃんも賛成してくれたのよ。夏江さんとのお話が残念なことになった以上、百合子さんが一等敬助のお似合だと喜んでくれたの」つい、二日前に会ったとき悠次は何も言ってくれなかった。なぜ、美津が知らせる前に教えてくれなかったのだろう。初江は今や自分の言うべき言葉を自覚し、精一杯の作り笑いをすると「それはよろしゅうございました。おめでとうございます」と言った。美津は「それでは、あなたも喜んでいただけますのね」とおずおずとした表情で尋ね、初江が「はい」と答えると、たちまち大きな溜息《ためいき》をつき、「よかった。これで、わたしの肩の荷がおりました」と笑顔になった。

「そうそう」と美津は忘れた用事を思い出した様子で言った。「初江さん、ずっと西大久保にお帰りにならないそうだけど、なぜですの」「悠太が心配なもんですから、付き添っております」「でも、四六時中お付きにならなくても、よろしいんじゃありません。悠ちゃん、ずっと放《ほ》うっておかれて可哀相ですよ」「お言葉ですけど」と初江はむっとして言い返した。「この付添は悠次さんもお望みになったことですから」「そうかしら」美津は負けん気の真顔になった。「悠ちゃんはそうは言ってませんでしたよ。初江さんのほうがお望みになって三田にいっきりになったと、夫の過失に対する当てつけのようだと……むろんそんなことはないと、わたしは思いますすけど……悠ちゃんはそう言うの」「そんな」初江はいきどおりのあまり息が詰った。「悠太は重傷でございます。重傷のわが子に母親が付添ってやるのは当然ではありませんか。それがどうして主人への当てつけでございましょう……」初江は、ふと黙った。これ以上続けると自分が何を言い出すか恐《こわ》くなったためである。

美津が硬い顔で、敬助が慇懃《いんぎん》に辞去したあと、しばらく初江は考え込んだ。美津が来訪した第一の目的は、悠次の意を汲《く》んで初江に帰宅をうながすことであった。悠次は自分では言い出せず姉に使者を頼んだのだ。それはいかにも悠次らしい、小心で迂遠《うえん》なやり方ではある。それにしても、ひと月近くも夫も家も放り出して平気でいたわたしも、ちょっと異常だった。そろそろ帰らねばならない。初江は美津のそばで、美津が初江を非難するあいだ、ずっと黙りこんでいた敬助の横顔を思い起し、彼は夏江に会いに来たのだと考えた。夏江に会いたいと正面きって言えず、悠太の見舞いにかこつけて来たとすると、男って――いや、小暮家の血をひく悠次も敬助も――何と回りくどいのだろう。

　初江は夏江を探した。部屋は綺麗《きれい》に整頓《せいとん》されてどこかへ出掛けた様子だ。鶴丸看護婦が、「帝大セツルメントだと思います。夕方にはお戻りになるでしょう」と秘密めかした小声で教えてくれた。〝お居間〟では子供たちが紙相撲の続きをしていた。この一月に小結になってからめきめき人気の出た双葉山を、悠太と駿次で取り合いして騒いでいる。美津がいるあいだ、言いつけ通りぐったり横になっていた悠太は、退屈を吹き飛ばそうとはしゃいでいた。

「もうお帰りになったのかい」と菊江は新しい相撲取を鋏《はさみ》で器用に切り抜きながら言った。

「ええ、花林糖をいただいたわ」

「もうちゃっかりあけてしまったよ。お茶もいれてあるよ。脇のほうはみなさんお元気なのかい」

「それがね……敬助さん、百合子さんと婚約なさったんですって」

「やっぱりそうなったのかえ」

「おかあさま、御存知だったの」

「藤江からチラと聞いたんだよ。つい最近おきた縁談らしい。双方が乗気で話は進みつつあるって」

「敬助さんも乗気なのかしら」

「もちろんそうだろうね」

「わからないものね。夏江を是非嫁にと熱心に申し込まれた方が、その直後に全然別なひとと婚約なさる」

「それは仕方ないよ。夏江との縁が切れたあとは敬助さんは自由なんだからね。それをこちらが、とやかく言う筋合ではないよ」

「それはそうだけれども、わたし、夏っちゃんが踏みつけにされたみたいで、いやあな気持なの」

「今度の話は、敬助さんのお望みというより、風間の振一郎さんがえらく熱心でね、美津さんに申し入れたんだって」

「ますます、いやあね。当事者の若い人を無視して老人だけで話を進める」

「お前の場合だってそうだったんだよ」

「だから言うのよ」初江は引きちぎるように言った。「わたしみたいな結婚は駄目《だめ》なの。そんな結婚はさせたくないの」

「でもね……」菊江は不思議そうな目付きを初江にむけた。「結婚なさるのは敬助さんなんだよ。夏江ではないのだよ」

「でも、夏っちゃんは敬助さんが好きなのよ」と言ってしまってから、自分の発言に何の根拠もないことに気付き、初江はうろたえて言い直した。「夏っちゃんが敬助さんをあきらめたのは、敬助さんが夏っちゃん以外のひとと結婚しないいって信じたからよ……わたし、そんな気がするの」

「そう信ずるのは夏江の、そしてお前の勝手だけどね」菊江は、切り抜いた相撲取に手早く目鼻や廻《まわ》しを書きこんで子供たちに渡した。そして、それ以上は敬助の話には関心がないと示すように、子供たちの頭ごしに紙相撲を観戦しだした。

夏江が帰ったのは夜の九時過ぎで、待ちあぐんでいた初江は部屋まで追っていき、まっすぐに言った。

「敬助さんが百合子さんと婚約なさったの。きょう、脇のおねえさまがおっしゃった」

「そう……」夏江は一見気がなさそうに言うと、急に脚の力を失なったように坐《すわ》りこんだ。きょうは珍しく洋装で、スカートから細い脛《すね》が無理に引き出された形で白々と伸びていた。

初江はにじり寄った。

「風間の叔父さまの、たってのお望みなんですって。でも、脇のおねえさまもお受けになった……わたし怒ってるのよ……夏っちゃんをもらいたいなんて平身低頭なすった方がそれからいくらも経たないうちに、ほかの女性を平気でおもらいになる……許せないの……夏っちゃん、あなたの心のうちを全然無視してるのよ」

「嘘《うそ》よ」と夏江は鋭く言った。

「えっ」と初江はのけぞった。何か失言したかと思う。

「嘘よ」と夏江は窓の外の夜空を睨《にら》んでいた。星が凍《い》てついた氷塊のように光っていた。

「敬助さんは絶対に百合子さんと、百合子さんなんかと結婚なさらないわ。脇のおねえさま、あの古風なおばさま、嘘ついてらっしゃるのよ」

「わたしもそう思いたいわ」初江は妹の肩の震えが自分の心を震わすような気がした。

「その話、敬助さんがおっしゃったんではないでしょう」と夏江は姉に向き直った。

「おねえさまよ。でも」初江は辛《つら》そうに言った。「その場に敬助さんもいらっしゃったの。一言もおっしゃらなかったけど」

「婚約を否定なさらなかったという意味」

「そう」

夏江は唇を嚙《か》んで顔をそむけた。

「夏っちゃん、敬助さんは何か約束なさったの、たとえば、夏っちゃん以外の誰とも結婚しないとか」

夏江は答えず、淋《さび》しげに微笑《ほほえ》んだ。それは初江の推測が正しいと告白したようなものだった。

「仕方ないわよ」初江は菊江の言葉を繰り返した。「あなたとの縁談が破れたあと、あの方は自由なんですもの。しかし、正直言って、男っていやあね。勝手ね……」

「もういいのよ」夏江は立って衣裳戸《いしようと》棚《だな》の前に行った。洋服を脱いで、格子《こうし》木綿の不断着に着替えながら、独り言のように言った。「誰とも結婚しない誓いなんか、この世にありえないの」

初江の意識にのぼったのは、以前読んだフランスの小説の主人公たちだった。一人の女を愛し、その愛が破れたあとほかの女とは結婚せず、漂泊の旅に出たり、僧院に朽ち果てたりした。しかし、あれは小説の中の出来事だ。小説の主人公は見事だが、現実の男は醜い。フレデリックやファブリスに比べて敬助が小粒で平凡な男に思え、その失望が揺曳《ようえい》するうちに晋助の姿が立ち現れた。敬助への失望が、同じ血を分けた晋助への疑惑となった。あの夏のあと二箇月間も何の音沙汰《おとさた》もせずにいたうえ、悠太の事故のあとも、これで一箇月近く何の連絡もしてこない。きょうだって敬助が来てくれたのに晋助は姿を見せなかった。なぜか、美津も敬助も晋助のシの字も口にのぼせず、見舞いに来なかった謝りもなかった。ふと、初江は心配になった。もしかしたら美津は二人の仲を知っていて晋助をわたしから遠ざけているのではないか。晋助とわたしが二階にいると、美津はかならず用事を作ってあがってきた。息子と人妻の様子を探りにきたのだ。

「そうね、小説なら別だけど」と初江は言った。

「小説の中にはそんな誓いをする男がいるの」

「ええ、フランスの小説なんかに時々いるわ」

「日本のには」

「さあよくは知らないけれど、少ないんじゃない。自分は女遊びをするくせに妻の不倫を責める、そんな男は多いようね。要するに日本の男は情熱《パッション》が乏しいのよ」

「パッション……」

「ええ、男がたった一人の女を夢中で一生愛することよ」パッションとは晋助が教えてくれた言葉だった。しかし当の晋助にパッションの持ち合せがない。彼はわたしにほんの出来心を持ったにすぎなかった。若い一高生の一時の慰み者、それがわたしだった。初江は夏江を抱きしめ、二人で大声で泣きたいような心持になった。

悠太が入院して、きっかり三十日目に、利平は唐山博士と協同で精密検診をした。レントゲン検査、傷痕《きずあと》の吟味、神経学的諸検査、知能テストを終えると、あらかじめ呼び寄せておいた悠次と初江にむかって「もう大丈夫だ。後遺症もない。頭蓋骨《ずがいこつ》の陥没は残ったが年齢が進むにつれて程度は軽くなるだろう。退院してよろしい」と言った。初江は、「へこんだ骨が脳を圧迫していて何か影響を残しませんか」と質問した。「多分残さないでしょう」と答えたのは唐山博士だった。このぐらいの陥没では大した圧迫ではないこと、前頭葉は脳の中でその機能が漠然《ばくぜん》としていて一部分の障碍《しょうがい》では目立った精神機能の変化をおこさないことが、その理由だった。しかし、それが〝多分〟であって〝絶対〟ではなかったため初江の危懼《きく》はなくならなかった。けれどもそれ以上の答が得られぬともよく承知していた。最後に利平は悠次に言った。「同じ場所に二度と怪我《けが》をさせんよう気をつけるんじゃ。頭のほかの部分より、あそこは脆弱《ぜいじゃく》になっちょるからな」「はい」と悠次はしおらしく頭を深くさげた。

本当にひと月ぶりで初江は西大久保に戻ってきた。第一の変化は家が完成していたことである。冬木立のなかに新しい木肌《きはだ》を見せた柱や羽目が匂《にお》やかで、金沢産の瓦《かわら》が雨に洗われたあとのように釉《うわぐすり》をつやつやさせていた。悠次は得意になって案内に立った。

南側の玄関の格子戸を開くと木の香りが鼻を突いた。子供部屋は庭に面していてコルク貼《ば》りの床であった。「これなら子供たちが大あばれしてもほかの部屋に響かんからな」と悠次は言い、悠太と駿次に部屋の中を駆けさせた。ところが子供の足踏みは家中に響き渡り、彼はすっかり大工に腹を立てた。「せっかく高いコルクを使ったのに、これじゃちっとも効果がねえな」「でも、畳よりは随分と響きが小さいですよ」と初江はなぐさめた。台所は狭いながらオーブンつきの最新のガス台をそなえ、東側で明るくて彼女は満足した。今までの、土のカマドに井戸水の低い流し場があって、北側で湿って暗く、ナメクジが発生する炊事場から、やっと〝文化的〟なキッチンになったのだ。洋風の応接間と和風の客間を二階に作ったのは客ぎらいの悠次にしては予想外だったが、洋間で麻雀《マージャン》をやり和室に客を宿泊させるという説明であった。まだ壁が湿っているので、毎日窓を開いて乾かし、引越しは来年の春ときまった。

なみやが大人びてきたのも引き立った変化である。十五、六の世間知らずの小娘だったのが、わずかひと月家をまかせたあいだに、御用聞の店員や出入りの行商人にすっかり顔を売って、付け値や掛値で買物をしたり、電話一本で届けさせるすべを覚えていた。家中の掃除も隅々《すみずみ》まで気を入れておこない、初江がめったに手を付けなかった納戸《なんど》の床まで拭《ふ》き掃除してあったのには驚いた。さすが押入れの中までは手はつけていなかったが、悠次の洋服箪笥《だんす》のワイシャツや下着は洗ってアイロンがかけてあった。初江の不審げな目遣いになみやは、誰の真似《まね》なのか、軽く合点をしてみせ、「旦那《だんな》さまのお言いつけでいたしました」と答えた。そのとき初江の胸底に不快の波がさわ立った。その不快のなかには、まずひそかな疑い、悠次となみやが、男と女としての係《かかわ》りを持ったという疑いがあったけれども、初江はそれをありうべからざる空想として振り飛ばした。自分自身は女として情が多く、移り気で、締りのない性癖を認めるが、悠次については、そういう軌道をはずれる行為は考えられない。東京帝大の経済学部を出てすぐ財閥系の生命保険会社に入り、会社と自宅とのあいだを几帳面《きちょうめん》に往復してきた。酒をたしなまぬ人とて夜の宴会もまず出席せず、会社が引ければ一時間以内、つまり午後六時前には帰宅してしまう。土曜日曜の麻雀やゴルフは、そんな生真面目《きまじめ》な人の娯楽として許されるという気も初江にはするのだった。夫として妻への夜のいとなみも、粗でもなく密でもなく、結婚以来の定まった習慣として続いていた。ただ妻として物足りない所があるとすれば、あまりにも規格通りの夫で、彼の思考、喜怒哀楽、性欲の昂揚《こうよう》、すべてがあらかじめ予想できる点であった。胸底の不快のなかには、つぎに自尊心を傷つけられた痛み、自分がひと月不在であっても、この小暮の家は無事に日常生活を維持してきたという事態への嫉《ねた》み心があった。結婚して以来七年の余、ともかく夫に不満を与えぬよう、子供たちを健康に育てるよう気張って生きてきたし、主婦としてのおのれの方針を打ち出し、井戸を水道に変え、卵をとるため鶏を飼いなど、さまざまに生活を改善してきたけれども、そんなものは、誰にもできる努力、別に初江という女でなくても可能な行為ではなかったろうか。夫・子供・家庭・主婦の生活すべてよりも、晋助に抱かれた海浜の一夜のほうが真実の輝きに充《み》ちていた。初江はなみやに「そう、あんた、いろいろと大変だったが、よくやったね」と賞《ほ》めてやり、なみやがにっこりしたのに、素直に笑顔を返してやった。

14

屋上の医学研究室は、動物剖検用の器材や細菌培養設備が取り払われて、そのかわり書物や製図用具や写真の引き伸し機などが運びこまれ、何条にも引き回らせた紐《ひも》におびただしい表や図がつりさげられて、何かの資料室という有様になっていた。

利平は三つ四つの表を見較《みくら》べながら、秋葉いとを相手に口述筆記をしていた。中林松男が何冊もの書類綴《しょるいつづり》を前にして坐り、いつでも必要とする表や図を引き出せるように構えている。

「いいか、つぎのは本論文の最重要結論じゃ。よく聞け。〝試験場所ニオイテ紫外線ノ力ヲ比較スルト、ソノ強サハ五〇〇〇メートル上空、富士山、相馬岳、大山、筑波山、高尾山、海上、丸『ビル』、東武『ビル』、軽井沢、強羅、田園都市、東京市内住宅地――すなわちわが時田病院露台じゃな――ノ順トス〟どうじゃ、中林、これで間違いないか」

「間違いありません。ただし、かならずしも海抜の順になっていない点は註釈《ちゅうしゃく》を必要とすると思われますが。たとえば〝時、天候ニヨリ差ヲ生ジタリ〟とか」

「そんなことは本文を読めば分る。結論ちゅうのは簡潔なるを要す」

「はい」中林は従順に頭をさげた。いとが速記分を読んだ。利平と中林は同時に「よし」「いいです」と言った。

「つぎにいく。フウム、これが中林の言う註にもなる。〝海抜ノ進ムニ従ツテ太陽ヨリ照射セラレタル紫外線ノ吸収率減少ス。故《ユエ》ニ余ノ実験範囲ニ於《オイ》テ五〇〇〇メートル上空ハ紫外線ノ作用モットモ強シ。一般ニ高山オヨビ田園都市ハ午後ハ午前ヨリ紫外線ノ量多シ。コレニ反シテ市街地ハ午後ヨリ午前紫外線量多シ。コレ市街地ハ紫外線ヲ吸収スルアマタノ条件午後ニイタッテ増加シ、高山オヨビ田園ハ紫外線ヲ吸収スル水蒸気ノ発散午前ハ多ク午後ハ少ナキ結果ナリ〟そしてじゃ、これが重要な結論じゃ。サナトリウムにおいて日光浴をさせるにはどの時間帯にすべきか。ウーム。〝都市高山田園都市ヲ通覧スルニ紫外線放射強キ時刻ハ午前十一時ヨリ午後三時ノ間トス〟中林、意見」

「別にありません。今ので正確、かつ簡潔です」

「前の文章、どうもごたごたしちょるな。いと、もう一遍読んでみい」

「はい。〝太陽光線紫外線ノ結核菌ニ対スル殺菌力ハ、第四四表ニ示スガゴトク、直接曝露《バクロ》ニアリテハ、五〇〇〇メートル上空ト富士山頂ハ乾燥状態ニアル結核菌ヲ二時間ニテ殺シ、富士五合目オヨビ相馬岳ハ三時間……」

誰かが強いノックをした。利平は精神の集中を破られた不愉快で「畜生」と怒鳴った。研究中は急患は当直医で対処すべしと厳命してあるのだ。ドアの外で間島婦長の声がした。

「奥さまの御様子が変です。累積発作中にチアノーゼをお起しになって意識不明になられました」

「なに」利平の反応は素早かった。中林についてこいと命じるや、もう婦長と一緒に走っていた。走りながら応急処置のあらましを聴取する。寝室のベッドサイドに着いたときには打つべき手を大体心に決めていた。

菊江は手足を紫色に変えて気を失なっており、若い当直医が酸素吸入をほどこしていた。心臓は微弱で速いけれども動いている。問題は呼吸だ。アドレナリンとエフェドリンを打って交感神経を刺戟《しげき》させ、人工呼吸を続け、他方では気管切開の準備をさせた。さいわい数分して呼吸が回復し、手足の紫が褪色《たいしょく》し、しばらくして意識ももどってきた。

「菊江」

菊江は、浮腫《むく》んだ顔に開いたぼんやりした目付で利平を見たが視線が定まらない。一、二分して夫の顔をやっととらえた。「ああ、あなた」

「随分ひどうなっちょるのう。こうなる前になぜ言うてこん」

「けさの発作ははじめ小さかったのでございます」と間島婦長が弁解した。「それが突然ひどくなられまして、あわてて先生（と当直医に目くばせした）をお呼びしましたんです」

〝それでよし。婦長と当直医の救急処置は適切であった〟と利平は大きく頷《うなず》いた。処置の当否を問うてはいない。こんなに病状が悪化するまで放置しておいた菊江の迂闊《うかつ》が問題なのだ。しかし一番迂闊だったのは利平自身だったと思い返す。この夏、富士山と飛行機上での紫外線の測定実験をおえてから永年の研究はすべて完結した。ただちにデータの整理と論文の執筆にかかり、診療以外の時間は研究室に入り浸りになった。そして論文執筆の手伝いに呼び寄せた秋葉いとの所に通う夜が増え、つい妻の病気への関心が薄れてしまった。

額から頬《ほお》にかけて、浮腫《ふしゅ》のため菊江の顔は丸くなっていた。浮腫《エデーム》も青藍色症《チアノーゼ》も心臓衰弱の徴候である。喘息《ぜんそく》がながい年月続いたため肺気腫をおこし、心臓に負担がかかりすぎたのだ。それに肥満からくる糖尿病が加わった。糖分の摂取を抑制せよと、口やかましく言うのだが、生来甘いもの好きのうえ、孫たちと甘いものを一緒に食べるのを楽しみにしていて、充分な節制ができない。

「お前、病気が重うなっちょる。この際徹底的な検査をして根治させねばいかん。入院じゃ。ここでは治療に不便じゃから病室に移れ」

「ここがよろしいのです」菊江はしっかりとした口調で言った。夫を食い入るように見詰めている目には、一所懸命な光が点《とも》っていた。「病室では事務がとれません。出納簿なんか人目につくとこに置けませんでしょう」

「それはそうじゃが、その体で事務はとれん……」誰かほかの者に代らせたいが、利平には心当りはない。菊江以外の人間に病院の内情を知らせる気にはまるでなれない。

「できますよ。何か仕事があったほうが気晴しになってよろしいのです」

急を聞いて人々が集ってきた。しかし院長夫妻の寝室とあって中に入らずドアの前に立っている気配だ。この部屋なら、人々が入ってこず出納簿の秘密保持には恰好《かっこう》だと利平も気がついた。

「あなた、ちょっとお話が」と菊江が言ったので、間島婦長、当直医、中林の三人は去った。利平と二人きりになると菊江は続けた。「わたくし、どうも体が弱ってきて、先が長くないような気がしますので……」

「何を言う」と利平は叱《しか》りつけた。「大した病気ではない」

「わかっておりますの、自分の体のことは。この頃、毎朝目が覚めると目が開かないほど浮腫《むくみ》がくるんです」

「浮腫など何でもない……」

「いいえ」菊江は利平の空威張りを見抜いたらしく、たしなめるように言った。「病気の末期に現われるものです。まあ、あなた、聞かせて下さい、わたしが死んだあと病院をどうなさるつもりです」

「そんなこと、考えたこともない」

「それでは困ります。ようく、お考えあそばせ」菊江は苦しげに息をついた。鼻孔に突っ込んだ酸素用のゴム管が痛々しい。

「お前がいない病院なんか意味がない。二人してここまでやってきた。おれはもうすぐ医学博士になる。そうすれば病院はますます繁盛《はんじょう》する。病院の第二期がくる」

「お願いです。あの女だけは院内に入れないで下さいまし」

「いとのことか。いとは妾《めかけ》じゃ。病院とは関係ない」

「ではなぜ院内にお入れになります」

「論文を書きあげるまでの一時だけじゃ。いとは表や図を描く能力がある。速記もできる。今は必要なんじゃ」

「それなら報酬を払って外から通わせたらよろしいでしょう。院内に寝泊りさせ、家族みたいにお扱いになるのはおよしあそばせ」

「論文は大体完成した……ま、いとは新田に帰す。院内にはもう入れん」

「わたしが死んだあとも入れないと約束して下さいまし」

「……」

「なぜすぐ、お返事をなさいませぬ」

「お前が死ぬなんて全く考えられんからじゃ。莫迦《ばか》なことを……」

「莫迦なことでしょうか。いいえ、わたくしにとっては、ゆゆしい大事でございます」

ドアが細目に開き、間島婦長の気遣わしげな顔が押入ってきた。

「約束する」と利平は答え、菊江が頬笑《ほほえ》んだのに言った。「安心してもう休め。眠ったほうがいい。間島、あとをたのんだぞ」

利平は中林と研究室に戻り、いとが浄書した先刻の速記に目を通した。これで『太陽光線紫外線ノ化学的測定並ビニ殺菌力ニ就《ツイ》テ』という論文は完成である。すでに文献一覧は中林の手によって完成している。あとは『細菌学雑誌』に投稿印刷するだけである。編集部に手を回して、何とか次号に掲載してもらうようにした。すでにこの夏『経歯的結核感染ノ研究』は同誌に発表され、北里研究所の研究部長は、これだけでも医学博士は間違いなくもらえると太鼓判を押してくれた。とすれば、不本意だが、あちらを主論文とし、『紫外線』を副論文にすれば鬼に金棒だ。来年二月か三月、慶応義塾大学の医学部教授会の審査を受けられれば、春には医学博士だ。北里研究所を通して同大学の医学部教授に知合いが多く、機会あるたびに自分の研究成果を吹聴《ふいちょう》してきた。百パーセントの公算でおれは医学博士になれる……利平は、今、幸福な思いでいとを見た。

「いかがですか」いとは利平を静かに見返した。

「論文はこれで完成したぞ。万々歳じゃ」

「奥さまです。お加減いかがですか」

「ああ、菊江か。なあに、いつもの発作じゃ。大事はない」

「それなら、よろしゅうございますけれど」

「いと、お前にはえろう世話になった。論文が出来上ったのはお前のおかげじゃ。もう新田へ帰れ」

「完成稿の清書がまだ残っていますけど」

「それは新田でやればよい」

「急に帰れとおっしゃるのは、奥さまの御意向ですか」

「いやいや」利平は目を剝《む》くと、「これで仕事が一段落したからじゃ」

〝そうでしょうか〟と疑わしげな目付きのいとは、急に河豚《ふぐ》さながら頬《ほお》を脹《ふく》らめて不満を表明した。むろん新田に戻りたくないのだ。むこうでは、田舎の単調な生活に飽き飽きしつつ、月に二、三度の利平の訪れを待たねばならぬ。が、利平は取り合わずにいた。こういう場合、いとは菊江のように口強《くちごわ》に迫らず陰に籠《こも》っている。この沈黙と対抗するには辛抱強い沈黙を続けるしかないと利平は知っている。彼は論文原稿の結論の部分を読み返して朱を入れた。

表と図を中林に整理させた。それからいとに「いいな」と強く言い、「はい」という承服を引き出した。

居間におりて朝食を摂《と》った利平は、鳩時計《はとどけい》が八時半を打つと病室の院長回診に出ていった。十時頃《ごろ》外来へ回ると、待合室はすでに患者たちで溢《あふ》れ、ベンチに坐《すわ》れぬ人々が廊下に列を作っていた。利平を含めて医師四人が外来診療にあたるのだが、午前中には到底さばき切れず、午後の手術や往診のさしさわりになっているので、医師を増やすか来診を断わるかの対策を迫られていた。利平の解決法はどちらでもなく、迅速なる診療の一事だった。診察時間を短縮するため生化学的諸検査やレントゲン検査に専属技師をやとった。治療のうち小手術をのぞく注射・薬液塗布・繃帯巻《ほうたいまき》は熟練看護婦にまかせた。医師の経験の多少と外傷の重軽、病気の難易とを一致させた。椅子《いす》に坐るや利平の全神経は診療に集中した。視野のなかには外傷・腫瘍《しゅよう》・疾病《しっぺい》しかなく、患者の職業や身分や個人的性格などいっさいが顧慮の外であった。いつだったか三田の通りを歩いていて、六十年輩の立派な紳士に挨拶《あいさつ》されて誰だか思い出せずにいると、ここ数年来慢性の湿疹《しっしん》にかかり一日置きに外来で診ていただいていた者だと自己紹介された。

午後一時過ぎまで働き詰めに働いて、待合室や廊下を占領していた患者の大群が嘘《うそ》のように消えてしまい、院内に疲労の影のみが残っているとき、どこからともなく侵入した蠅《はえ》のように、現れる人々がいた。大抵は粗末な背広を着た彼らは巡査で、悪所通いでひろってきた花柳病の治療に来るのだ。この時だけ利平は患者の職業をおもんぱかって、こっそりと治療してやる。高価な六〇六号（サルヴァルサン）を何本も打たねばならぬ者もいたが、金は一銭もとらなかった。救急医療で警察の交通課の世話になっている礼もあったし、巡査や兵隊など最下等の小役人への同情もあった。権柄尽《けんぺいずく》の巡査や憲兵を軽蔑《けいべつ》する利平は、彼らが頭を下げてくるとき、かえって深い同情の念にとらえられるのだった。

その日も一人の若い巡査が洲崎《すざき》で生れて初めて遊んで病気をもらってきたのを、水銀で洗ってやった。淋病《りんびょう》だけならよいが梅毒に感染しているとなると厄介《やっかい》で、三週間目に横根がおきるかどうかが運命の分れ目だと威《おど》し気味に宣言してやると、すっかり恐れ入り、埼玉から都会にあこがれて上京してきた田舎青年の生地むきだしに涙ぐんだ。さて、菊江の具合を診に行こうかと思っているとき、中林が折入って話があると寄ってきた。人気のない診察室で利平は代診と向き合った。

「実は夏江さまをわたしの嫁にいただきたいのですが……」長い間考えてそれを言い出す機会をねらっていたらしく、いつもの中林の、緊張した震え声とちがい、思い詰めた迫力が口調にそなわっていた。

「その件についてては返答保留と前に言ったはずだが」

「はい。しかし今度は夏江さまがわたしの申し出をお受けになりましたので」

「夏江がうんと言った……知らんぞ、おれは。いつのことじゃ」

「昨日でございます。夏江さまがわたしの所に来られまして、ぜひ自分をもらってほしいと言われましたので」

「そうか……」利平は中林の鼈甲《べっこう》のロイド眼鏡と、ポマードのいやに光る、カツラじみた髪をジロリと見た。この男はどうもヘマだと思う。娘が結婚を承諾した事実を父親が知らぬうちにせっかちに父親に申し込めば、父親の自尊心を傷つけることに気がつかない。世の中というものは情報を早く知ったものが優位に立つ仕組になっている。だから、下位の者が上位の者に情報を伝えるときは、注意深くあらねばならない。そういう注意深さがこの男にはまるでない。それでは夏江の夫として将来院長になった場合困るのだ。上位の者が下位の者に命令を下す場合のコツは、下位から上位への情報伝達の逆で、情報量はなるべくすくなくして、上位の者の威厳と優位を保たねばならぬ。院長たる者は、看護婦や事務員よりも常に多くの情報をにぎっており、下の者に命令を発するとき情報を出し惜しみせねばならぬ。利平は個人としては直情で傍若無人で思ったことはすぐ口にのぼせるが、院長として一旦《いったん》病院経営に関する事柄《ことがら》になると極端に口が重いのだ。代診として院長のそばに、これで五年間もいたくせに、まだ院長職の何たるかを会得《えとく》していない。なっちょらん、この男は……。

「わたしの気持は前からお話しております通りで今もすこしも変りません。ただ、きのうの午後、代診室に夏江さまが突然来られて、そうおっしゃったもので、事情が一変したものですから、こうしてお願いにまいりました」

「突然一変した事情なんぞ、信用できんではないか。知っての通り夏江は気まぐれじゃ。いつまた気が変らんとも知れん」

「ですが……」

「それにまだ問題がある」利平はもう一度ジロリと中林を見た。大きな目玉の自分がこの目顔を示すと相手を威圧する効果のあることを利平はよく心得ていた。

中林は射すくめられた軍兵のように肩をすぼめていた。今度は利平は何も言わなかった。言わなくとも彼が言おうとした事柄を相手は察知しているのだ——大酒を飲んでは二日酔で勤務に出、吉原に登楼しては一文無しになって前借りをした、たとえ回数は頻《ひん》ならずとも時々そういう失態をする、それが問題なのだ。すでにこの二件では何度も利平の注意を受けていた。

「おお先生」中林はいつになく張りのある声調となった。「最近、わたしは酒を断っております。遊びにも出掛けません」

「そうじゃな」たしかに中林はこのごろ真面目《まじめ》になった。富士登山にも一所懸命に参加してくれ、飛行機搭乗《とうじょう》の際は地上にいて測定実験を受持ってくれ、論文執筆を終始熱心に手伝ってくれた。彼がいなければ論文の完成は覚束《おぼつか》なかった。利平は、非難から一転して感謝の口調に変った。「いろいろ、きみには世話になった。今回のきみの申し出については、夏江の気持もよく聞いたうえで、返事をしよう」

「よろしくお願いします」中林はようやくほっとした表情となり、何度も頭をさげると出ていった。

利平は菊江のもとに急いだ。彼女は背中に枕《まくら》を当てて上半身を起し、算盤《そろばん》を手に帳簿をつけていた。額と頬の浮腫は一応ひいてはいるが青白い肌《はだ》には生彩がない。型通り打聴診をした。心臓が肥大して脈が早く、全肺野に肺気腫の徴候であるブツブツという〝ラッセル音〟が聴取された。喘息の気は依然として強く、心臓の衰弱もひどい。

「無理するな。寝ておれ」

「でも、先月の帳尻《ちょうじり》がまだ不充分です」

「会計など、体力が回復してからでいい」

菊江は従順に体を倒した。一見肥《ふと》って健康そうだが、水分の多い脂肪は脇腹《わきばら》から水のように落ちて、シーツの上に溜《たま》った。皮膚に張りがまるで無いのだ。

「今さっき、中林が夏江との結婚の許可を願ってきた」

「おや」と菊江の疲れ切った体全体が氷嚢《ひょうのう》のように揺れた。

「夏江の意向を聞いたうえで返事をすると答えておいた。お前、夏江から何か聞いていないかえ」

「いいえ」菊江は弱い吐息に胸を沈めた。「あの子はいつだって何も相談してこないんです」

「中林は夏江が承知したと言っとるが」

菊江はしばらく黙っていたが、話しながら自分の意見を決めていくようにゆっくりと言った。「あの子が承知したのは、あの子なりにようく考えたすえのことでしょう。今までも随分と縁談が降ってきましたのをみんな断ってきましたし、中林のこともいやだと拒み続けてきました。それは、あの子なりに将来をあれこれ考えていたからですわ。ですからこの話は、あの子さえよければ結構じゃないかと思います。ただ、ほんの二、三日前、敬助さんが百合子さんと婚約なさった知らせがあった直後なのが気になりますけども」

「どう気になる」

「これは初江から聞いたんですけど、夏江はどうやら敬助さんが好きらしいんですよ。で、敬助さんと百合子さんの婚約を知った直後、かっとなって中林に飛びついた」

「敬助か」利平は吐き捨てるように言い、葉山の一夜、敬助が夏江との縁談を無にしたとき、〝夏江さんと結婚しないならば、ほかの誰とも結婚しない〟と並み居る利平や振一郎や藤江や美津の前で大口をたたいた場面をありありと思い出し、あのような二枚舌の軍人がいるから陸軍は駄目《だめ》で、そんな男と夏江が一緒にならずによかった、男が百合子と〝ひっつく〟(利平はどうしても上品な表現を思いつかない)のは、夏江にとって敬助の本性を示すよい知らせだと思った。ふたたび吐き捨てるように言う。「中林の件は敬助とは無関係じゃ」

「はいはい……しかし、たとえすこし関係があっても、あの子は一時の激情で物事をぱっときめる子じゃありません。それが初江との大きな相違ですわ。初江ときたら考える前に行動してしまい、大抵あとで後悔するのが常ですけど、夏江は、こうと決めたら梃子《てこ》でも動かないんです」言い終えると菊江は苦しげに息を何度も継いだ。

「お前は賛成なんだな」

「賛成も反対もありません。本人がいいという以上、仕方がございません」

「おれは反対じゃ。中林という男、院長の器ではない。医者の腕はいいし勉強家でもあるけれど、多くの人間を統率する度胸と細心が欠けちょる」

「院長になさるおつもりですの」

「おれが死んだら、そうするより仕方あるまい」

「前から申しあげようと思っていたのですが、この病院を継ぐのは何も夏江の夫とは限りませんでしょう。史郎が継いで、しかるべき院長をやとう場合もあるでしょうし……」

「史郎はますますいかん」

「なぜですの」

「いやしくも時田病院を継ぐ者は、医療の何たるかを解し、義務感に燃えておらんといかん。史郎は……」

「わかりました。それ以上おっしゃらないで」菊江は父親の息子への批判を事前に抑えた。

「夏江はどこに出掛けた」

「おりますよ。さっきまでここにいました」

「何だ。なぜそれを先に言わん」利平は思わず睨《にら》みつけた。が、菊江のにこやかな微笑にくるまれて苦笑いとなった。しかし、なおも憤然と肩を怒らせて部屋を飛び出した。

離れの夏江の部屋へいく階段に片足かけた利平はふと踵《きびす》を返した。奥まった場所にある夏江の部屋は初江も婚前には住み、姉妹の趣味が染《し》みついた婀娜《あだ》っぽい雰囲気《ふんいき》で、父親であっても何となく入りにくいのだ。それに——利平は理由を考えついた——父が娘を訪れるのは沽券《こけん》にかかわる、父は娘を自分のもとに来させるべきだ。

座敷でひとり昼食をとりながら、給仕している鶴丸看護婦に利平は命じた。

「夏江を呼べ。それからお前は席をはずせ」

鶴丸は「はい」と頭をさげ、上目遣いに言った。「夏江さまはお出掛けになるところですが」

「かまわん。出掛ける前に来いと言え」

鶴丸が去ると、ほとんど入れ違いに夏江が現れた。洋装で赤い外套《がいとう》を着ている。

「早かったな」利平は驚いた。

「前を通りかかったら、いきなり中に入れと言われたんです。何か御用ですか。わたし時間がないんです」と腕時計を見た。

「弱ったな。じっくり話し合おうと思ったんだが」

「何だか恐《こわ》いですわね。おとうさまの〝じっくり〟なんて。今晩じゃいけません」

「いかん」夕方から武蔵新田へ行く予定にしている。けさ追い出すようにして帰したいとの様子が気になるのと、論文が完成した喜びが刺戟《しげき》となったせいか、にわかに性欲が高ぶってきて我慢ができないのだった。

「じゃ、あした」夏江は腕時計を見た。

「お前、中林に結婚を承諾したそうだが、本当か」

「なあんだ、その件ですか。はい、本当です」

「中林は嫌《きら》いじゃと言いよったろうが」

「好きになりました」

「理由は何じゃ」

「好きになるのに理由なんかありませんわ」

「敬助と百合子とが婚約したからか」

「関係ありませんわ。敬助さんは、わたしがお断りしたんですもの」

「ともかくこの話に、おれは反対じゃ。中林という人物が気に入らん」

「おとうさまがお気に入らなくても、わたしが好きなんです。結婚するのはわたしなんです。あ、もう行かなくちゃ」

出て行く夏江の背に利平は浴びせかけた。

「待て。あくまでおれが反対だとしたら、お前はどうする」

夏江は振り返り、細い目を一杯に開いて、「家出します」と言い、音高くドアを閉めた。

鼻先でドアをピシャリと閉められても利平は別に腹を立てなかった。かえって、不断寡黙《かもく》で自分の思いをはっきりとは表明しない娘が、こうと定めた自分の意見を示したのが小気味よかった。彼は、冷えたカレーライスを口に運びながら、あの子にもおれに似た激しい気風《きっぷ》があると思った。魔法瓶《まほうびん》から注いだ熱いコーヒーをすすりつつ、本人が望むなら中林と結婚させようと決めた。中林という医師には不満があるが、その不満はあくまで院長に擬した場合のものだ。後継者の問題は菊江の言うようにもうすこし柔軟に考えてもいい。そうと決めたらもう利平は迷わなかった。そうして明るい未来のみを思い描いた。未来はどっちみち完全に予見はできない。確率半々なら明るいと思うのが得ではないか。来年一月中旬、まず時田史郎が軍曹《ぐんそう》となって除隊する。そのあとひと月の教育召集があってから見習士官となる。その時点で任官祝をやる。春、三月か四月か、時田利平は医学博士の学位を獲得。還暦の身で輝く医学博士というので有名になり新聞にも大々的に報道される。時田病院をあげての祝賀会は院内でおこなうのがよかろう。よし、魚料理の椀飯《おうばん》振舞といこう。新医学博士の院長みずから庖丁《ほうちょう》を振って魚を料理してみせてやる。そうじゃ、下関から虎河豚《とらふぐ》を送らせてみんなの面前でわが庖丁さばきの冴《さ》えを見せてやる。いやその前か、しかるべき媒妁人《ばいしゃくにん》を立てて時田家と中林家との間で結納をおこなう。媒妁人は一流の人、中林家が何と言おうと海軍の将官閣下にお願いする。そう、場所は水交社がよかろう。なにしろ元軍医少監医学博士令嬢と副院長（代診はやめて以後この名称で呼ぶこととする）との結婚だから万事盛大に派手にやるぞ。結婚式は日比谷大神宮、披露宴《ひろうえん》は帝国ホテルといこう。これが四月か五月になるだろう。祝いごとで多忙だから、今のうちに菊江の病気を治してやらねばならぬ。残念ながらこれは難病だ。来週早々慶応医学部のT教授の診察を請《こ》おう。外科なら自信があるが、内科は不得手で他人の援助をあおぐのは仕方がない。小暮悠太の頭部外傷には仰天したが、何とか後遺症を残さず治療しえてよかった、外科医の祖父として面目をほどこした。しかし後遺症は残らぬと言ったものの内心では自信がない。まあ、物事は明るいほうに考えるとしよう……。

その午後には往診の予定が五軒あった。浜田の運転で最後の一軒を終えたとき日が暮れかけていた。利平は、だしぬけに、「このまま新田へ行け」と命じた。

別に予告もしなかったのに、いとは準備万端をととのえていた。留守中埃《ほこり》の積った家中を隅々《すみずみ》まで清掃し、酒肴《しゅこう》まで買い揃《そろ》えていた。風呂《ふろ》からあがった利平が炬燵《こたつ》にくつろぐと、いとは火鉢《ひばち》に煮えたぎる土鍋《どなべ》を運んできた。ちり鍋に熱燗《あつかん》の接待である。外は暗く、物音一つせず、時計の刻む音が耳に近かった。

「おれが来ると、ようわかったな」

「わかりますよ。長年の勘でございます」

「やっぱり、ここは落ち着くな。三田は人が多うていかん」

「今晩お泊りになるのでしょう」

「いや、あす八時半より外来に出ねばならん。このあと帰る」

「早朝お立ちになれば間に合います。蒲団《ふとん》を乾してふかふかにしておきました」いとは媚《こび》を含んだ顔をななめにして、ゆるく開いた衿元《えりもと》から胸の隆起をのぞかせた。

「むろん、ちょっとお前を抱く。そのつもりで来た」

〝それなら嬉《うれ》しい〟という微笑がいとの若々しい顔を飾った。菊江の病にふやけた顔と何という差であろう。そしていとの欲望が利平の欲望を誘いだしてくる。三田ではいとに院内の一室をあたえ、利平が通った。利平は平気だったが、いとは人目を意識して存分に身を開くのがむつかしく、まだ固いままの女体に射精することもしばしばで、それをいとは申し訳ながったものだ。

酔ってくると、利平はいとを膝《ひざ》の上に抱きあげ、その締った腰や細い首を撫《な》でつつ、杯を重ねた。時々口うつしに女に酒を飲ます。いとは、三度に一度は受けて酔ってきた。

「きょう中林が夏江に結婚の申し込みをしよった。前から嫌《いや》だと言うとった夏江が、今度は承諾した。これで決りじゃ」

「おや」いとは体を硬くした。「先生は反対ではなかったのですか。中林先生をあんなに駄目なやつじゃと言っておられたのですから」

「意見が変った。夏江がよいと言うならそれでよい。親莫迦《おやばか》じゃ」

「中林先生は将来の院長ですか」

「そうなるな」

「反対でございます」いとは、利平の膝から滑りおりて畳に正座し、きつい面持《おももち》をこちらに向けた。

「時田病院を中林先生みたいな人にまかせてはなりません」

「何だと……」利平は近付いた女に嚙《か》みつかれる恐れで少しのけぞった。いとは不断から万事に控え目で口数すくなく、まして病院の経営に口出ししたことなどついぞなかった。それだけに意外であった。

「あの方を院長になさったら病院は滅茶苦茶《めちゃくちゃ》になりますわ。先生が今まで積みあげて来られた時田病院の特色、救急医療とか胃潰瘍《いかいよう》の洗滌《せんじょう》治療とか、結核サナトリウムとか、みんな駄目になりますわ。わたくしわかっておりますんです、あの方のお目当は、お金だけだっていうことが」

「何を言いだす」

「わたくし本当に思ってることを申しましただけです。前から気付いていました。あの方は時田家の財産が欲しいのです」

「証拠もなしに妙な断定をするな。第一、病院の将来はお前とは関係ない」

「そんなおっしゃり方をなさると、わたくしすっかり悲しくなります」いとは目頭を濡《ぬ》らし、しかし真っすぐな眼差《まなざし》は変えずに言った。「わたくしが今までしてまいったことがどうして病院の将来と無関係でございましょう。この年月、博士論文だって先生の御健康だって、わたくしがいなかったらどうなったか。わたくしには何の甲斐性《かいしょう》もなかったとおっしゃりたいの」

「お前には感謝しておる。しかし……」利平はいとの存在を生々しく感じた。来年になって打続く祝いごと、任官祝、博士祝賀会、婚約、結婚式のすべてはいとを除外して考えてきた。が、実は時田家の将来にいとは切実に係《かかわ》ってくるのだ。たとえば、もしも菊江が病死したら、いとは利平の後妻になり、病院の経営や所有に係ってくる。菊江の死、そんな不吉な将来は考えたくないが、全くありえないとは確信を持って言いえない……。利平は沈んだ気持で酒を飲んだ。いとは、正座を崩さず、礼儀正しく徳利を注ぐ。しばらくして利平は、いとの手を握って引き寄せ、肩を抱いた。女が強張《こわば》りを解いてきたとき、彼はささやいた。「いと、中林と夏江の結婚はな、夏江が承知したことじゃ。父親には娘の幸福を邪魔だてするほどの資格はない」

いとは「幸福ですって」とつぶやき、そのまま口を開いて白い歯を見せつつ、子供がいやいやをするように頭を振った。

15

西大久保に帰ってからの初江は多忙を極めた毎日であった。一箇月の留守中に溜った整理整頓《せいとん》会計音信とあれこれ手を出さねばならず、それに暮の大掃除が重なって目のまわる有様のところへ、クリスマス、年末の決済、御節供《おせちく》の用意が立て続けで、大晦日《おおみそか》の午後やっと時間を見付けて髪結いに駆けこむ始末、それからは除夜の鐘もうわの空で明け方まで煮物作りや雑煮の準備に励み、慣れぬ箱枕ですこしうとうとすると、もう年が明けていた。

寝不足に疲労が重なって生欠伸《なまあくび》が出る有様ではあったが、丸髷《まるまげ》に結った髪の乱れを直し、念入りに化粧して訪問着に着替えると、さすがに気持があらたまり、初江は母親の威厳を示しながら子供たちに正装をさせた。長男の悠太だけは紋付に袴《はかま》、ほかの子は新しい洋服だった。父親の悠次も紋付袴で、なぜ兄だけが父と同じ恰好《かっこう》をさせられるのか駿次や研三はねたむのだが、元旦《がんたん》には悠次は長男を連れて、旧主の前田侯爵《こうしゃく》家へ年賀に出掛けねばならず、そのための用意なのであった。

盃《さかずき》一杯の屠蘇《とそ》で顔をすっかり朱に染めた悠次が、何げないように、「そうそう、今年は洋行をしたいんだ」と言った。「あら」と驚く初江に、悠次は、弁解がましく旅行の必要性を説いた。前から一度欧米諸国を見たいと思っていたが、機会がなかった。ところが、今年はベルリンでオリンピックが開催されるし、会社の仕事も一段落しているし、満鉄や朝鮮殖産や京城《けいじょう》電気株の値上りで経済的余裕もあるし、よい機会だと思っているところへ、たまたま麻雀《マージャン》友達の課長から、欧米の生命保険事業の視察に行くので同行しないかと誘われた。麻雀の縁もあるし、直接の上司だし、会社のためになるし、ここはひとつ……。

「行ってらっしゃいまし」と初江は途中で悠次の言葉を切った。

「本当はお前を連れていきたいんだが」

「わたしは無理ですわ」と初江は言下に言った。「小さな子がいますし、今年は悠太が小学校入学で最初が大切ですし、第一、わたし船に酔いやすいし……船に乗るのでしょう」

「大西洋と太平洋は船に乗らざるをえないな」悠次は気の毒そうに言った。

「それじゃ、まったく駄目です。お一人で行ってらっしゃい。いつ御出発ですか」

「七月中旬、約四箇月の予定だ。実は旅行協会にたのんで一応旅程を組ませてある」悠次は、ずっと前から計画し、何度も練り直したらしく、欄外に鉛筆の書き込みが黒い、旅程表を懐《ふところ》から取出した。満洲、ソ聯《れん》をシベリア鉄道で横断し、ベルリン・オリンピックを見たあと、ヨーロッパ各国を巡り、アメリカへ渡り、大陸を横断、ハワイ経由で帰国するという。

「大旅行ですわね」と初江は溜息《ためいき》をついた。

「そう見えるが、大して金はかからんのだ」

「お金のことじゃありません。途中危険はありませんの。あなたは泳ぎがおできにならないし」

「大丈夫だよ。大西洋はクイーン・メリー号だし、太平洋は秩父《ちちぶ》丸だ。世界最新の客船だぜ」

「そんなら安心ですけど……」初江はクイーン・メリーと聞いて、いつかニュース映画で見た、豪奢《ごうしゃ》な船室での大舞踏会を思い連ね、金はかからんと言いながら贅沢《ぜいたく》な旅行だと思った。ヨーロッパとアメリカは彼女にとって夢幻の世界だ。美しい城や教会や摩天楼が、つまり日本にはない建造物の建ち並ぶ異国だ。一度行ってみたい。が、自分にはそれが不可能だ。女はいつも子供に縛りつけられて身動きがとれない。それで話が跡切《とぎ》れ、両親の沈黙に子供たちも気圧《けお》された具合で黙々と雑煮を食べた。食後悠次は年賀状に目を通し始めた。初江は抹《まっ》茶《ちゃ》をたてて運んだ。

「フランスへもお寄りになるの」

「寄る。パリだけだが」

「フランスって素晴しい国らしいですわね」初江は最近続けさまに読んだ彼《か》の国の小説を一時に思い浮べた。

「まあ、列強の一つだからな。しかし、今はドイツに押され気味だ。何しろヒトラーみたいな英雄は今のフランスにはいないからな」

「ヒトラーって英雄なんですか」

「そうさ。ドイツは彼を中心に世界の大国に発展していくさ」悠次は、常日頃《つねひごろ》から丹念に読む新聞の知識をひけらかすように、ひとしきりヒトラー英雄論を述べたてた。

「さて、前田さまへ行ってくるか」悠次は悠太を呼び、仏壇の前に坐《すわ》らせると二人で手を合せ、長押《なげし》の小暮悠之進の肖像画に一礼して立った。同じ出立《いでた》ちの夫と息子を送り出してから、初江はもう一度肖像画を見上げた。嫁いできたときはもう亡《な》くなっていた舅《しゅうと》が、毎年元旦になるとまるで生きている人のような存在感で迫ってくる。この日だけは、この白髪の眼光鋭い老人が加賀百万石の金沢藩士として、息子と孫に主君前田侯爵家への忠誠を命じるのである。いや、元旦だけの出来事ではない。この古い家には、それを作った人の霊魂が染みついていて、何かの機会に思い知らされる。美津も悠次も父を語るのを好み、もう数えきれぬほど初江は話を聞かされていた。

小暮悠之進は百五十石の藩士であった。維新の頃、洋学が盛んになり、藩も若い士分を東京に遊学させる風潮があり、彼もその一人で藩命により上京して開成学校の生徒になった。開成学校はのちに大学南校と称され、ここで鉱山学とドイツ語を学んでいるうち、大学の方針がドイツ語中心から英語中心に変ったので学業の継続をあきらめ、前田家の家扶となった。明治十二年、前田家の二千石の家老岡田家の長女友と結婚した。この友が美津の母である。

友の一の妹はのちに東京帝大総長となった化学者と、二の妹は調味料の味の素を創製した化学者と結婚した。明治三十一年、友は病死し、悠之進は中村家の長女千賀と再婚した。中村家は金沢藩士ながら百五十石で、二千石の岡田家とは格が違い、この格差が美津をして悠次を差し置く誘因にもなり、美津が小姑《こじゅうと》として初江にあれこれ差出口をする遠因でもあるので、初江はときどき中村家の小身を怨《うら》む気持にもなるのだった。

悠之進は、侯爵家の財務係で、財産管理の全責任を負うほか、家内の人々——番人、御者、馬丁、大工、自家発電設備技師、植木屋、御道具方（宝物管理人）など三十人もの人々——や十数人の女中の監督をしていた。明治二十年頃前田侯爵夫妻が洋行のみぎり、悠之進は付人として同行し、アメリカ・ヨーロッパ各国を一年ほど旅して帰ってきた。今でも蔵の中に見出《みいだ》される古い革鞄《かわかばん》、ゴブラン織の壁掛、マイセン磁器の人形などはその旅のあいだに購《あがな》ったものだ。いつぞや、埃だらけの絵葉書束を初江は発見した。財務係らしい几帳面《きちようめん》さで、それを買った日付と値段が書き付けてあった。この外遊の最大の土産が、今も悠次が愛用しているアメリカ製の大金庫であった。重すぎて床を割ってしまうので、特製の石台の上に設置されてある。今度の新築でも、この金庫を置く場所を極《き》めるのに悠次は苦心していた。

悠之進一家は前田邸内に住んでいた。本郷の東京帝大の赤門の右側に前田邸の通用門があり、門内左手に馬屋と馬丁小屋、右手に小使、調理人、髪結いの長屋があり、さらに進むと用人たちの家があった。何でも小暮の家は一番奥まったところ、のちに前田邸が東京帝大になったとき、医学部の解剖学教室が建てられた場所にあったという。

本郷に住みながら、悠之進は前田侯の別邸のある東京の西郊の大久保村西大久保に別荘を建てて、週末や休暇を家族と一緒に過すことになった。馬小屋が玄関脇《げんかんわき》（今の前栽《せんざい》のあたり）にあり、悠之進は馬に乗って付近の畑や林を走り回った。まったくの田舎で、田圃《たんぼ》と麦畑のさなかにつつじ園があり、つつじの名所として春時だけ人が集った。大正三年になると飯田橋より新宿角筈《つのはず》まで市電が通じ、足の便がぐっとよくなった。

大正九年、七十一歳になった悠之進は前田侯爵家の勤めをやめて、西大久保に隠居した。西大久保は、明治時代にくらべると住民の数も増え、住宅地として発展していた。すでに馬小屋はなく馬に乗ることもなかった悠之進は、それでも、襠《まち》のない行灯袴《あんどんばかま》をきらって、きりりと襠高く裾広《すそびろ》の馬乗袴を常用し、近所の人々からは御武家様の御隠居として一目置かれていた。おそらく、この油絵の肖像はその頃《ころ》描かせたものである。

酒もタバコもたしなまず、四角四面に四十数年〝前田のお殿さま〟につかえた悠之進は、書画骨董《こっとう》の趣味があり碁好きで俳句をものした。俳号は鶏肋《けいろく》。この名の由来について、おとしだったか脇家に遊びに行った際に議論になったことがある。美津は、鶏のあばらは味がよいからと言い、悠次は、鶏のあばらは肉はないが捨てるに忍びないから、まずいが捨てたものでない意と主張した。するとこういう場合沈黙を常としている敬助が、鶏肋の出典は『三国志通俗演義』だと言い出した。魏《ぎ》の曹操《そうそう》が夜の合い言葉に鶏肋を用いたのを、部下の楊修《ようしゅう》が解釈して「鶏肋は食べようとしても肉がない。しかし棄《す》てるには味がある。今は進もうとしても勝利を得がたく、退《ひ》こうとしては他人の嘲《あざけ》りをうける。ともかくここにいても無益だから早く兵を引いたがましだという意味だ」と言った。それを伝え聞いた曹操は、「小ざかしいヤツ」と怒って楊修を切ったという。そして敬助は、「鶏肋の意味を詮索《せんさく》すると、切ってしまうぞと、おじいさまが言っておられますよ」と笑った。初江は、生真面目《きまじめ》な武辺者が存外の読書家なのに感心して聞いていた。本好きで博学多識を自任している晋助も『三国志』はまだ通読しておらず、兄貴の説に「へえ、そうかねえ」と言うのみだった。あとで晋助は、色々と調べたらしく、「兄貴の『三国志』は一応正しいが、あれは『後漢書《ごかんじょ》』に初出したのを『三国志』が再録した話なのだ」と補ったが、何だか迫力のない言種《いいぐさ》であった。

晋助を思って初江の胸はときめき、悠之進の肖像から目をそむけた。線香の白檀《びゃくだん》の香りから海風の匂《にお》いが染《し》みだし、蠟燭《ろうそく》の炎が盆踊りの提灯《ちょうちん》の揺ぎと見え、仏間から逃げるように廊下に出た。長い廊下を使って駿次と研三が汽車と自動車を走らせている。新調の洋服を汚さぬよう、なみやに着替えを命じてから、ふらふらと玄関先に出た。門から一歩出れば、そのまま脇家へ行ってしまうと懸念《けねん》しながらも自分を抑えられず、門前に立ってしまった。

門並みに日章旗をかかげ門松を飾っている。島田髷に振袖《ふりそで》の娘が行く。角筈から来た市電が国旗をなびかせながら大通りを横切り、新田裏《しんでんうら》の停留所に停《とま》った。一人の陸軍将校が降りるとこちらに向って闊歩《かっぽ》してきた。敬助かと思って目を凝らしたが、違った。晋助は、悠太の負傷の日に会ったきりだ。もうひと月半も前のことだ。初江は石段から歩道に足を踏み出して、はっと思いとどまった。晋助には会わないようにしようと、西大久保に帰ってから心に極めていた。悠太の怪我《けが》は自分への罰だと考えると会うのが恐《こわ》かったし、反省のためか優しくなった悠次に済まぬという気持もあった。しかし、そんなふうに自分を叱《しか》りつけると、会いたい欲望がかえって熱く燃え立って胸苦しかった。苦しくて苦しくてたまらない、いっそこのまま燃え尽きて死んだほうが楽だとさえ思う。

午過《ひるす》ぎに帰ってきた悠次から、「脇へ行こう」と言われて初江はあわてた。元旦に脇家へ年賀に行くのは例年の習いであったのを何だか今年だけはそれが無い気がしていた。いや、無いとよいという願いがそれを失念させたのだった。「そのままで、いいじゃないか」と悠次が言うのに、初江は着物を派手なのに着替え丁寧に化粧を直した。もっとも、この年賀は、一家五人が脇の玄関口に立って頭をさげるだけの簡単なものであった。美津、敬助、晋助の三人は、金屏風《きんびょうぶ》を背に赤毛氈《あかもうせん》に坐って挨拶《あいさつ》した。そばには仕来《しきた》りどおり松竹梅の鉢植が並べてあり、全体に芝居じみたしつらえである。美津は子供たち一人一人にお年玉袋を渡し、「まあ、おあがりなさいな」と言った。悠次は、「いや、これから方々訪ねるので」と辞退したが、これもお定《さだ》まりのやりとりだった。晋助は真新しい一高の制服の襟《えり》に、柏《かしわ》の葉を光らせ、新入生のようにういういしかった。初江は晋助と目が合わぬように気をつけ、晋助が子供たちに話し掛けるのを、そっと盗み見た。脇家を出てからも、晋助の秀《ひい》でた顔付、とくに真っすぐな形のよい鼻が眼底から消えず、坂の途中で石に蹴《け》つまずき、悠次に怪訝《けげん》な顔をされた。

　翌朝、悠次が会社関係の年賀に出掛けたあと、初江は子供たちを連れて三田へ行った。夕方、悠次が迎えに来て風間家の新年宴会に出席する予定である。

　正月にもかかわらず利平は急患で往診に出ていた。菊江は、割烹着《かっぽうぎ》姿で炊事場にいた。肥《ふと》った体がどこか大儀そうに動く。

「明けましておめでとうございます」初江は他人行儀に挨拶し、すぐ母に駆け寄ると背中をかかえた。「大丈夫なの、起きてきて」

「大丈夫さ。もうすっかり、いいんだよ」

「でも、おかあさま、何だか辛《つら》そう」

「お前の気のせいだよ。本人のわたしが大丈夫と言うんだから大丈夫。あ、その昆布巻《こぶまき》は、そちらの皿に分けて下さい」と菊江は指示した。

顔見知りの賄方《まかないかた》と一緒に大勢の女たちが立働いている。菊江が支部長をしている愛国婦人会の主婦たちで、時田病院で何か晴れがましい行事があると手伝いに馳《は》せ参じるのだ。

「まあ、これだけの御馳走《ごちそう》。大変だったでしょう」

初江は食堂のテーブルに所狭しとばかりに並んだ花園さながらの料理の山に感心もし心配もした。床には薦被《こもかぶ》りがピラミッド形に積みあげてある。何かというと盛沢山の料理と酒を用意して人をもてなすのが時田利平の心意気だが、正月はとくにそれが盛大だ。しかも年々その規模が大きくなってきている。それだけに主婦としての菊江の気苦労も大きくなっていて、病みあがりの身に障りをおこしやすい。

「なあに、皆さまが作って下さったんで、わたしは何もしなくてよかったんだよ」

浜田が会場の用意が成ったと報告に来て料理の大移動が始まった。入院患者用の食事運搬車に皿が積みこまれる。大皿は二人掛りでそろそろと運ぶ。愛国婦人会、賄方、女中、看護婦、患者の家族などの協同作業である。浜田や岡田大工やレントゲン技師などの男たちは薦被りや一升瓶《びん》を運ぶ。子供たちの世話を鶴丸にたのんだ初江も皿を入れた岡持を持って行列に加わった。病棟の奥の通称〝花壇《にた》〟と呼ばれる大広間が会場だ。天窓がある八角形の奇妙な空間で昔入院患者の付添いが煮炊きに使ったというが、広くて鉢植《はちうえ》を片寄せれば百人以上は優に入れる宴会場になるし、天井が高く通風がよいので人いきれの淀《よど》む悩みもない。以前は冬場の寒さが難だったのを、利平が古い軍艦のスチーム装置を安く買い入れて設置して問題を解決した。

会場の指揮をとっているのは中林代診だった。黒い背広を着て、人々よりも一段高い顔で全体を見回す様子は何だか自信に溢《あふ》れている。以前は他人と背丈をそろえようとするかのように猫背《ねこぜ》気味だったのが、この頃は背筋をしゃんと伸ばし、むしろ自分の上背を誇示するようだ。この変化は院長令嬢の婚約者になってから急に現れたと初江は気付いていた。急にと言えば、それまで「初江さま」「夏江さま」とお嬢さんあつかいだった呼称が、ある日「初江さん」「夏江」となって、同等を示すようになった。心構えが変るとそれがすぐ外に表れるのは、田舎者の朴訥《ぼくとつ》さのせいか、それとも単なる鈍感さのせいか。

初江は中林に新年の挨拶をした。中林は、「やあ」と親しげに言い、「おめでとう」と誰か目下の者に向うような態度を示した。それから医者らしく、悠太の健康について質問し、「それなら、もう大丈夫です。あれだけ完璧《かんぺき》な治療ですから」と自分の治療の成果を自慢するような言い方をした。しかし、目はたえず会場内をキョロキョロ観察していて、いきなり、「駄目《だめ》だあ」と怒鳴って飛んでいき、テーブルと椅子《いす》の位置を移動させた。

夏江の姿が見えない。こんなに人がうようよいる場所は大嫌《だいきら》いな質《たち》だから部屋に引き籠《こも》っていると見当をつけた。食堂に引き返し、時田家の住居になっている二階へと階段をあがっていくと、わっと歓声があがった。階段のあがり口にある史郎の部屋からだった。唐紙《からかみ》が開いて男たちの背が見えた。初江の子供たちもそのむこうにいる。床の間の前で体操服の史郎が片手で逆立ちしていた。両手立ちになる。もう片方の手で立つ。「すごい」と駿次が叫び、自分も真似《まね》しようとしてでんぐりがえった。史郎は両脚を揃《そろ》えてヒョイと立った。初江を認めて「おめでとう」と言う。男たちが振り向いた。慶応の体操部員たちで、幼稚舎からの同級生は初江とも顔見知りだった。その一人内海が「よし、今度はおれだ」と進み出た。小柄《こがら》だが非常な運動神経の持主で、今度のベルリン・オリンピックの選手にえらばれている。上着とネクタイをはずし、軽く腕や脚を振ったあと、両手をつき、じりじりと両脚を持ちあげて逆立ちとなった。両脚を開いて片手立ち、と思うと片手を中心にくるくると回転し、ピタリと静止すると、またじりじりとおりてきた。部員たちが一斉《いっせい》に拍手する。内海は色白の頰《ほお》を赤く火照《ほて》らせて、にっこりした。

「さすがはオリンピック選手だよ。とてもかなわねえ」と史郎が言った。

「いや、時田君のほうが技が正確だけ、上だよ」内海は初江に言った。「惜しかったんですよ。時田君が去年ブダペストの万国学生選手権に出ていれば、オリンピック候補になれたんです。残念ながら入営とぶつかって、選手権をあきらめちゃった」

「いやあ、おれはオリンピック選手にはなれねえ。その器じゃないよ」

「なれたよ。キャプテン、そうすりゃ慶応から二人になったんだ」内海は、子供の時からの癖でむきになった。

「よしよし」史郎は折れて、快活に言った。「おれはオリンピック選手だ。そうと決ったら、ちょっと練習しますか。オリンピックの年の初練習だ」

「正月早々ですか」とぼやいている部員たちを史郎は運動場に急《せ》き立てた。部員たちの運動服は付属の倉庫に常時用意してあるのだ。男たちは階段を二段飛びに駆け降りていった。子供たちもあとを追う。初江もついて行って彼らの練習風景を見たいと切に思う。とくに内海の妙技は見たい。すると「まあ賑《にぎ》やかねえ」と夏江の声がした。

夏江はいつもの束髪のままで、しかも縞絣《しまがすり》の不断着だった。正月だというのにどうしたことかと初江が訝《いぶか》しがっていると、細い目が笑った。

「けさは四時まで焚出《たきだ》しよ。ちょっと横になっていたら、あんまり騒がしいんで目が覚めちゃった」瞼《まぶた》が脹《は》れたため二重が一重にもどって、幼い時の目付きである。

「随分張切ったのね」

「おかあさま、ずっと起きて陣頭指揮なさるんだもの、わたしだけ寝てられないわ」

「何だか疲れてらっしゃるみたい。さっきも体が重そう……」

「そうなの。まだ心臓のほう、よくないのよ。でも言ってもお聞きにならないから。正月の宴会は病院にとって最重要の行事、事務長として責任があるからって、暮からベッドを出て根を詰めてらっしゃる」

「働きすぎよ。心配だわ。夏っちゃん、今度は（と中林との婚約を暗示して）助けてあげてね」

「だから頑張《がんば》ってるの」夏江は、軽い欠伸《あくび》を何度もした。

「夏っちゃん」初江は妹を〝お居間〟に引っ張っていくと真剣に尋ねた。「わたしね、一度ゆっくり聞きたかったの。中林先生との結婚本気なの」

「本気よ」夏江は姉をまっすぐに見返した。

「でも、中林先生なんか大嫌いって、あなたはっきり言ったじゃないの」

「好きになったのよ」夏江は薄い唇《くちびる》をかすかに震わせた。初江はよく知っていた――妹が唇を震わすのは何かを無理に言うとき、時として嘘《うそ》を言うときであることを。

「そうかしら」初江は角が立たぬよう抑えて言った。「夏っちゃんの好きなのは敬助さんだと思ってたわ」

「どうして」夏江は目を丸くした。やりもしない悪戯《いたずら》を先生に極め付けられた顔付だ。初江はすこしあわてた。

「……ただそんな気がしたの」

「あの人とは何の関係もないわ」

「そんならいいけれど」初江はとにかく自分の危惧《きぐ》だけは相手にわかってもらおうと懸命に続けた。「わたし、今度のお話では、夏っちゃんが犠牲になってる気がしてならないの。あなた、時田病院を継ぐためにおとうさまから何か言われたんじゃないの。つまり、おとうさまの希望で自分を曲げた……」

「振るってるわ」夏江は朗らかに笑いだした。「おねえさん、大した想像力だけど、小説の読みすぎじゃない。中林との結婚に一番反対なさったのは、おとうさまよ。前から中林の人物が気に入らず、申し込みを撥《は》ね付けてこられたのも、おとうさまよ」「そうだったの」初江はやっと安心した。自分のように、父に迫られての決心でなかったのならいいのだ。「おめでとう」と言い、「まだ年始のご挨拶してなかったわね」と、もう一度「おめでとう」と言った。

利平が往診から帰った。初江が子供を連れて飛んでいって年賀を述べると、悠太の傷跡に指先で触り、「異状ないな。よしよし」と言い、駿次と研三は抱きあげて頬摺《ほおず》りした。髭《ひげ》が痛いので研三はいやがってあばれ、祖父の腹を蹴《け》った。「研坊は元気いいぞ」と利平は平気で何回か腹を蹴らせ、「この子は利《き》かん気の人物になるぞ」と頷《うなず》いた。おお先生帰ると聞き付けて間島婦長が呼びに来た。会場の準備ができて、みんなが待っているという。

中央に利平、隣に菊江、史郎、初江と子供たち、夏江と中林、医師、看護婦、薬剤師、レントゲン技師、大工、運転手、賄方、女中、書生と病院の職員全員が集った。来賓としては、海軍の将官、利平の論文審査をする慶応医学部教授、北里研究所の部長、唐山博士、三田医師会の役員、割烹着が白く目立つ愛国婦人会の主婦、慶応大学体操部員、出入りの商人、近所の人々などがいた。遅れては来たけれど上席に据《す》えられたのは三田署交通課の警察官で交通事故による重傷者を優先して送ってくれる恩人として遇されていた。

宴会は午前中に始まって日暮れまで続く仕来りであった。すぐ帰る人も遅れて来る人もいて、出席者は絶えず入れ替った。来賓と言っても別に招待状を出すわけでなく、時田家の人々が声をかけるだけで、来たい人は誰が来てもよかった。入院患者やその家族が顔を出したり、病院前を偶然歩いていた人がざわめきに引かれて入ってきたりする。ある年乞食《こじき》の母子が顔を出し、職員が追い出そうとしたのを利平がとどめ、料理と金を持たせて帰した。ところが間もなく十数人の乞食たちが押し掛けてき、悪臭と非衛生に辟易《へきえき》した利平は、以降乞食だけは門前払いをする決りにした。

ともかく中央には時田利平院長がいた。海軍軍医少監の軍服を着て、新年の挨拶《あいさつ》をしてから口髭をこすりながら一場の演説を試みるのも例年の習わしであった。

「今や大日本帝国は空前の国力充実の秋《とき》をむかえております。領土は南樺太《みなみからふと》、長大なる千島列島、朝鮮、台湾、南方パラオ諸島、それに満洲国、これは独立国じゃが、まあ帝国領土みたいなもの。この大領土を守る大海軍は無敵、それにむろん陸軍も無敵じゃ。じゃから、大日本帝国は大領土を絶対安全に平和に保持して万々歳の威勢であります。

ひるがえって、わが時田病院も空前の発展の秋をむかえております。一昨年、隔離病棟とサナトリウムが完成しましたが今年は回転式硝子窓《ガラスまど》を備えた最高の設備をほこる新サナトリウムが落成し、結核治療に飛躍的貢献をします。そうして、不肖わたくし時田利平が営々五年間研鑽《けんさん》しました結核の研究、一つは結核菌の感染経路についての研究、もう一つは紫外線の結核菌への殺菌作用の研究は完成し、博士論文として慶応義塾大学医学部教授会に提出、今その厳正なる審査をお受けしとるわけで、わが時田病院は治療設備も研究成果も日本一を目差して邁進《まいしん》しておるのであります。

本日は昭和十一年、皇紀二五九六年の輝かしい正月を祝って、大日本帝国と時田病院のため、存分に飲み食べ語っていただきたい。おわり。あ、一つ忘れました。静粛に。わたくしの二番目の娘夏江が昨年暮、当病院代診中林松男医師と婚約いたしました。挙式はこの春を予定しておりますが、今日は二人の良縁を祝って、中林先生の代診を今後副院長という役名で呼ぶことにします。おわり」

拍手が起った。利平が坐《すわ》った。すると、まだ拍手の終らぬうちに中林がひょろりと薄《すすき》の穂のように立ち、拍手に答えるかのようにゆらりと一礼した。そのまま坐るかと思うと「ええ」と話し始めた。

「わたくしが本日より副院長になりました中林です。ええ、ふつつかものですが、歴史と実績と名声のある、大時田病院のため、時田博士――ええ、近く博士になられると思うのでこう呼ばせていただきますが――博士先生のため、粉骨砕身、臥薪嘗胆《がしんしょうたん》――ええ、これは変です――その、とにかく努力いたします。それから博士先生が言われた婚約の件は光栄で、ええ……」

そのまま咽喉《のど》に何か詰ったように黙ってしまった。が、別に困った表情でもなく左右を見回している。場内がざわめいた。初江は、夏江の唇《くちびる》のあたりに薄笑いが走ったのを見のがさなかった。誰かが笑いだし、中林は頭を掻《か》き、これで爆笑がひろがった。中林が坐ると、今のは新副院長のユーモアだったという是認の空気になった。そして笑いの渦《うず》のなかで夏江の凝固したような真面目《まじめ》くさった顔が異様に目立った。

唐山博士の音頭で乾杯し、宴会が始った。利平の前には献酬の列ができた。先頭は副院長で、そのあとに商人連が続いた。初江も杯をすすめられたが、みんな断った。子供たちに料理をとってやりながら言い含めた。「あとで風間の叔父さまの所へ行って御馳走《ごちそう》を食べるんだからね、ここではちょっとにしておき」

天窓を開け放ち青空から風を入れていても、場内の空気は濁ってきた。群衆の吐く息にニコチンやアルコールや料理の匂いが混ぜ合され、重く淀む。そんななかで菊江の苦しげな息遣いが次第に目立ってきた。ヒューという笛音がひびいたとき、初江と夏江は頷《うなず》き合って立ち、間島婦長が走り寄った。

「何でもないよ」と言う菊江を、間島婦長は、「やっぱりお休みなさいませ」と強《し》いて立たせ、素早く戸口から連れ出した。あまり素早くて、多くの人々は気付かなかった。初江と夏江が寄り添う。寝室に着いて間もなく発作は本式となった。上半身を起し、ぜいぜいと肩で苦しい呼吸が続く。母の背中を初江は夢中で撫《な》でた。間島婦長の通報で利平が来て、酒気を振り撒《ま》きながらも落ち着き払って診察し、確かな手付で注射を二本打った。しばらくして咽喉の栓《せん》がすぽっと抜けたように発作がおさまった。菊江は頭を下げた。

「すみません。一番お忙しいときに」

「無理をさせたな。それがいけんかった」

注射薬の効果だろうか、菊江は眠りに入った。間島婦長がそっと、「寝不足でいらっしゃいます。昨夜は徹夜なさったものですから」と言った。

初江と夏江は、ベッドの両側から母の寝顔を眺《なが》めた。脹《ふく》らんで丸味を帯びた額や頰の皮膚は一見肥って健康そうに見える。けれども病的に蒼白《あおじろ》く、触ってみると屍体《したい》のように冷たかった。ひょっとしたら、母はこのまま回復せず死ぬのではないかと思う。つい二週間ほど前の発作は激烈で、処置をあやまてば危かったと聞いた。急を聞いて初江が三田に駆け付けたときには、もう発作は治まっていたが、間島婦長から病状経過の報告を受けたとき、ぞっとした。今母に逝《ゆ》かれては困る。母以外に心底から信頼でき、何事にまれ打ち明けて相談できる人はいない。ああ、おかあさま、死なないで、と初江はしくしく泣き始めた。ふと手を握られた。顔をあげると夏江の目にも涙が光っていた。

16

落合の高台が南方へと下り斜面になっていく取っ掛りに風間邸はあった。目白駅から閑静な住宅街に入った奥に、長い源氏塀《げんじべい》のまんなかに屋根付きの四脚門が現れる。人々を驚かすのは屋根の上に覆《おお》いかぶさった二本の松の枝で、門をくぐると二本の枝が頭上に続き、そのずっと先に赤松の太い幹があった。いくつもの廊下で結ばれた建物は数多くの大木を背景にした広い庭に面していた。東の築山《つきやま》の巨岩から滝落しの遣《や》り水が流れ、次第に早瀬となって下っていった先に、低い戸塚《とつか》の家並や戸山ヶ原の緑を望む、展望台のような離れがあり、ここが風間振一郎の書斎と応接間で、母屋《おもや》から遠いだけに、客人との密談に適し、また家人が寝静ったあとの徹夜の酒宴にも恰好《かっこう》の場となっていた。

小暮一家が着いたとき、すでに玄関には大勢が続々と詰めかけ、久し振りの挨拶に低頭したり雑談に興じていた。悠次が何はともあれ風間振一郎に年賀の辞をのべようと探すと、梅子が、「今、父は離れで来客と話しています。食事どきには皆様の前で御挨拶すると申していました」と制した。来客は誰かと初江が尋ねると、「陸軍の軍人さんが十人ばかり、中には脇の敬助さんもいらっしゃるのよ」という答だった。

「おや、敬助さんが、それでは……」〝晋助さんも〟と言おうとしていると、松子が、「ええ、脇のおばさまもお見えになってるわ」と心得顔に言い、「もっとも、おばさまは広間のほうにいらっしゃるけど」とそちらの方角を目で差した。

庭に面した広い廊下に三方を囲まれ、いくつかの部屋の間の襖障子《ふすましょうじ》を取り払った明るい広間は百人一首の真っ最中であった。女たちの着物や帯が華やかに揺れ、男たちのネクタイピンが光った。桜子と百合子がいる。そして素早い身のこなしでカルタを取ったのが晋助だった。初江は晋助を見た瞬間から、自分の視線が彼に吸い寄せられるのを覚えた。悠次の手前、晋助に知らん顔をしようとするが誘惑にはどうしても勝てない。すると悠次が感心した口吻《こうふん》で言った。「大したもんだ。こういうことには晋助は才能があるね」伏せたカルタの山は晋助のが最も高かった。初江は「本当にそうですね」と夫に頷き、今度は夢中になって男を見続けた。読み手の婆《ばあ》さんの最初の言葉に聞き耳を立てるときの鋭い目付き、剣の達人がはっしと切り付けるような手の動き、伸びた腰と形のよい尻《しり》、何もかもよかった。が、誰かに盗み見されている不快がおきてきた。美津だった。廊下の日溜《ひだま》りで藤江を始め年取った女たちが車座になって蜜柑《みかん》を食べていた。美津は夕陽《ゆうひ》を背に目鼻立ちの定かならぬ黒い顔をこちらに向けている。「藤江叔母さま、あそこにいらっしゃる」初江は悠次をうながし、二人で藤江の前へいって新年の礼をした。美津が悠次に、「おそかったのね」と言った。悠次は、「いろいろと浮世の義理を果してたんでね」と言い訳した。美津は初江に、「おかあさま、今日はお加減がよろしくないんですって」と尋ねた。「はい、ちょっと、このところ無理をしたのがたたりまして」と答えながら、一体誰が先程の発作を逸早《いちはや》く美津に伝えたのか不審だった。

小鳥のさえずりのように庭で子供たちの笑い声がした。夏江が十人ほどの子供たちを引き連れ、芝生に出てきたのだ。

「羽子《はね》突《つ》きするもの、この指とまれ」と夏江が言うと子供たちがわっと寄った。駿次が、「ぼくも行く」と走った。研三も負けずに追っていく。しかし悠太だけは残っていた。「やってきなさいよ」と初江がすすめると、「だって、ぼく、羽子突き下手なんだもん」と後込《しりご》みした。

帝大セツルメントの託児所で働いているだけあって、夏江の子供あつかいは巧みであった。大きい子は二グループに分けて競い合せ、小さい子は自分が相手になって遊んでやる。しばらくして子供たちが追い羽根に飽きると、みんなに輪を組ませ、「かごめ、かごめ」を始めた。初江はもう一度悠太を「みんなと遊んだら」と促したが、今度も「今からじゃ恥かしいもん」と母の後に隠れた。

百人一首は晋助の一番勝ちに終った。席の入れ替えで立った晋助は「叔父さん、麻雀《マージャン》のメンバーを探してますよ」と悠次に告げた。中庭に出張った座敷の麻雀卓を三人の男が囲んでいた。うち一人は史郎で、しきりと悠次を手招きしている。「それでは一つお手合せといくか」悠次は自分が選ばれたのが得意らしく、手をもみながら去った。

　晋助が「散歩にいこう」と悠太の手を取った。自然、初江もついて行く。晋助はまるで我が家のように勝手知った様子で廊下を進んだ。広間に隣接して蔵があり、入口が半開きで暗い奥に誰か人がいた。「大きな金庫がある」と悠太が言った。なるほど突き当りに、高さ三メートルはある金庫が黒光りしていた。小暮家の古い金庫でさえ大きいと見た目には途方もなく巨大に見える。金色のダイアルを回していた人が振り向いた。振一郎だった。黒の結城紬《ゆうきつむぎ》に錦織《にしきおり》の角帯を締め、堂々とした押し出しで蔵の外に出てきた。書類鞄《かばんこ》を小脇《わき》に挟《はさ》んでいる。

「あら、叔父さま」初江はあわてて、「こんなとこで何ですけど、明けましておめでとうございます」と頭を下げ、悠太にも「ご挨拶なさい」と命じた。

「おめでとう」と振一郎は権高《けんだか》に応じた。晋助とは挨拶済みらしく、「やあ」と会釈《えしやく》して行きかけて振り返った。「そうそう、今ね、敬助君たちと時局談をしてるんだが、晋助君も来ませんか」

「時局のことはさっぱりわかりませんから」と晋助は辞退した。

「そうかね。敬助君から聞いたが、なかなか辛辣《しんらつ》な意見で兄貴をやっつけるそうじゃないか。今の若い人の辛辣な意見をぜひ拝聴したいね」

「なあに〝兄弟鬩牆《けいていかき》に鬩《せめ》ぐ〟てえやつです。意見の相違なんかじゃ、ありません」

「そうかね」振一郎は眉《まゆ》をあげると「はっは」と一笑して遠ざかった。柱の蔭《かげ》から秘書か護衛か二人の紺背広が出現し、主人に従った。廊下の端に三人が消えると晋助が言った。

「悠ちゃん、探偵《たんてい》だ。あの三人の悪漢をつけよう」

「うん」と悠太が喜んで頷いた。

「悪漢だなんて、まあ」初江はあきれたが、抜き足差し足で行く二人を仕方なく追った。角を曲ると廊下は突き当りで、左に書院風の座敷があり、藁葺《わらぶき》の茶室があった。しかし三人の影はない。

「さあ、どこに消えたかな」晋助は茶室の中を覗《のぞ》き、その先の苔庭《こけにわ》を見回した。悠太も真似《まね》をした。

「ほんと、不思議ねえ」ようやく初江も好奇心を触発された。大の男三人が忽然《こつぜん》と姿を消すとはただごとでない。

「地下に潜ったんだ。どこかに地下道の入口があるに違いない」晋助は座敷の隅々《すみずみ》を見て歩いた。まさかと初江も思うが、一緒になって探索しているうち、つい真剣になった。床の間、水屋、次の間、茶道口と調べていく。

「ほら」と晋助が庭の彼方《かなた》を指差した。急流で裾《すそ》を洗われている離れの廊下にひょいと三人が立ち現れ、中に消えた。

「ここと、あの離れとは、地下道で繋《つな》がってるんだ。あやしいぞ」と晋助が言った。

「あやしいぞ」と悠太も言った。

「らしいわね」何だか疲れてしまい、初江は畳に腰を落した。

「お袋から聞いたんだけど」と晋助は床柱を背に足を投げ出した。「この屋敷の下には縦横に地下道が通じていて、大きな部屋や穴蔵が沢山あるんだって」

「へえ、何のためにあるのかしら」

「防空壕《ぼうくうごう》らしいよ。空襲の場合、十トン爆弾が落ちても大丈夫なだけの設備だそうだ」

「無駄《むだ》な設備ね。東京に空襲なんかないもの」

「そうかね」と晋助は振一郎の口真似をした。「将来ありうべき戦争に備えて万全の設備をするのは無駄かね」

「戦争なんて起らないわ」

「だって支那では皇軍が戦ってきた。満洲《まんしゅう》事変、上海《シャンハイ》事変……」

「あれは事変でしょう。戦争じゃないわ。東京はこんなに平和なんだもの」

「平和は上辺だけのこと。底では不気味な戦争が進行中なんです。丁度、ここの地下道のように、今は見えないだけ」

今度は初江が晋助の口真似をした。

「時局のことはさっぱりわかりませんから」

二人は笑い合った。日が暮れて、急速に冷たい金属のような闇《やみ》が充《み》ちてきた。人気《ひとけ》も火も明りもない室内はひどく寒い。大人二人が帰りかけると悠太が反対した。どうしても地下道の入口を探し当てようという。

「とても無理よ。叔父さまの謎《なぞ》がわたしたちに解けるはずないもの」初江は悠太の手を引いた。晋助がもう一つの手を引き、二人は子供を中にして歩いた。子供のおかげで初江は安全だった。小さな長男が一人前の男として母親を守護していた。広間に戻ると目敏《めざと》く美津が差し招いた。「どこへ行ってたの」「悪漢を探してたの。でも見付からなかった」と悠太が答えた。


風間邸に着いた利平は、振一郎が離れだと聞き、すぐ女中に案内させた。洋風の応接間には振一郎と十人ほどの軍服が円座をつくって何やら密談の体である。利平は、振一郎に新年の祝辞をのべ、隣の立派なソファに腰を下してから、軍人たちが押し黙っているのが不審でゆっくりと見回し、硬い顔付でかしこまっている脇敬助中尉《ちゆうい》に気付いた。

「何か秘密の会議ですかな」と利平は振一郎に言った。「ならば失礼するが」

「いやいや」と振一郎はにこやかに手を振った。「単なる雑談ですよ。どうですか一杯」と卓上のブランディーをグラスに注いですすめた。

利平は三田の宴席で飲み続け、かなり酩酊《めいてい》してはいたが強いアルコールの芳香が咽喉に気持よく、ぐっと飲み干し、爽快《そうかい》な熱が食道から胃へ伝わるのに目を細めた。

「日本も前途多難ですな。満洲じゃロシアや支那と衝突し、ロンドンの軍縮会議では英米仏伊と衝突し、何だか世界の不良少年みたいにあつかわれちょる。まあ、これも日本の国力が躍進して各国の嫉視《しつし》の的となったせいかの」

「まさしく御説の通りですよ」と振一郎が頷《うなず》き、その場の一同にむかって演説する口舌《こうぜつ》になった。「日本は今や英国を抜いて世界第一の綿布輸出国です。しかも日本の輸出量は世界輸出総量の半数を占める。風当りが強くなるわけだ。列強諸国がやっかみを起すのも無理はありません。日本が不況を脱したのは昭和六年なのに、列強はやっと昭和八年に不況の底を入れ、昭和九年から回復の情勢がみられたにすぎん。日本は三年、彼らをリードしています」

「だから軍縮会議で日本いじめをやっちょる。あんなものは早く脱退して、軍艦をどしどし建造せにゃ日本は危い」

「やあ、時田先生は元気がいい。今、まさしくわれわれもその問題を論じていたんです。海軍兵力量の平等が国際平和の根底で基礎だと、そして各国が共通最高兵力量を設定しておけば、各国は戦争をすれば自国が危いから戦争をしないようになると、つまり戦争抑止力を持つと、ぼくは思う。いや、これはぼくだけでなく、ここにいるみんなの一致した意見だが、英米は日本と平等の兵力では困るという。あの軍縮会議は決裂ですよ。すると来年から海軍無条約時代に入る。軍拡競争の時代です」

「望むところじゃ。日本は大海軍を持つ権利がある」

「ヒトラー総統はヴェルサイユ条約中の軍事条項の破棄を爆弾宣言し、ドイツも軍備を拡大する。大変な時代になりましたよ」

「帝国海軍は世界一になるとして、陸軍はどうなるんじゃ」利平は敬助と陸軍の将校たちをジロリと見た。大尉中尉の若手は存外に少なく少佐中佐の年輩者が半ば以上だった。さっきから一言も発言せずに行儀よく控えているのが、こちらを無視しているようで気にくわぬ。陸軍の軍人なんかに負けるものか。

「まあ……」と口を開いた振一郎を後目《しりめ》に、利平は敬助に皮肉な調子で言った。

「脇中尉さん、例の粛軍は、その後、どうなりましたかな。どうも最近の陸軍はおかしい。例の永田事件の下剋上《げこくじよう》、満洲における匪賊《ひぞく》の跋扈《ばつこ》、支那ではソ聯《れん》と英国が相結んで日本に敵対中、もっと陸軍がしっかりせんといかん。せっかくの満洲も危い」

「はい、はい」敬助は微笑した。利平の心配など陸軍では解決済みだという態度である。

「まあね」と振一郎が将校たちへ笑顔をむけ、取り成すように言った。「陸軍も頑張《がんば》ってますよ。満蒙《まんもう》の曠野《こうや》では極寒零下四十度のなか、国防を守っています。永田事件だって、この一月二十八日に公判が始まれば厳正な審判が下されるでしょう」

「公判か」利平は吐き出すように言った。「公判で何ができる」敬助の自信ありげな微笑と将校たちにおもねる振一郎を見ているうちに不機嫌《ふきげん》が、濃いアルコールの酔いとともに脳に突きあげてきた。永田事件など利平には何の関心もない。問題は陸軍がだらしないことだ、とくに敬助がだらしがない、なぜかと言えば……不意に脳細胞がきちんと配列して、鮮明な記憶が甦《よみがえ》った。利平は呂律《ろれつ》を明瞭《めいりよう》にすべく、ゆっくりと言った。

「敬助君は、去年の夏、葉山で、こう言ったな。〝夏江と結婚しないならば、ほかの誰とも結婚しない〟と言ったな。ありゃどういう意味じゃ」

「そんなことを言ったかしら」と振一郎が首を傾《かし》げた。

「言った」と利平はテーブルを拳《こぶし》で打った。「おれははっきり覚えちょる。どうじゃ敬助君、脇中尉さん、君は自分が言うた言葉を覚えとるだろう。どうして黙っちょる。陸軍の軍人は二枚舌を使うのか」

「にいさん、酔ってますね。脇中尉の個人的な話はここではやめましょうや」

「なぜいかん。単なる雑談をやっちょると、さっきあんた言うたじゃないか。こりゃ雑談じゃ。まあ、みなさん聞いて下さい。わたしの娘とこの脇中尉との間で去年縁談があってかなり話が進んだ。ところが、粛軍か何か知らんが、軍人には結婚より大切なものがある、娘と結婚もせんし、ほかの誰とも結婚せんという理由で話が毀《こわ》れた。それが夏じゃった。ところが、暮には突然、この風間振一郎氏の娘と脇中尉が婚約した。近く結婚するそうだ。いったい前の話と今の話と、どこでどうつながるのか、それを説明しろとわたしは言うとるんです。どうじゃ、脇中尉」

敬助は平静をよそおって言った。

「時田先生の言われたこと、何のことやら、わたくしにはさっぱりわかりません。ほかの誰とも結婚しないなどと誓った記憶はありません」

「それが二枚舌じゃ。陸軍の軍人はそのような卑劣な言辞を弄《ろう》してよいのか」

「陸軍を誹謗《ひぼう》するのか」と鋭い声が発せられた。参謀肩章が血相を変えて身構えている。利平は睨《にら》み返した。

「陸軍を誹謗してるのではない。誹謗すべき軍人が陸軍にはおると言うちょる。元海軍軍医として言うちょる」

満洲服の書生が来て振一郎に耳打ちした。振一郎は立って一礼した。

「みなさん、母屋のほうに食事の準備ができましたので、そちらにお越し下さい。脇中尉、みなさんを御案内してさしあげなさい」

将校たちが、やれやれという面持《おももち》で腰を浮すと一斉《いっせい》に出て行った。残ったのは振一郎と秘書らしい二人の男だった。一人は若いが、もう一人は四十年輩で主人と同じく腹が突き出ていた。

「卑怯《ひきょう》な奴《やつ》らだ」と利平は言った。

「まあ、にいさん、気を鎮《しず》めて下さい。きょうは正月なんだから」と振一郎は言って、葉巻に火をつけた。

「正月だろうと何だろうと、筋の通らんのはいかん」

「それはそうです」

「あんた本当に覚えちょらんのか――敬助が、夏江と結婚せんなら、ほかの誰とも結婚せんと誓ったのを」

「覚えてますよ」振一郎は平然と紫煙をくゆらせた。

「何だって……それなら、さっきそう言ってくれればいいのに」

「言えば敬助君を傷つける。聯隊の上官も来てましたからね。申し訳ないが、にいさんが酔ったあげくの暴言にさせていただいた」

「けしからん」

「敬助君に結婚しない誓いを破らせたのは、このぼくなんです。百合子との結婚を執拗《しつよう》に説いてついに承知させた。だから、にいさんが敬助君を批難なさるのは見当違いなんです」

「しかし……あの男が前言をひるがえした事実は事実じゃ」

「それはそうです。しかし、若い者にありがちな一時の気負いだったと許してやって下さい。百合子は彼に夢中なんです。父親としては娘の幸福を実現してやりたかった。ぼくの気持もわかって下さい」

「父親か……」利平はつぶやいた。不機嫌《ふきげん》が脳から引いていき、悲哀とも憐憫《れんびん》とも言える重い心が胸に充ち、去年の暮、中林が求婚した日のことが思い出されてきた。深夜新田から三田に帰った利平の居間に夏江が訪れてきた。娘は珍しく酔っていて、半分泣きながら敬助とのいきさつを告白した。彼は娘にずっと恋文を書いていた。ほとんど娘の心が定まったとき彼と百合子の縁談を聞いた。夏の葉山で娘が彼の真意を確めたところ、彼はきっぱりと百合子との仲を否定し、自分はどんな女性とも結婚しないと誓い、その結果娘は彼との仲をあきらめた。すべては利平が初めて聞く事柄《ことがら》で、父親はなぐさめようもなく、娘の震える細い肩を撫《な》でていた。「わたし、男の人って信じられなくなったんです」と夏江は告白の結論として言った。「では、なぜ中林との結婚を承知したのか」と利平が尋ねると、夏江はしばらく考えたすえ、「敬助さんへの憎しみのせいですわ」と答え、そのあとは何を尋ねても黙りこくっていた。

「さあ、むこうへ行きましょう」振一郎は利平を誘った。「母屋《おもや》まで地下道で行けるんです。フランス葡萄酒《ぶどうしゅ》の穴倉《カーヴ》を作りましてね、今夜は極上の葡萄酒を御馳走《ごちそう》しますよ」

玄関近くの座敷に幾条《いくすじ》もの食卓が並び、仕出弁当がずらりと置かれていた。続々と人々が詰めていく。夏江が子供たちを席に付かせている。子供、女、男と何となく分れた。男の席に女中たちが、ビールと葡萄酒を運んだ。床の間を背にした上座に振一郎や利平を始め男たちが居並んだ。敬助と将校たちが軍服を寄せ合い異彩を放っていた。振一郎が冗談を飛ばすと将校たちは一斉に笑った。放胆な大声に驚いて赤ん坊が泣き始めた。初江はぐるりと見回してみて知った顔がすくないのと、正月の正装をして取澄ました人々が一般なのを認め、時田家の宴会と何という相違だろうと思った。あちらでは、店の親爺《おやじ》、近所の主婦、通行人などが、まるで自分たちの家のように自由に出入りしていたし、女中まで同等の客として出席していた。が、こちらでは同じインテリ階層の親戚《しんせき》や知人だけが招《よ》ばれている。あちらは野放図に建て増しされた複雑な病院、こちらは様式通りに設計された庭や建物、そして空襲に備えた地下壕だ。

敬助が入ってきてから、初江はそれとなく夏江の様子を観察していた。相変らず子供たちの世話にかまけている。敬助に気がつかないのか。いや、将校団は一座の中心にいてひどく目立つのだった。

「では」と紺背広が立った。さっき振一郎に従っていた二人組の一人だ。不恰好《ぶかっこう》に腹の丸い男で、演説に擦れたような野太い声で始めた。「わたくし……です。僭越《せんえつ》ですが司会をつとめさせていただきます。今年は、われらの盟主、風間振一郎先生の飛躍の年です。近く議会は解散され、総選挙が必至の情勢です。その場合、先生は政友会から候補に立たれ、政界への第一歩を踏み出される決意と洩《も》れお聞きしております。その折しも、まことにおめでたいお知らせがあります。発表させていただきます――風間先生の御長女百合子さまと政友会幹事長衆議院議員故脇礼助先生の御長男、すなわちここにおられます陸軍中尉脇敬助さまとのあいだで昨年師走《しわす》御婚約が成就《じょうじゅ》し、この二月上旬御結婚の儀が取りおこなわれます。私事にわたりますが、不肖わたくし……は、故脇礼助先生の選挙地盤栃木において先生のもとで働いたことがあり、風間家と脇家の不思議な御縁に驚きかつ感激いたしております……」長広舌は続いていた。初江は夏江に目を移すと、その姿が掻《か》き消えていた。お手洗かと待ってみたが現れない。心配で様子を見に部屋を出た。玄関脇、暖簾《のれん》の掛った台所の中に女中たちが群れていた。顔馴染《かおなじ》みの一人に尋ねると、「急用があってお帰りになりました」という返事だった。

初江は自分の草履を探したが、おびただしい履物のなかに見失ない、下駄《げた》を突っ掛けて暗い表に出た。街灯に照らされた辻《つじ》のあたりに黒羽織の夏江が見えた。呼ぶと振り返る。初江は夢中で走り寄った。「夏っちゃん、どうしたの」「帰るのよ」「あなた怒ってるの」「何を」「敬助さんのことよ」「いいえ」夏江は立ち止って聞き返した。「なぜそう思うの」「そんなような気がしたのよ。だって敬助さんのお話が出たら急にいなくなるんだもの」「おねえさんたら、また一人合点なんだから」夏江は笑い出した。「用があるの。セツルの新年の集りがあるの」夏江は、妙に淋《さび》しげな後姿で闇に融《と》けた。底冷えのする風を足音が小刻みに削っていった。

（「第二章　岐路」に続く）

初出
文芸誌「新潮」（一九八六年一月号〜一九九五年十一月号）に連載。
後に、それぞれが独立した単行本として新潮社から刊行された『岐路』（上下巻、一九八八年六月刊）『小暗い森』（上下巻、一九九一年九月刊）『炎都』（上下巻、一九九六年五月刊）の三部作は、文庫化に際して著者の手が入り、『永遠の都』という総タイトルのもとに、全七巻の文庫版として一九九七年五月から八月にかけて刊行された。本書は、その新潮文庫版を底本にするものである。
新潮文庫版『永遠の都　1　夏の海辺』は、一九九七年五月刊行

加賀乙彦
一九二九(昭和四)年、東京生まれ。東京大学医学部卒業。一九五七年から六〇年にかけてフランスに留学、パリ大学サンタンヌ病院と北仏サンヴナン病院に勤務した。犯罪心理学・精神医学の権威でもある。著書に『フランドルの冬』『帰らざる夏』(谷崎潤一郎賞)、『宣告』(日本文学大賞)、『湿原』(大佛次郎賞)、『錨のない船』など多数。本書『永遠の都』で芸術選奨文部大臣賞を受賞、続編である『雲の都』で毎日出版文化賞特別賞を受賞した。

永遠《えいえん》の都《みやこ》 1

夏《なつ》の海辺《うみべ》

〈全七冊セット〉

発行　二〇一五年三月三〇日
著　者　加賀乙彦《かがおとひこ》
発行者　佐藤隆信
発行所　株式会社新潮社
東京都新宿区矢来町七一
郵便番号　一六二 - 八七一一
電話　編集部〇三 - 三二六六 - 五四一一
読者係〇三 - 三二六六 - 五一一一
http://www.shinchosha.co.jp
印刷所　二光印刷株式会社
製本所　大口製本印刷株式会社
乱丁・落丁本は、ご面倒ですが小社読者係宛お送り下さい。送料小社負担にてお取替えいたします。
価格は函に表示してあります。

ISBN978-4-10-330816-4　C0093